Der »DIERCKE-Taschenatlas der Welt« enthält auf 131 farbigen Kartenseiten umfassende topographische Grundinformationen über alle Länder und Kontinente der Erde.

Der verfügbare Platz konnte voll für die Landkarten genutzt werden, da die sonst üblichen statistischen Daten Gegenstand eines eigenen Bandes sind (dtv 3401, DIERCKE-Weltstatistik).

Nur so war es möglich, physische Übersichts- und Detailkarten in relativ großen Maßstäben mit entsprechend reichhaltiger Beschriftung bringen zu können. Alle hier gezeigten Karten basieren auf dem millionenfach bewährten DIERCKE Weltatlas.

Bisher sind in dieser Reihe erschienen:
DIERCKE-Taschenatlas der Welt
DIERCKE-Weltstatistik
Weitere DIERCKE-Taschenbücher sind in Vorbereitung.

DIERCKE-Taschenatlas der Welt

Physische und politische Karten

Deutscher
Taschenbuch
Verlag

Westermann

Ausgeführt in der Kartographischen Anstalt
Georg Westermann, Braunschweig.
Kartographische Leitung: Dr. Ferdinand Mayer
Planungsmitarbeit, kartographische Technik: Heinz Sprengel

1. Auflage Oktober 1980
2. Auflage Februar 1981
Gemeinschaftsausgabe
© Deutscher Taschenbuch Verlag GmbH & Co. KG, München
und Georg Westermann Verlag, Druckerei und
Kartographische Anstalt GmbH & Co., Braunschweig

© Für die Karten: Georg Westermann Verlag, Druckerei und
Kartographische Anstalt GmbH & Co., Braunschweig

Umschlaggestaltung: Gerd Gücker
Gesamtherstellung: westermann druck, Braunschweig
Printed in Germany
ISBN 3 - 423 - 03400 - 9 (dtv)
ISBN 3 - 14 - 10 6050 - 9 (westermann)

Inhalt

Kartenübersichten

Deutschland 6
Europa 7
Erde 8/9

Erde

Physische Übersicht 10/11
Politische Übersicht 12/13

Europa

Physische Übersicht 14/15
Politische Übersicht 16/17

Deutschland

Physische Übersicht 18/19
Politische Übersicht 20/21

Bundesrepublik Deutschland

Schleswig-Holstein / Hamburg 22/23
Niedersachsen / Bremen 24/25
Nordrhein-Westfalen 26/27
Rheinland-Pfalz / Saarland/
Hessen 28/29
Bayern − Nördlicher Teil 30/31
Bayern − Südlicher Teil /
Baden-Württemberg 32/33

Deutsche Demokratische Republik

Nördlicher Teil 34/35
Südlicher Teil 36/37

Europa

Großbritannien / Irland 38/39
Island / Norwegen /
Schweden / Finnland 40/41
Dänemark 42/43
Benelux-Staaten 44/45
Frankreich − Nördlicher Teil 46/47
Frankreich − Südlicher Teil 48/49
Schweiz / Liechtenstein /
Österreich − Westlicher Teil 50/51
Österreich − Östlicher Teil 52/53
Polen − Tschechoslowakei 54/55
Portugal − Spanien 56/57
Italien − Nördlicher Teil 58/59
Italien − Südlicher Teil / Malta 60/61
Jugoslawien / Albanien 62/63
Ungarn / Rumänien 64/65
Bulgarien / Griechenland 66/67

Afrika

Physische Übersicht 68/69
Politische Übersicht 70/71
Nordwestlicher Teil 72/73
Nordöstlicher Teil 74/75
Mittlerer Teil 76/77
Südlicher Teil 78/79

Asien

Physische Übersicht 80/81
Politische Übersicht 82/83
Israel 84
Östliche Mittelmeerländer 85
Westasien (Naher Osten) 86/87
Südasien 88/89
Nordasien (UdSSR) −
Westlicher Teil 90/91
Nordasien (UdSSR) −
Mittlerer Teil 92/93
Nordasien (UdSSR) −
Östlicher Teil 94/95
Ostasien 96/97
Volksrepublik China − Kernraum . . . 98/99
Nordkorea / Südkorea / Japan 100/101
Südostasien 102/103

Australien / Ozeanien

Physische Übersicht 104/105
Politische Übersicht 106/107
Australien − Mittlerer und
östlicher Teil /
Papua − Neuguinea 108/109
Neuseeland 109

Amerika

Nordamerika −
Physische Übersicht 110
Südamerika −
Physische Übersicht 111
Nordamerika −
Politische Übersicht 112
Südamerika −
Politische Übersicht 113
Kanada − Westlicher Teil 114/115
Kanada − Östlicher Teil 116/117
USA − Physische Übersicht 118/119
USA − Nordoststaaten 120/121
Mexiko / Mittelamerika −
Westlicher Teil 122/123
Mittelamerika −
Politische Übersicht 122
Mittelamerika − Östlicher Teil 124/125
Südamerika − Nordwestlicher Teil . . 126/127
Südamerika − Mittlerer Teil 128/129
Südamerika − Südlicher Teil 130/131

Polargebiete

Nordpolargebiet (Arktis) 132/133
Südpolargebiet (Antarktis) 134/135

Erde / Mond 136

Register . . . . 137−180

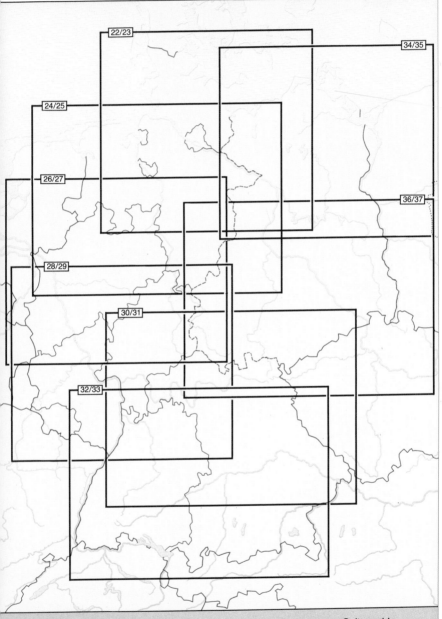

14/15 — Kartenausschnitte im Maßstab 1 : 1 750 000 mit eingetragenen Seitenzahlen

Alle Kartenausschnitte sind in vereinfachter Form als Rechtecke eingetragen, wodurch sich gelegentlich Ausschnittsabweichungen gegenüber der Atlasseite ergeben.

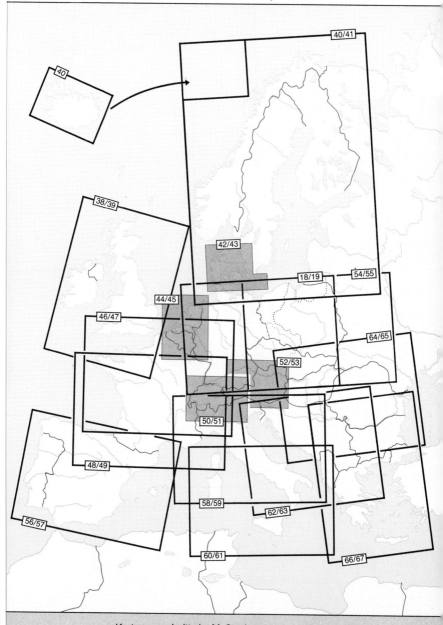

Kartenausschnitte im Maßstab
42/43 1 : 2 000 000   52/53 1 : 5 000 000
  1 : 8 000 000
mit eingetragenen Seitenzahlen

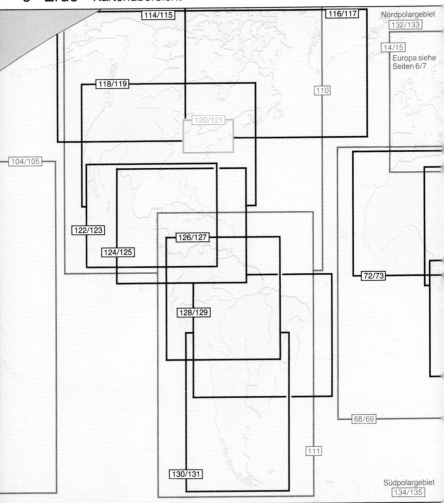

Kartenausschnitte im Maßstab

| 42/43 | 1 : 2 000 000 | 50/51 | 1 : 20 000 000 |

| 98/99 | 1 : 8 000 000/
1 : 12 000 000 | 68/69 | 1 : 48 000 000 |

mit eingetragenen Seitenzahlen

9

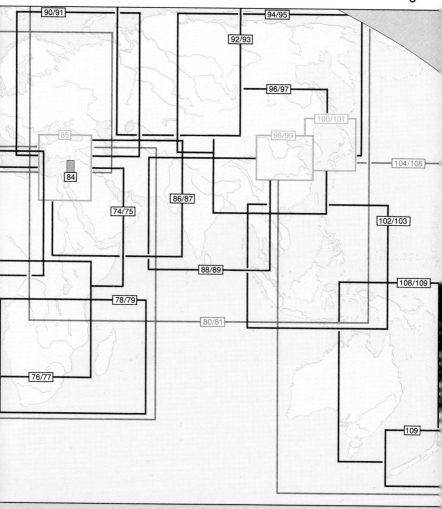

Alle Kartenausschnitte sind in vereinfachter Form als Rechtecke eingetragen, wodurch sich gelegentlich Ausschnittsabweichungen
gegenüber den Atlaskarten ergeben.

Maßstab 1 : 120 000 000
Winkels Entwurf

Größe der Weltmeere
(in Prozent der Wasseroberfläche)

Mittelmeere
(davon Nord-
polarmeer)

(4)

9

Randmeere 2

46
Pazifischer
Ozean

20
Indischer
Ozean

23
Atlantischer
Ozean

**Verteilung
Land - Wasser**

Land
29%

Wasser
71%

Landhöhen

Senken	0- 200	200-500	500-1000	1000-1500	üb. 1500 m

8848 Höhen in Meter

Meerestiefen

0-200 m	200-2000	2000-4000	4000-6000	6000-8000	üb. 8000 m

11022 Tiefen in Meter

Inlandeis

Maßstab 1 : 120 000 000
Winkels Entwurf

● Millionenstädte
○ sonstige Städte
Hauptstädte sind unterstrichen

Eisenbahnen

——— wichtige kontinentale
Strecken

Abkürzungen

(Austr.) = Australisch	(Ind.) = Indisch	(Norw.) = Norwegisch
(Bras.) = Brasilianisch	(Neuseel.) = Neuseeländisch	(Sp.) = Spanisch
(Brit.) = Britisch	(N.) = Niederländisch	(USA) = Vereinigte Staaten
(Franz.) = Französisch	(Port.) = Portugiesisch	

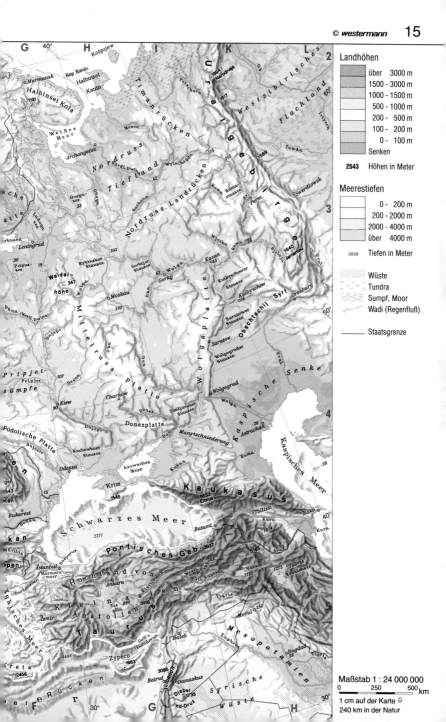

Landhöhen

- über 3000 m
- 1500 - 3000 m
- 1000 - 1500 m
- 500 - 1000 m
- 200 - 500 m
- 100 - 200 m
- 0 - 100 m
- Senken

2543 Höhen in Meter

Meerestiefen

- 0 - 200 m
- 200 - 2000 m
- 2000 - 4000 m
- über 4000 m

5858 Tiefen in Meter

Wüste
Tundra
Sumpf, Moor
Wadi (Regenfluß)

Staatsgrenze

Maßstab 1 : 24 000 000

0   250   500 km

1 cm auf der Karte ≙
240 km in der Natur

1980

Grönland

Europäisches

Nordmeer

Island
Reykjavik

Scoresbysund

Barentsburg

Spitzbergen
(Norw.)

Bäreninsel
(Norw.)

Nowaja
Semlja

Jan Mayen
(Norw.)

Narjan-Mar

Uchta

Nördlicher Polarkreis

Murmansk

Narvik

Archangelsk

Nördl. Dwina

Russ. Sozialist.

Färöer
(zu Dänemark)

Luleå

Oulu

Trondheim

Shetland-
inseln

Sundsvall

Föderative

Wologda

Orkney-
inseln

Bergen

Oslo

Stockholm

Turku

Helsinki

Leningrad

Moskau

Kalinin

Gorkij

Schottland
Glasgow

Edinburgh

Esbjerg

Reval
Estnische
SSR

Smolensk

Pensa

Sowjetrepublik

Saratow

Belfast
Nordirl.
Irland
Dublin

Dänemark

Kop.

Malmö

Riga

Lettische SSR

Litauische SSR

Wilna

Minsk

Woronesh

Wales
Cardiff

England

Vereinigtes
Königreich

Niederlande

Königsbg.

zur
RSFSR

Danzig

Weißrussische
SSR

Don

London
Birmingham

Hambg.

Berlin
-West

Posen

Warschau

Kiew

Charkow

Southampton

Amsterdam

Bundes-

Ost

SSR

Brest

Kanal-
inseln

Brüssel
Belgien

Lux.

Bonn

DDR

Leipzig

Polen

Breslau

Ukrainische

Dnjepropetrowsk

Paris

Deutschland

Prag

Krakau

Lemberg (Lwow)

Rostow

Le Havre

Straßburg

Tschecho-

Nantes

Frankreich

München
Bern

Wien

Budapest

Kischinew

Odessa

Krasnodar

Schweiz

Österreich

Ungarn

Moldauische
SSR

Bilbao

Bordeaux

Lyon

Mailand

Triest

Zagreb

Cluj
(Klausenburg)

Rumänien

Sewastopol

Andorra
Zaragoza

Turin

Monaco

Bastia

Belgrad

Bukarest

Konstanza

Schwarzes Meer

Barcelona

Marseille

Korsika

Italien

Jugoslawien

Donau

Valencia

Baleáren

Sardinien

Rom

Sofia

Bulgarien

Istanbul

Ankara

Cagliari

Neapel

Tirana

Albanien

Thessaloniki

Türkei

Oran

Algier

Annaba

Palermo

Reggio
di Calabria

Griechenland

İzmir

Adana

Constantine

Tunis

Sizilien

Haleb

Syrien

Sfax

Malta
Valletta

Athen

Kreta

Nikosia

Zypern

Libanon
Beirut

Damaskus

Tunesien

Touggourt

Israel
Jerusalem

Amman

gerien

Tripolis

Bengasi

El-Beida

Alexandria

Kairo

z. Zeit
von Israel
besetzt

Suez

Jordanien

Akaba

Leibyen

Ägypten

östl. L.v.Gr.

Ghadames

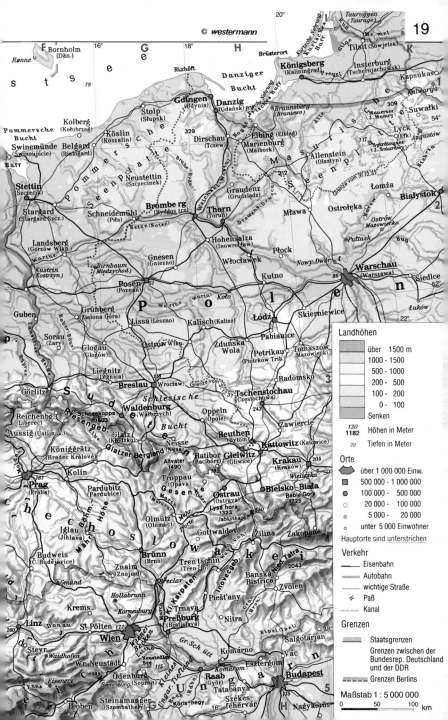

© westermann

19

Landhöhen

	über 1500 m
	1000 - 1500
	500 - 1000
	200 - 500
	100 - 200
	0 - 100
	Senken

130 / 1182   Höhen in Meter

20   Tiefen in Meter

Orte

	über 1 000 000 Einw.
	500 000 - 1 000 000
	100 000 - 500 000
	20 000 - 100 000
	5 000 - 20 000
	unter 5 000 Einwohner

Hauptorte sind unterstrichen

Verkehr

——— Eisenbahn

——— Autobahn

——— wichtige Straße

⚡ Paß

········· Kanal

Grenzen

Staatsgrenzen

Grenzen zwischen der
Bundesrep. Deutschland
und der DDR

Grenzen Berlins

Maßstab 1 : 5 000 000

0   50   100 km

Maßstab 1 : 5 000 000
0   50   100   km

N o r d s e e

54°

Helgoland
(zu Schlesw.-Holst.)

Fehmarn

Kiel
**Schleswig-
Holstein**

Rostock

Hamburg

Schwerin

Neubran

(zu Hambg.)

Groningen
Leeuwarden
Assen

Oldenburg
Weser-Ems

Bremen

Elbe
Lüneburg

N i e d e r l a n d e

Haarlem
Zwolle

Amsterdam

Den Haag
52°
Utrecht
Arnheim
(Arnhem)
Rotterdam

N i e d e r s a c h s e n

B u n d e s -

Hannover

Braun-
schweig

Magdeburg

Berlin
(West)

Potsdam

D e u t s

D e m o k r a t i

Münster
Detmold

Den Bosch

N o r d r h e i n -

Arnsberg

Düsseldorf

Kassel

Halle
Leipzig

Antwerpen
(Anvers)

Brüssel
(Bruxelles)
Hasselt

W e s t f a l e n

Köln

r e p u b l i k

Erfurt

R e p u b l i

Maastr.

Gera

Karl-Marx-
(Chemnitz)

Namur

Lüttich
(Liège)

Bonn

Rhein

Belgien

Koblenz

H e s s e n

Suhl

50°

Arlon

Lux.

Luxemburg

Trier

Mose

Rheinland-

Wiesbaden

Mainz

Unterfranken

Oberfranken

Eger

Eger
(Cheb)

Pfalz

Darmstadt

Würzburg

Bayreuth

Rheinhessen-
Pfalz

Main

Maas

Saarland
Saarbrücken

Neustadt
a.d.W.

Mittelfranken
Ansbach

Oberpfalz

Metz

D e u t s c h l a n d

Regensburg

Nancy

Karlsruhe

Stuttgart

B a y e r n

Niederbayern
Landshut

Bar-
le-Duc

Straßburg
(Strasbourg)

B a d e n -

Donau

48°

Epinal

Colmar

Tübingen

W ü r t t e m b e r g

Augsburg
Schwaben

München
Oberbayern

Langres

Belfort

Freiburg

F r a n k r e i c h

Saône

Vesoul

Doubs

Basel

Zürich

Bregenz

Innsbruck

Besançon

Solothurn
Aare
Luzern

St. Gallen

Liecht.
Vaduz

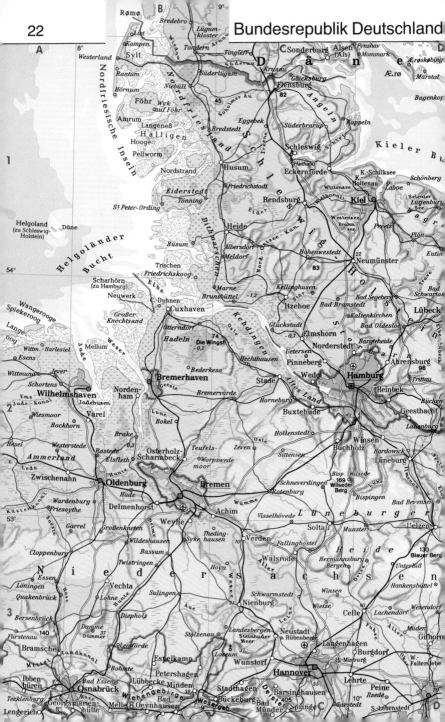

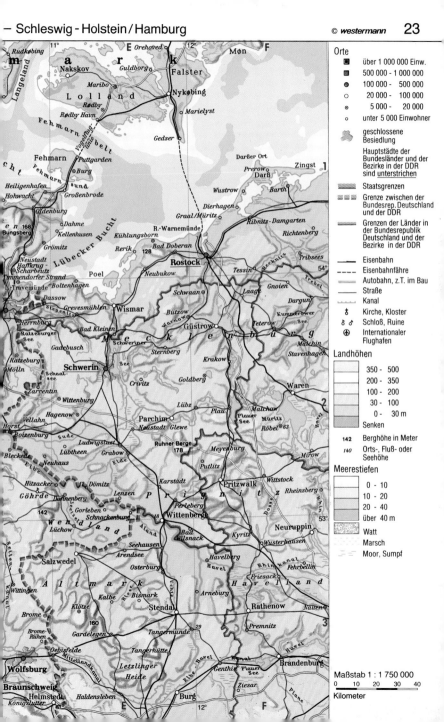

Meldorf Hohenwestedt 70° 22 Neumünster F Neustadt 11° Poel G Neubukow Rostock

Kellinghusen Bad Segeberg Haffkrug-Scharbeutz Travemünde Boltenhagen Schwaan H

nsbüttel −1,2 Itzehoe Bad Bramstedt 83 Kaltenkirchen Bad Schwartau Dassow Grevesmühlen Wismar Bützow

74 Wingst Glückstadt Elmshorn Bad Oldesloe Lübeck Herrnburg Stepenitz Ratzeburger See Bad Kleinen Schweriner Sternberg

Hechthausen Uetersen Norderstedt Bargteheide Ratzeburg Gadebusch Schwerin see Crivitz Goldberg 2

Stade Wedel Pinneberg Ahrensburg 98 Mölln Schaal- Zarrentin Lübz

Bremervörde Horneburg Hamburg Reinbek Trittau see

Buxtehude Geesthacht Büchen Wittenburg Hagenow Parchim Neustadt-Glewe

Hollenstedt Winsen Lauenburg Horst Boizenburg Sude Ludwigslust Ruhner Berge 178

Zeven Sittensen Buchholz Bardowick Bleckede Lübtheen Grabow Putlitz

rpswede Schneverdingen Lüneburg Neetze Elbe Neuhaus Elde Karstädt

emen Rotenburg Bisp. Wilsede 169 Bispingen Bad Bevensen Hitzacker 12° Dömitz Lenzen Perleberg

Achim Visselhövede Soltau Munster Uelzen Göhrde 142 Dannenberg Gorleben Schnackenburg Aland 18 Wittenberge 53°

Thedinghausen 10 Verden Fallingbostel Heide 130 Blauer Berg Selten Lüchow Seehausen Havelberg Bad Wilsnack

Hoya Walsrode Hermannsburg Unterlüß Wittingen Arendsee Osterburg

Schwarmstedt Bergen Hankensbüttel Salzwedel Altmark Bismark Arneburg

Nienburg Winsen Wietze Wesendorf Brome Klötze Kalbe Stendal 3

Landesbergen Neustadt a. Rübenberge Celle Lachendorf Müden Gifhorn Brome-Rühen 160 Gardelegen Tangermünde

Loccum Langenhagen Burgdorf H. Misburg W. Fallersleben Oebisfelde Mittellandkanal Tangerhütte

Wunstorf Hannover Lehrte Wolfsburg Letzlinger Heide

Stadthagen Barsinghausen Peine Ilsede Braunschweig Helmstedt Haldensleben Burg

Bückeburg Bad Münder Sarstedt Königslutter Magdeburger Börde Magdeburg

Rinteln Springe Hildesheim Salzgitter Wolfenbüttel S. Lebenstedt Schöppenstedt Schöningen Wanzleben Oschersleben

Hameln Bad Salzdetfurth S. Bad Osterwiek Schönebeck 52°

Bad Pyrmont Alfeld Langelsheim Goslar 314 Huy Halberstadt Calbe

Horn-Bad Meinberg Bodenwerder Seesen Bad Gandersheim G. Oker Bad Harzburg Wernigerode Staßfurt Bernburg

Steinheim Höxter Stadtoldendorf Kreiensen Clausthal-Zellerfeld Brocken 1142 Blankenburg Quedlinburg Köthen 4

Bad Driburg Brakel Holzminden Einbeck Osterode Altenau Braunlage Thale Aschersleben

Beverungen Uslar Northeim Herzberg St. Andreasberg Ballenstedt Hettstedt Petersberg 250

Warburg Reinhardswald Göttingen Bad Lauterberg Ellrich Harzgerode Wippra Eisleben

Hofgeismar Duderstadt Ohmgebirge Bleicherode Nordhausen Wippra Sangerhausen Halle

Kassel Witzenhausen Heiligenstadt Dün Sonders-hausen Kyffhäuser Artern Querfurt Müchen Merseburg G

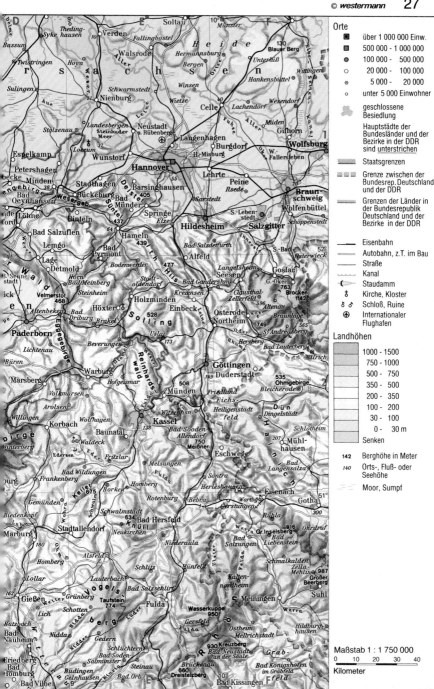

Orte

■	über 1 000 000 Einw.
◼	500 000 - 1 000 000
◉	100 000 - 500 000
○	20 000 - 100 000
◎	5 000 - 20 000
∘	unter 5 000 Einwohner

geschlossene Besiedlung

Hauptstädte der Bundesländer und der Bezirke in der DDR sind <u>unterstrichen</u>

Staatsgrenzen

Grenze zwischen der Bundesrep. Deutschland und der DDR

Grenzen der Länder in der Bundesrepublik Deutschland und der Bezirke in der DDR

Eisenbahn

Autobahn, z.T. im Bau

Straße

Kanal

Staudamm

Kirche, Kloster

Schloß, Ruine

Internationaler Flughafen

Landhöhen

	1000 - 1500
	750 - 1000
	500 - 750
	350 - 500
	200 - 350
	100 - 200
	30 - 100
	0 - 30 m
	Senken

142 Berghöhe in Meter

140 Orts-, Fluß- oder Seehöhe

Moor, Sumpf

Maßstab 1 : 1 750 000

0 10 20 30 40

Kilometer

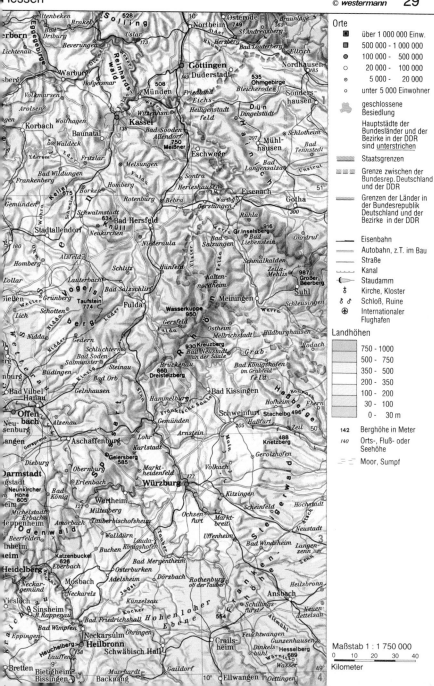

Orte

■	über 1 000 000 Einw.
▣	500 000 - 1 000 000
◉	100 000 - 500 000
○	20 000 - 100 000
◦	5 000 - 20 000
∘	unter 5 000 Einwohner

geschlossene Besiedlung

Hauptstädte der Bundesländer und der Bezirke in der DDR sind <u>unterstrichen</u>

Staatsgrenzen

Grenze zwischen der Bundesrep. Deutschland und der DDR

Grenzen der Länder in der Bundesrepublik Deutschland und der Bezirke in der DDR

Eisenbahn

Autobahn, z.T. im Bau

Straße

Kanal

Staudamm

ᵻ Kirche, Kloster

ᕵ ᕵ Schloß, Ruine

⊕ Internationaler Flughafen

Landhöhen

	750 - 1000
	500 - 750
	350 - 500
	200 - 350
	100 - 200
	30 - 100
	0 - 30 m

142 Berghöhe in Meter

140 Orts-, Fluß- oder Seehöhe

Moor, Sumpf

Maßstab 1 : 1 750 000

0   10   20   30   40
Kilometer

Erläuterungen siehe Seite 27

Maßstab 1 : 1 750 000

0   10   20   30   40

Kilometer

11° östl. L. v. Gr. E 12° F 13° G

Gerolzhofen · Bamberg · Fränkische · Waischenfeld · Bayreuth · Kemnath · Tirschenreuth · Plan (Planá) · Unešov

Forchheim · Ebermannstadt · Pegnitz · Eschenbach · Windisch-Eschenbach · Entenbühl 901 · Tachau (Tachov) · Haid (Bor) · Mies (Stříbro)

Schein-feld · Höchstadt · Schweiz · Grafenwöhr · Neustadt · Weiden · Pfimda 848 · Roßhaupt (Rozvadov) · Nürschan (Nýřany)

Neustadt · Herzogen-aurach · Erlangen · Heroldsberg · Laut · Hirschau · Waidhaus · Vohen-strauß · Tschecho-

Windsheim · Langen-zenn · Fürth · Nürnberg · Hersbruck · Sulzbach-Rosenberg · Nabburg · Oberviechtach · slowakei · Staňkov

Zirndorf · Stein · Feucht · Poppberg 657 · Amberg · Schwarzach · Waldmünchen · Domažlice · Klattau (Klatovy)

Ansbach · Heilsbronn · Schwabach · Neumarkt · Kastl · Schwandorf · Bruck · Neunburg vorm Wald · Furth · Schwarzkoppe 1042

Neuendettelsau · Roth · Allersberg · Tauterach · Burglengenfeld 643 · Limpelberg · Maxhütte-Haidhof · Nittenau · Roding · Cham · Lam · Kötzting · Großer Arber 1456

Hesselberg 689 · Wassertrüdingen · Gunzenhausen · Hilpoltstein · Heinfeld · Parsberg · Regenstauf · Donaustauf · Walhalla · Wörth · Viechtach · Zwiesel

Oettingen · Treuchtlingen · Weißenburg · Beilngries · Dietfurt · Riedenburg · Kelheim · Regensburg · Bayerischer · 49° Regen

Pappenheim · Kipfenberg · Altmühl · Kl. Weltenburg · Schierling · Große Laber · Straubing · Donau · Wald · Deggendorf

Ries · Nördlingen · Wemding · Eichstätt · Solnhofen · Monheim · Gaimersheim · Ingolstadt · Abensberg · Mallersdorf-Pfaffenberg · Plattling

opfingen · Harburg · Wellheim · Rennertshofen 363 · Neustadt a.d. Donau · Manching · Rottenburg · Ergoldsbach · Isar · Osterhofen

axis · Donauwörth 396 · Donau · Neuburg · Geisenfeld · Halletau · Mainburg · Dingolfing · Landau · Vilshofen

Dillingen · Donauried · Rain · Donaumoos · Pöttmes · Schrobenhausen · Pfaffenhofen · Wolnzach · Au · Moosburg · Landshut · Arnstorf · Griesbach · Rott

Gundelfingen · Wertingen · Aichach · Paar · Ilm · Freising · Vilsbiburg · Eggenfelden · Simbach · Inn

Burgau · Gersthofen · Augsburg 490 · Markt-Indersdorf · Haimhausen · Erding · Dorfen · Mühldorf · Neuötting · Braunau

hannhausen · Bobingen · Friedberg · Mering · Dachau · Neufahrn · Oberschleißheim · Ismaning · Markt Schwaben · Waldkraiburg · Altötting · Burghausen · Mattighofen

Königsbrunn · Schwabmünchen · Fürstenfeldbruck · Karlsfeld · Gröbenzell · München · Parsdorf · Wasserburg · Tittmoning · Salzach · 48°

rumbach · Germering · Gräfelfing · Haar · Ebersberg · Grafing · Seeon · Traunreut · Oberndorf

findelheim · Landsberg · Gauting 518 · Ottobrunn · Unterhaching · Grünwald · Glonn · Rott · Chiem-see · Traunstein · Laufen · Seekirchen · 424

gen · Bad Wörishofen · Ammer · Dießen · Starnberg · Herrsching · Wolfratshausen · Bad Aibling 451 · Prien · Herrenchiemsee · Freilassing

ther-inzburg · Kaufbeuren · Tutzing · Starn-berger See · Geretsried · Rosenheim · Aschau · Ruhpolding · Bad Reichenhall

Schongau · Weilheim · Hoher Peißenberg · Penzberg · Bad Tölz · Miesbach · Schliersee · Rott im Winkl · Izell · Bischofswiesen · Berchtesgaden

Marktoberdorf · Staffel-see · Murnau · Kochel · Bad Wiessee · Tegernsee · Bayrischzell · Kiefersfelden · Lofer · Watzmann 2713 · Königs-see

Vesselwang · Roßhaupten · Wies · Forggensee · Oberammergau · Kochel-see · Benedikten-wand 1802 · Lenggries · Mangfallgebirge · Kaiser-gebirge · St. Johann · Kitzbühel

Jungholz · Füssen · Hohenschwangau · Ettal · Walchen-see · Achenkirch · Kufstein · Hopf-garten · Kirchberg

indelang · Reute · Garmisch-Partenkirchen · Krün · Sylvenstein · Wörgl · Kirchbichl · Kitzbühel · Saalbach · Saalfelden

Alpen · ebelhorn 2594 · Plan-see · Lermoos · Zugspitze 2963 · Mittenwald · Jenbach · Rattenberg · Kitzbühel · Pass Thurn 1274

Hochvogel 2593 · Fernpaß · Seefeld · Teis · Solbad Hall · Schwaz · Zell am Ziller · Gerlospaß 1628

ädelegabel 649 · taler · Nassereith · Stams · Zirl 574 · Innsbruck · Imst · Ötz · Inn · Mayrhofen · Krimml

11 12

Erläuterungen siehe Seite 27

Maßstab 1 : 1 750 000

0 10 20 30 40

Kilometer

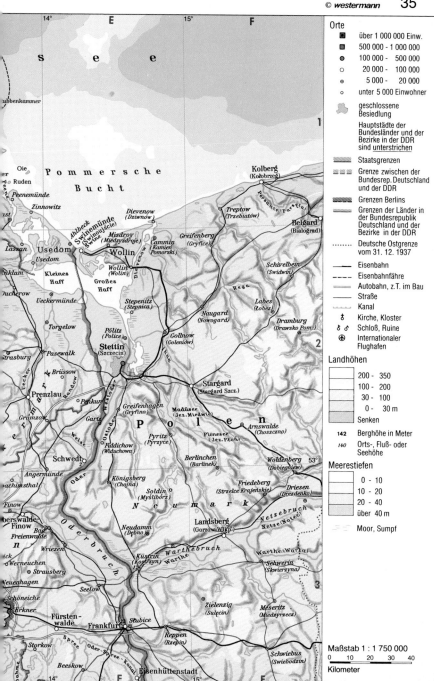

Orte

▣	über 1 000 000 Einw.
▪	500 000 - 1 000 000
●	100 000 - 500 000
○	20 000 - 100 000
◉	5 000 - 20 000
○	unter 5 000 Einwohner

🝆 geschlossene Besiedlung

Hauptstädte der Bundesländer und der Bezirke in der DDR sind <u>unterstrichen</u>

〰〰 Staatsgrenzen

⌇⌇⌇ Grenze zwischen der Bundesrep. Deutschland und der DDR

▨▨ Grenzen Berlins

▨▨ Grenzen der Länder in der Bundesrepublik Deutschland und der Bezirke in der DDR

······· Deutsche Ostgrenze vom 31. 12. 1937

——— Eisenbahn

- - - - Eisenbahnfähre

═══ Autobahn, z.T. im Bau

——— Straße

⌁⌁⌁ Kanal

ठ Kirche, Kloster

ठ ठ Schloß, Ruine

⊕ Internationaler Flughafen

Landhöhen

	200 - 350
	100 - 200
	30 - 100
	0 - 30 m
	Senken

142 Berghöhe in Meter

140 Orts-, Fluß- oder Seehöhe

Meerestiefen

	0 - 10
	10 - 20
	20 - 40
	über 40 m

═ ═ Moor, Sumpf

Maßstab 1 : 1 750 000

0 10 20 30 40

Kilometer

Hennigsdorf Velten Wriezen 14° Wartheburch (Warta)
Nauen Zepernick Werneuchen Küstrin Warthe Schwerin
Falkensee Berlin (Ost) Strausberg (Kostrzyn) (Skwierzyna)
Berlin (West) Neuenhagen Seelow Zielenzig Meseritz
Potsdam Schöneiche Erkner (Sulęcin) (Międzyrzecz)
Teltow Schönefeld Fürstenwalde Frankfurt Słubice Reppen (Rzepin)
Blankenfelde Zeuthen Oder-Spree-Kanal Küstrin
Ludwigsfelde Wusterhausen Storkow Eisenhüttenstadt Züllichau (Sulechów)
Beelitz Zossen Beeskow Oder (Odra) Crossen (Krosno Odrzańskie) 52°
Treuenbrietzen Jüterbog Baruth Schwielochsee Gubin Grünberg (Zielona Góra)
Luckenwalde Spree Guben Sommerfeld (Lubsko) Neusalz (Nowa Sól)
Jessen Dahme Lübben Spreewald Peitz Naumburg (Nowogród Bobrzański) Freystadt (Kożuchów)
Schwarze Elster Luckau Lübbenau Cottbus Forst Sagan (Żagań) Sprottau (Szprotawa)
Herzberg Niederlausitz Calau Sorau (Żary)
Torgau Doberlug-Kirchhain Finsterwalde Großräschen Spremberg Polen
Falkenberg Lauchhammer Senftenberg Weißwasser
Bad Liebenwerda Elsterwerda Hoyerswerda Penzig (Pieńsk)
Wurzen Oschatz Großenhain Kamenz Lausitz Bunzlau (Bolesławiec)
Grimma Mügeln Riesa Große Röder Bautzen Görlitz Zgorzelec Lauban (Luboń)
Meißen Großröhrsdorf Bischofswerda Löwenburg (Lwówek Śl.)
Döbeln Radebeul Radeberg Löbau Reichenau (Bogatynia) Greiffenberg (Gryfów Śl.)
Rochlitz Waldheim Coswig Dresden Sohland Neugersdorf Zittau
Mittweida Freital Heidenau Sebnitz Warnsdorf Reichenberg (Liberec) Riesengeb.
Burgstädt Hainichen Freiberg Pirna Bad Schandau 774
Karl-Marx-Stadt (Chemnitz) Frankenberg Königstein Elbsandsteingebirge Gablonz (Jablonec)
Flöha Dippoldiswalde Tetschen (Děčín)
Ohenstein Brand-Erbisdorf Glashütte Hohenelbe (Vrchlabí)
Mulda Altenberg Böhm. Leipa (Česká Lípa)
Zschopau Sayda Aussig (Ústí n. L.) Turnov
Marienberg Olbernhau Teplitz (Teplice) Auscha (Úštěk)
Annaberg-Buchholz Leutensdorf (Litvínov) Donnersberg 836 Mittelgebirge Leitmeritz (Litoměřice) Mnichovo Hradiště
Geyer Brüx (Most) Böhmisches Jičín
Johanngeorgenstadt Fichtelberg 1214 993 Komotau (Chomutov) Theresienstadt (Terezín) Jungbunzlau (Mladá Boleslav)
Oberwiesenthal Keilberg 1244 Kaaden (Kadaň) Eger (Ohře)
Neudeck (Nejdek) Erzgebirge Louny Mělník 155
Karlsbad (Karlovy Vary) Saaz (Žatec) Tschechoslowakei Moldau (Vltava)
Duppauer Gebirge 934 Slaný Kralupy Brandýs nad Labem-Stará Boleslav Nymburk
Petschau (Bečov) Podbořany Kladno Elbe (Labe) Poděbrady
Theusing (Toužim) Rakovnik Weißer Berg Český Brod
Kralovice Prag (Praha) 187
13° östl. L. v. Gr. 14° Beroun Modřany

Erläuterungen siehe Seite 27

Maßstab 1 : 1 750 000

0 10 20 30 40

Kilometer

Landhöhen

	über 1 500 m
	1 000 – 1 500
	500 – 1 000
	200 – 500
	100 – 200
	0 – 100 m
	Senken

1214 Höhen in Meter

Meerestiefen

	0 – 40 m
	40 – 200
	200 – 2 000
	über 2 000 m

172 Tiefen in Meter

Orte

	über 1 000 000 Einwohner
	500 000 – 1 000 000
	100 000 – 500 000
	20 000 – 100 000
	5 000 – 20 000
	unter 5 000 Einwohner

Hauptorte sind unterstrichen

Verkehr

——	Eisenbahn
– – –	Fährverbindung
	Autobahn
	wichtige Straße
	Kanal
	Staatsgrenze

England

Frankreich

Irland

Paris

Dublin (Baile Átha Cliath)
Dún Laoghaire

Cork (Corcaigh)

Limerick

Waterford

Galway

London
Oxford
Windsor
Reading
Cambridge
Ipswich
Norwich
Great Yarmouth
Lowestoft
King's Lynn
Peterborough
Bedford
Luton
Northampton
Leicester
Nottingham
Derby
Lincoln
Doncaster
Sheffield
Leeds
York
Bradford
Hull (Kingston-upon-Hull)
Grimsby
Scarborough
Halifax
Huddersfield
Manchester
Stockport
Oldham
Bolton
Burnley
Blackburn
Preston
Blackpool
Liverpool
Wallasey
Birkenhead
Chester
Stoke on Trent
Shrewsbury
Wolverhampton
Walsall
West Bromwich
Birmingham
Coventry
Warwick
Worcester
Hereford
Gloucester
Cheltenham
Swindon
Bristol
Bath
Cardiff
Newport
Swansea
Merthyr Tydfil
Rhondda
Barry
Cardigan
Holyhead
Anglesey
Snowdon 1085
Pumlumon Fawr 753
Southend on Sea
Canterbury
Margate
Ramsgate
Dover
Folkestone
Hastings
Eastbourne
Brighton
Portsmouth
Southampton
Poole
Bournemouth
Salisbury
Winchester
Weymouth
Exeter
Torquay
Plymouth
Truro
Penzance
Falmouth
Helston
Newport
Wight
Isle of Wight
Carlisle
Barrow in Furness
Morecambe
Southport
Douglas
Dundalk
Drogheda
Cavan
Castlebar
Westport
Ennis
Tralee
Killarney
Clonmel
Kilkenny
Carlow
Wicklow
Bray
Wexford
Rosslare
Pembroke
Milford Haven
Fishguard
St. Brides
Carrauntoohil 1041
Nephin 806
Keeper Hill 694
953
920
537
686

Le Havre
Rouen
Dieppe
Abbeville
Amiens
Beauvais
Paris
St. Germain
Évreux
Caen
Bayeux
Cherbourg
Kap Hague
Granville
St. Lô
St. Helier
Jersey
Guernsey
Alderney 172
Deauville
Fécamp
Boulogne
Calais
Dunkirchen (Dunkerque)
St. Omer
Gris-Nez

York
Lancashire
Norfolk
Suffolk
Essex
Kent
Sussex
North Downs
South Downs
The Weald
The Fens
Cambrian Mountains
Cornwall
Devon
Exmoor
Dartmoor 621
Somerset
Cotswold
Munster
Leinster
Wicklow Mts 926
Mourne Mts
Connemara
Clare

Wales

The Wash
Humber
Ouse
Trent
Severn
Avon
Themse
Wye
Teifi
Cardigan bai
Cardigan
Aran-Inseln
Shannon
Boyne
Barrow
Suir
Nore
Blackwater
Lee
Bann
Erne
Lough Neagh
Lough Erne
Lough Corrib
Lough Mask
Lough Ree
Lough Derg
Foyle

Irische See
Kanal von Bristol (Bristolkanal)
Sankt-Georgs-Kanal
English Channel (Der Kanal oder Ärmelkanal)
Straße von Dover (Pas de Calais)
Seinebucht
Cotentin
Normannische Inseln (Brit.)
Scilly-Inseln
Bishop Rock
Lizard Point
Lands End
Start Point
Portland Bill
Spurn Head
Flamborough Head
Eddystone
Lundy
Baltimore
Skibbereen
Mizen Head
Bantry Bay
Clear
Kinsale
Cobh
Carnsore Point
Wicklow Head
Holyhead 124
Barnstaple
Exmouth
Falmouth
Penzance
Themse
Stonehenge
Windsor
Harwich
Colchester
Cromer
Spalding
Boston

Mountains

40 m

53°
54°
52°
50°
52°
51°
50°

4°
5°
6°
8°
2°
0°

102
57
128
124
172

Tiefland

4
5
6

A B C D E F G

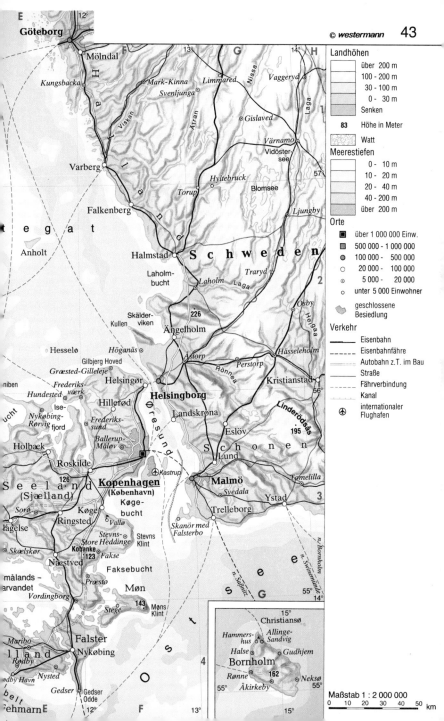

© westermann 43

Legend:

Landhöhen
über 200 m
100 - 200 m
30 - 100 m
0 - 30 m
Senken
83 Höhe in Meter
Watt
Meerestiefen
0 - 10 m
10 - 20 m
20 - 40 m
40 - 200 m
über 200 m
Orte
über 1 000 000 Einw.
500 000 - 1 000 000
100 000 - 500 000
20 000 - 100 000
5 000 - 20 000
unter 5 000 Einwohner
geschlossene Besiedlung
Verkehr
Eisenbahn
Eisenbahnfähre
Autobahn z.T. im Bau
Straße
Fährverbindung
Kanal
internationaler Flughafen

Göteborg, Mölndal, Kungsbacka, Mark-Kinna, Svenljunga, Limmared, Nissa, Vaggeryd, Laga, Gislaved, Värnamo, Vidöstersee, Varberg, Hyltebruck, Blomsee, Torup, Falkenberg, Ljungby, Anholt, Halmstad, Schweden, Laholmbucht, Laholm, Traryd, Laga, Skälderviken, Kullen, Ängelholm, Osby, Hegaa, Hesselö, Höganäs, Åstorp, Perstorp, Hässleholm, Gilbjerg Hoved, Græsted-Gilleleje, Rønnea, Kristianstad, Frederiksværk, Helsingør, Hundested, Ise-, Helsingborg, Linderödsås, Nykøbing-Rørvig fjord, Hilleröd, Landskrona, Frederikssund, Øresund, Holbæk, Ballerup-Måløv, Eslöv, Schonen, Roskilde, Lund, Kastrup, Kopenhagen (København), Malmö, Fomelila, Seeland (Sjælland), Svedala, Sorø, Køge-bucht, Ystad, Ringsted, Valla, Trelleborg, Skælskør, Store Heddinge, Kobanke, Fakse, Skanör med Falsterbo, Næstved, Faksebucht, Præstø, Møn, Vordingborg, Stege, Møns Klint, Maribo, Falster, Rødby, Nykøbing, Nysted, Gedser, Christiansø, Hammershus, Allinge-Sandvig, Halse, Gudhjem, Bornholm, Rønne, Neksø, Äkirkeby

Maßstab 1 : 2 000 000
0 10 20 30 40 50 km

Landhöhen

- über 500 m
- 350 - 500 m
- 200 - 350 m
- 100 - 200 m
- 30 - 100 m
- 5 - 30 m
- 0 - 5 m
- Senken

Watt

Marsch

116 Höhe in Meter

Meerestiefen

- 0 - 10 m
- 10 - 20 m
- 20 - 40 m
- über 40 m

16 Tiefe in Meter

Orte

- über 1 000 000 Einw.
- von 500 000 - 1 000 000
- von 100 000 - 500 000
- von 20 000 - 100 000
- von 5 000 - 20 000
- unter 5 000 Einwohner
- geschlossene Besiedlung

Hauptstädte sind unterstrichen

Verkehr

- Eisenbahn
- Autobahn
- wichtige Straße
- ⊕ internationaler Flughafen
- Kanal

Maßstab 1 : 2 000 000

0 10 20 30 40 50 km

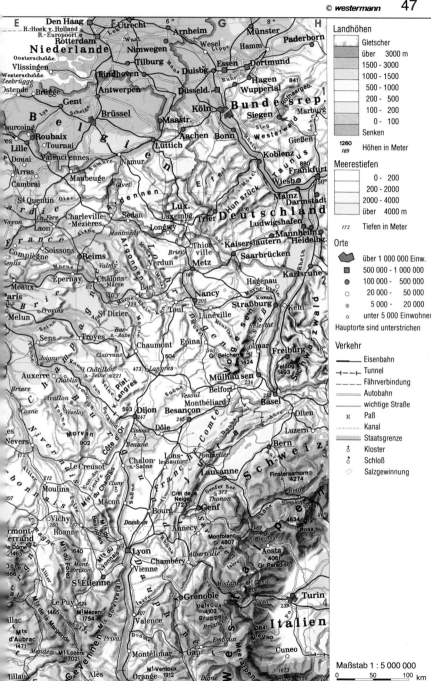

Landhöhen

- Gletscher
- über 3000 m
- 1500 - 3000
- 1000 - 1500
- 500 - 1000
- 200 - 500
- 100 - 200
- 0 - 100
- Senken

1260
169   Höhen in Meter

Meerestiefen

- 0 - 200
- 200 - 2000
- 2000 - 4000
- über 4000 m

172   Tiefen in Meter

Orte

- über 1 000 000 Einw.
- 500 000 - 1 000 000
- 100 000 - 500 000
- 20 000 - 50 000
- 5 000 - 20 000
- unter 5 000 Einwohner

Hauptorte sind unterstrichen

Verkehr

- Eisenbahn
- Tunnel
- Fährverbindung
- Autobahn
- wichtige Straße
-)(Paß
- Kanal
- Staatsgrenze
- ♁ Kloster
- ♁ Schloß
- Salzgewinnung

Maßstab 1 : 5 000 000

0   50   100 km

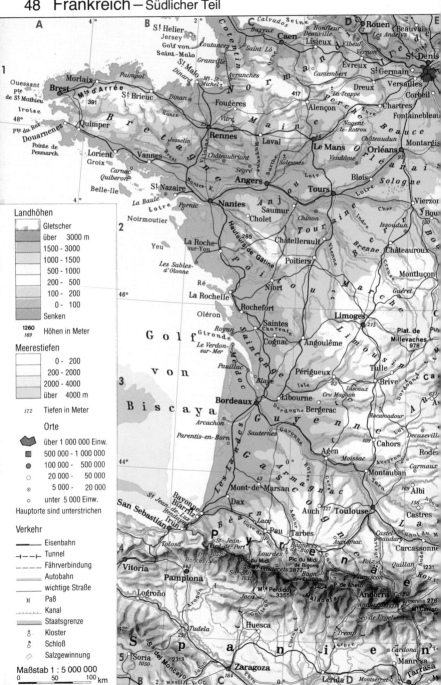

Erläuterungen siehe Seite 61

Maßstab 1 : 2 000 000

0 10 20 30 40 50 km

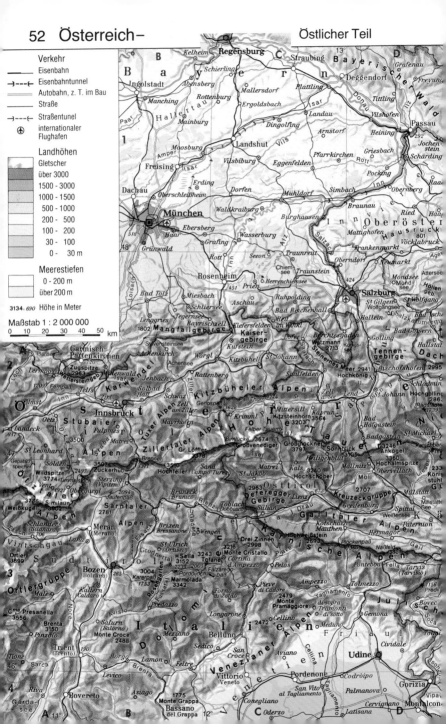

© **westermann** 53

Orte

■	über 1 000 000
■	über 500 000 - 1 000 000
●	über 100 000 - 500 000
○	über 20 000 - 100 000
⊙	über 5 000 - 20 000
○	unter 5 000 Einwohner
	geschlossene Besiedlung

Hauptstädte sind
<u>unterstrichen</u>

Grenzen

Staatsgrenzen

Grenzen der Länder in
der Bundesrepublik
Deutschland und Österreich

Tauroggen (Taurăge)
Kedainiai
Ukmerge
Schwentschionys
Lepel

G
H
I
K
L

Me mel
Jubarkas
24°
28°
30°

Tilsit (Sowjetsk)
Gil gr
Stause
v. Kaunas
Wilija
Narotsch-
see
Krupki

Insterburg
(Tschernjachowsk)
Kaunas
Wilna
(Vilnius)
Smorgon
Molodetschno

Pregel
Kapsukas
Alytus
Merkys
Oschmjany
Wileika
Borissow
Berestna

Kalwarija
Schtschara
Wilija
Beresina
Schklow

309
(J. Mamry)
Suwałki
Lida
346
Minsk
Tscherwen

117
(J. Sniardwy)
Lyck
(Ełk)
Augustów
Grodno
Nowogrudok
323
Njem
Stolbzy
W
e
i
ß

Grenze vom 31.12.37
Blebra
240
Niemen
Neswish
Ossipowitschi
Bobruisk

Łomża
Wolkowysk
Baranowitschi
Sluzk
r
u
ß
l
a
n
d
2

Ostrołęka
Białystok
Narew
Slonim
Lan
Sluzk
Beresina

Ostrów
Mazowiecka
Bielsk
Podlaski
Iwazewitschi
Ottrian
Luninez
Kalinkowitschi

Puttusk
Bug
Czeremcha
Prushany
Jas olda
119 Pripjet
Mosyr
52°

Warschau
(Warszawa)
Siedlce
Kobrin
Iwanowo
Pinsk
134
o p r i p j e t s - s ü m p f e

ice
e
n
Brest
P
Pripjet
Stochod
U
Klessow
Owrutsch
R

Łuków
Deblin
Wieprz
Siod
Sarny
Now. Bjelokorowitschi
Ush

Radom
Lublin
Chełm
Kowel
Styr
Goryn
Slutsch
Korosten
Malin

Łysogóry
612
Stalowa
Wola
Zamość
Wladimir-
Wolynskij
Nowowolynsk
Luzk
Rowno
Nowograd-
Wolynskij
Shitomir

Tomaszów
Lubelski
Sokal
Dubno
328
Ostrog
Isjaslaw
Schepetowka
Polonnoje
Berditschew
50°

Weichsel Wisla
Rzeszów
Rawa - Russkaja
Brody
Kremenez
Starokonstantinow
Kasatin

Tarnów
Jarosław
Przemyśl
U
Bug
K
r
a
i
n
e
Winniza

Neusandez
(Nowy Sącz)
Sanok
Lemberg
(Lwów)
Solotschew
Sbarash
320
Süd. Bug
Litin
Lipowez

den
Sambor
Dnjestr
Wolyn
Ternopol
384
Chmelnizkij
Shmerinka
327

e
i
Drogobytsch
Borislaw
Stryj
Rohatin
Butschatsch
Podolische
Tultschin

Presov
Bardejov
Dukla paß 502
Dolina
Lomnica
Tschortkow
Now. Uschiza
Kamenez-Podolskij
platte

Kaschau
(Košice)
Ushgorod
Iwanowo-
Frankowsk
1881
Kolomyja
Snjatyn
110
Chotin
Mogilew-
Podolskij

Satoralja-
ujhely
Tschop
Trans-
Jablonizki-P.
931
Pruth
Tschernowzy
Soroki
48°

Miskolc
Mukatschewo
karpatien
Chust
2061
Goweria
Bukowina
Dorohoi
Belzy

Nyíregyháza
Tokaj
Satu Mare
Sighetul
Marmatiei
Prislop
1474
Cîmpulung
Rădăuti
Botoşani
28°

Debrecen
22°
Baia Mare
Gutii
1442
Pietrosu
2303
Moldovenesc
Suceava

R
u
m
ä
n
i
e
n
26°
Paşcani

Bayonne
Dax
Auch
Castres
Toulouse
Béziers
Sète
San Sebastián
Biarritz
Hendaye
St. Jean-de-Luz
Pau
Tarbes
Agde
Narbonne

F r a n k r e i c h

Golfe du Lion

St. Jean-Pied-de-Port
Lourdes
Bagnères-de-B.
Foix
Carcassonne
Canal du Midi
Castelnaudary

Bilbao
Vitoria
Pamplona
Logroño

P. v. Roncesvalles
Pic du Midi
Pic du Midi de Bigorre
Somport
Canfranc
Jaca

P y r e n ä e n

Perpignan
Andorra
Andorra
Col de la Perche
Mt. Canigou 2785
Port Vendres
Cerbère
Port Bou
Kap Creus
G. von Rosas

Mte Perdido
Pic d'Aneto 3404
Maladeta
Seo de Urgel
Figueras

Navarra
Ebro
Tudela
Tarazona
Sierra del Moncayo 2313
Huesca
Sadaba
Tremp
Cardona
Ter
Gerona
Manresa
Costa Brava

Soria
Numancia
Sierra de Demanda
Calatayud
Zaragoza
Lérida
Tarrasa
Sabadell
Mataró
Badalona
Barcelona
Hospitalet

Sigüenza
Alcarria
Tajo
Sa de Albarracín
Montalbán
Igualada
Montserrat
Villanueva y Geltrú
Reus
Tarragona
Costa Dorada
Costa Salou

Embalse de Cuenca
Ciudad Encantada
Cuenca
Peñarroya
Teruel 2019
Peñagolosa 1813
Javalambre 2020
Alcañiz
Mequinenza
Vinaroz
Peñíscola
Tortosa

Utiel
Segorbe
Burriana
Castellón de la Plana
Columbretes-inseln

G o l f   v o n   V a l e n c i a

B a l e a r e n

Menorca
Mahón
Kap Formentor
Sóller 1445
Inca
Artá
Palma de Mallorca
Manacor
Drachenhöhle
Mallorca
Santañy
Kap Salinas
Cabrera

Requena
Sagunto
Valencia
Albufera
Costa de Levante
Alcira
Játiva
Jucar
Denia
Kap Nao
Alcoy 1558
Benidorm
Ibiza
Ibiza
Pityusen
Formentera

Albacete
Hellín
Yecla
Jumilla
Villena
Elche
Alicante
Costa Blanca

Caravaca
Cieza
Orihuela
Murcia
Torrevieja
Mar Menor
Kap Palos

Huéscar
Baza
Lorca
Águilas
Cartagena
La Unión
Costa Luminosa

Cuevas del Almanzora
Almería
Costa Virgen
Kap Gata

M i t t e l m e e r

Algier (El-Djezaïr)
Dellys
Cherchell (Caesarea)
Boufarik
Dar el Beïda
Ténès
Mitidja
Blida
Bouira
Milíana 1415
Médéa
Sour el-Ghozlane
Oran (Ouahran)
Mers el-Kébir
Arzew
Mostaganem
Ighil-Izane
El Asnam (Orléansville)
Ouarsenismassiv 1985
Ksar el Boukhari 1464

D a h r a
Oued Chélif

A t l a s

A l g e r i e n

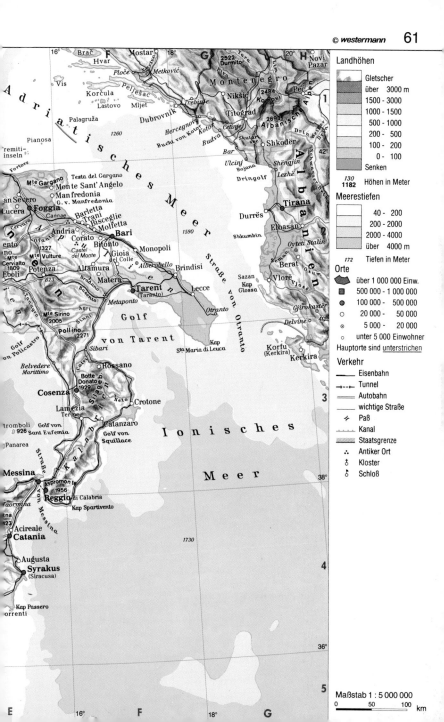

Landhöhen

Gletscher
über 3000 m
1500 - 3000
1000 - 1500
500 - 1000
200 - 500
100 - 200
0 - 100
Senken

130
1182 Höhen in Meter

Meerestiefen

40 - 200
200 - 2000
2000 - 4000
über 4000 m

172 Tiefen in Meter

Orte

über 1 000 000 Einw.
500 000 - 1 000 000
100 000 - 500 000
20 000 - 50 000
5 000 - 20 000
unter 5 000 Einwohner

Hauptorte sind <u>unterstrichen</u>

Verkehr

Eisenbahn
Tunnel
Autobahn
wichtige Straße
Paß
Kanal
Staatsgrenze
Antiker Ort
Kloster
Schloß

Maßstab 1 : 5 000 000
0   50   100
km

Brač
Hvar
Mostar
Novi Pazar
Ploče
Metković
Durmitor 2522
Tara
Vis
Korčula
Lastovo
Mljet
Pelješac
Montenegro
Nikšić
2485 Komovi
Peć
Albanische Alpen
Palagruža
Dubrovnik
Trebinje
Titograd
Cetinje
2693
Skutari
Shkodër
Drin
Schwarzer Drin
Hercegnovi
Bucht von Kotor
Kotor
Budva
Pianosa
1260
Eremiti-inseln
Bar
Ulcinj
Bojana
Shëngjin
Lezhë
Dringolf

A d r i a t i s c h e s   M e e r

Fortore
M.te Gargano
Testa del Gargano
Monte Sant' Angelo
Manfredonia
G. v. Manfredonia
San Severo
Lucera
Foggia
Barletta
Trani
Bisceglie
Molfetta
Cannae
Andria
Corato
Bitonto
Bari
Castel del Monte
1327
M.te Vulture
Gioia del Colle
Monopoli
ento no.
M.te Cervialto 1809
Eboli
Potenza
Altamura
Matera
Alberobello
Brindisi
Straße von Otranto
Bradano
Basento
Tarent (Taranto)
Lecce
Durrës
Tirana
Elbasan
Shkumbin
Oyteti Stalin
Berat
Osum
Sazan
Kap Glossa
Vlorë
Vjosë
Metaponto
Agri
Sinni
M.te Sirino 2005
G o l f
Pollino 2271
Sibari
v o n   T a r e n t
Kap Sta Maria di Leuca
Otranto
Gjirokastër
Delvinë
Korfu (Kerkira)
Kerkira
Golf on Policastro
Belvedere Marittimo
Rossano
Crati
Sila-Gebirge
Botte Donato 1929
Neto
Cosenza
Crotone
Lamezia Terme
Catanzaro
tromboli
Golf von Sant'Eufemia
926
Panarea
Golf von Squillace
Straße von Messina
Kalabrien
Messina
Aspromonte 1956
I o n i s c h e s   M e e r
aormina
na
Reggio di Calabria
Kap Spartivento
123
Acireale
Catania
Augusta
Syrakus (Siracusa)
Kap Passero
orrenti

1590

1730

E   16°   F   18°   G

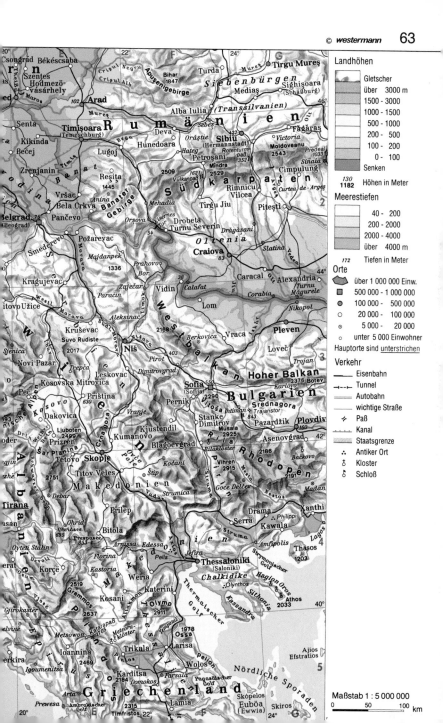

Landhöhen

Gletscher
über 3000 m
1500 - 3000
1000 - 1500
500 - 1000
200 - 500
100 - 200
0 - 100
Senken

130
1182 Höhen in Meter

Meerestiefen

40 - 200
200 - 2000
2000 - 4000
über 4000 m

172 Tiefen in Meter

Orte
über 1 000 000 Einw.
500 000 - 1 000 000
100 000 - 500 000
20 000 - 100 000
5 000 - 20 000
unter 5 000 Einwohner
Hauptorte sind unterstrichen

Verkehr
Eisenbahn
Tunnel
Autobahn
wichtige Straße
Paß
Kanal
Staatsgrenze
∴ Antiker Ort
☥ Kloster
♗ Schloß

Maßstab 1 : 5 000 000
0   50   100 km

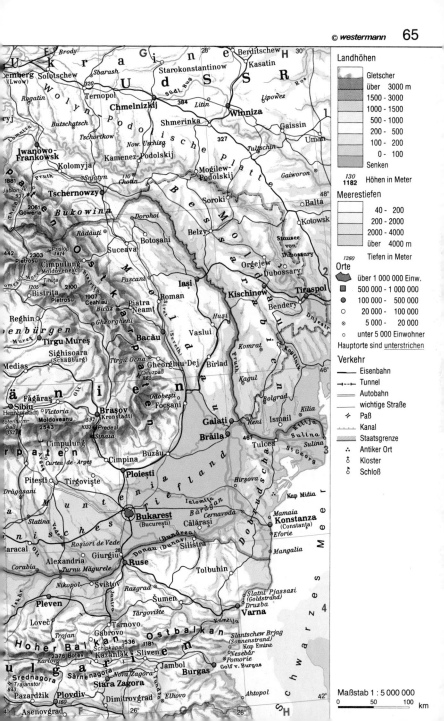

F

6

Balıkesir

Soma · Hermos

Bergama
(Pergamon)

Balya

Demirci Dağı

Akhisar

2157

Manisa

İzmir
(Smyrna)

Kolophon

Ephesos

Aydın

Söke

Milet

Samos
1436

Samos

Ikaria

Patmos

Amorgos

Astipaläa

Anafi

M o d e k a n e s

Knidos

Kos

Tilos

Simi

Kemer-
Stausee

Marmaris

Muğla

Lindos

Rhodos

Rhodos
1215

Lindos

28°

E

Saria
(Saros)

Karpathos

Kasos

Kap Sideros

Kreta

Iraklion
(Herakleion, Candia)

Knossos
Phaistos

2456
Ida

G.N.v.a.
Messara

Kap Spatha

Chania

Chora Sfakion

24°

Mittel

t e l

22° östl. L v Gr

B

36°

Otranto

40°

A

20°

Erläuterungen siehe Seite 61
Maßstab 1 : 5 000 000
0   50   100 km

Mittelatlantischer Rücken

20° westl. L. v. Gr.
Azorenschwelle
6578

Madeira

Straße von Gibraltar
K. Spartel

Casablanca
Marrakech
K. Ghir
4165

Algier
Kap Blanc
K. Bon
Tunis
2328

Kl. Syrte
Tripolis
Große Syrte

Sizilien
5121

Atlasgebirge
Hochland der Schotts
Schotts

6292

Kanarische Inseln
Teneriffa
Ferro

Westl. Gr. Erg
Oasen von Touat
Östl. Gr. Erg

Hamada
Fezzan

Kap Bojador

El Djouf

Sahara

Ahaggar
2158
3003
Ghat
Murzuq

Nördlicher Wendekreis

Tibesti
3265
3415
Emi Koussi

1

Kanarisches

Becken

Kap Blanco

Iguidi
Erg Chech

Air
1900

Bodélé
155

Enn

20°

Kapverdische Inseln
São Vicente
Sal
São Tiago
Boa Vista
Kap Verde
Dakar

Senegal

Timbuktu

Sahel

282

Gambia
Bamako
Niger
332
Benue

Niamey
180

Kano
Tschadsee 240

Schari

Kapverdisches Becken

Corubal

Sierra-Leone-Schwelle

Freetown
1948
1752

Obergui
nea
schwelle
Niger
1735

Yola
2042

Nordäquator

2

Monrovia
Pfefferküste

Sierra-Leone-Becken

Bergla
nd
Abidjan
Accra
Elfenbeinküste
Goldküste
Kap Palmas
Kap der 3 Spitzen
6363

Lagos
Sklavenküste
Bucht von Benin

Macias Nguema (Fernando Póo)
Bucht von Bonny
Príncipe

Benue
Hochland von Adamaoua
Kamerunberg
4070

0°
Mittelatlantischer Rücken
7758

Äquator
5694

Guinea-becken

Golf von Guinea

São Tomé
Kap Lopez

Niederguinea

3

6357

Guineaschwelle

Pagalú (Annobón)

Leopold II.-See
340
Kinshasa
Livingstonefälle

Kasai
Kananga
610

Ascension
6059

Ozeanischer

Luanda

Benguela
2610

Lunda

3

Brasilianisches

Angola-becken
5743

Sankt Helena

Kap Frio

Etoscha-pfanne
1050
Brandberg
2606
933
Ngamisee

20°

Walfischrücken

Süda

Südlicher Wendekreis

Windhuk

Ka

4

5754

Rio-Grande-Schwelle

5457

Kapstadt
Kap der Guten Hoffnung

Hoo

Kap Agulhas (Nadelkap)

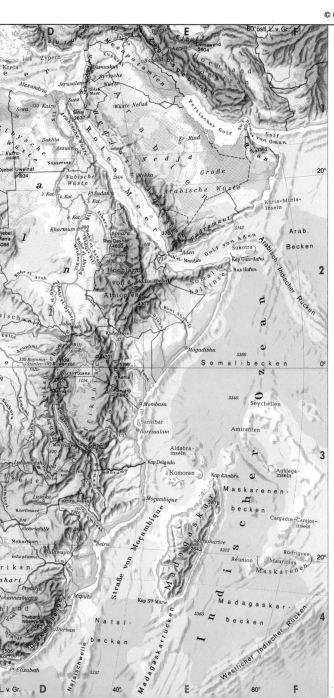

Landhöhen

- über 1500 m
- 1000 - 1500 m
- 500 - 1000 m
- 200 - 500 m
- 100 - 200 m
- 0 - 100 m
- Senken

4073 Höhe in Meter

Meerestiefen

- 0 - 200 m
- 200 - 2000 m
- 2000 - 4000 m
- 4000 - 6000 m
- über 6000 m

5743 Tiefe in Meter

——— Staatsgrenze

Wüste

Sumpf

Salzpfanne

Wadi (Regenfluß)

Maßstab 1 : 48 000 000

0   250   500   750   1000 km

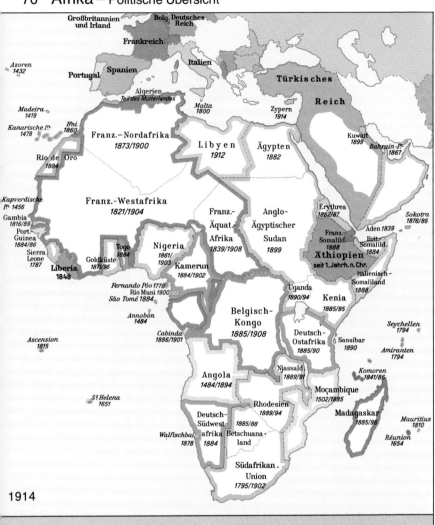

Großbritannien und Irland

Belg. Deutsches Reich

Frankreich

Italien

Portugal Spanien

Türkisches Reich

Azoren 1432

Madeira 1419

Kanarische I.ⁿ 1478

Ifni 1860

Algerien
Teil des Mutterlandes

Malta 1800

Zypern 1914

Kuwait 1899

Bahrain-I.ⁿ 1867

Rio de Oro *1884*

Franz.−Nordafrika
1873/1900

Libyen
1912

Ägypten
1882

Kapverdische I.ⁿ 1456

Gambia 1816/89

Port.−Guinea 1884/86

Sierra Leone 1787

Liberia
1848

Franz.−Westafrika
1821/1904

Goldküste *1871/96*

Togo *1884*

Nigeria
1861/1903

Kamerun
1884/1902

Franz.−
Äquat.−
Afrika
1839/1908

Anglo−
Ägyptischer
Sudan
1899

Erythrea 1862/87

Franz.−Somalild. 1888

Aden 1839

Brit.−Somalild. 1884

Sokotra 1876/86

Äthiopien
seit 1.Jahrh. n.Chr.

Fernando Póo 1778
Rio Muni 1900
São Tomé 1884

Annobón 1484

Ascension 1815

Cabinda *1886/1901*

**Belgisch−
Kongo**
1885/1908

Uganda
1890/94

Kenia
1885/95

Italienisch−
Somaliland
1888

Deutsch−
Ostafrika
1885/90

Sansibar 1890

Seychellen 1794

Amiranten 1794

St Helena 1651

Angola
1484/1894

Njassald.
1889/91

Moçambique
1502/1885

Komoren 1841/86

Rhodesien
1889/94

Madagaskar
1885/96

Mauritius 1810

Deutsch−
Südwest−
afrika
1885/88

Walfischbai 1878

Betschuana−
land
1884

Réunion 1654

**Südafrikan.
Union**
1795/1902

1914

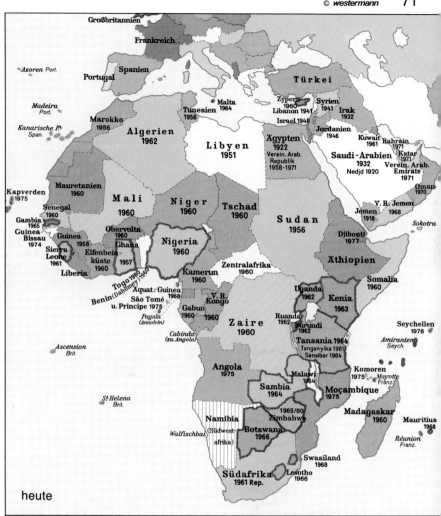

Großbritannien
Frankreich

Azoren Port.
Portugal Spanien

Madeira Port.
Kanarische I^n. Span.

Türkei

Marokko 1956
Tunesien 1956
Malta 1964
Zypern 1960
Syrien 1941
Irak 1932
Libanon 1941
Israel 1948
Jordanien 1946

Algerien 1962
Libyen 1951
Ägypten 1922
Verein. Arab. Republik 1958-1971
Kuwait 1961
Bahrain 1971
Katar 1971
Saudi-Arabien 1932
Nedjd 1920
Verein. Arab. Emirate 1971
Oman 1970

Kapverden 1975
Mauretanien 1960
Mali 1960
Niger 1960
Tschad 1960
Sudan 1956
V. R. Jemen 1968
Jemen 1918
Sokotra

Senegal 1960
Gambia 1965
Guinea-Bissau 1974
Guinea 1958
Sierra Leone 1961
Liberia
Obervolta 1960
Ghana 1957
Elfenbeinküste 1960
Nigeria 1960
Zentralafrika 1960
Djibouti 1977
Äthiopien

Kamerun 1960
Togo 1960
Benin (Dahomey) 1960
Äquat. Guinea 1968
São Tomé u. Principe 1975
Pagalu (Annobón)
V. R. Kongo 1960
Gabun 1960
Zaire 1960
Cabinda (zu Angola)
Uganda 1962
Ruanda 1962
Burundi 1962
Kenia 1963
Somalia 1960
Seychellen 1976
Amiranten Seych.

Ascension Brit.
St. Helena Brit.
Tansania 1964
Tanganyika 1961
Sansibar 1964
Angola 1975
Malawi 1964
Sambia 1964
Moçambique 1975
Komoren 1975
Mayotte Fränz.
Madagaskar 1960
Mauritius 1968
Réunion Franz.

Namibia (Südwestafrika)
Walfischbai
Botswana 1966
1965/80
Zimbabwe
Swasiland 1968
Südafrika 1961 Rep.
Lesotho 1966

heute

Selbständige Staaten (in Flächenfarbe)
1960 Jahr der Unabhängigkeit

selbständige Mitglieder des Commonwealth of Nations

Treuhandgebiet der Vereinten Nationen

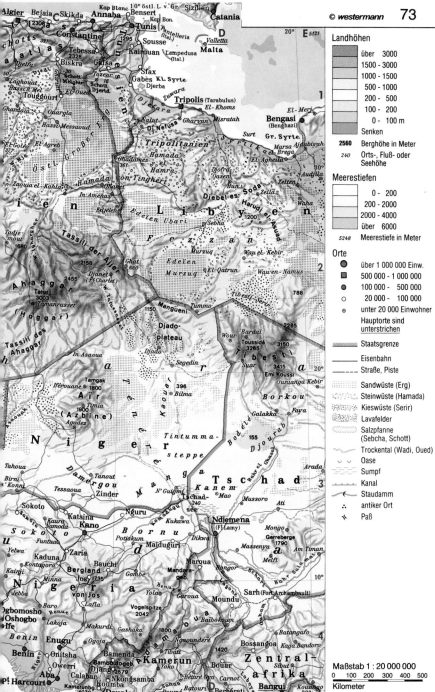

Landhöhen

	über 3000
	1500 - 3000
	1000 - 1500
	500 - 1000
	200 - 500
	100 - 200
	0 - 100 m
	Senken

2560 Berghöhe in Meter
240 Orts-, Fluß- oder Seehöhe

Meerestiefen

	0 - 200
	200 - 2000
	2000 - 4000
	über 6000

5248 Meerestiefe in Meter

Orte

●	über 1 000 000 Einw.
■	500 000 - 1 000 000
◉	100 000 - 500 000
○	20 000 - 100 000
⊚	unter 20 000 Einwohner

Hauptorte sind unterstrichen

▨▨▨	Staatsgrenze
——	Eisenbahn
- - -	Straße, Piste
⣿	Sandwüste (Erg)
⣿	Steinwüste (Hamada)
⣿	Kieswüste (Serir)
⣿	Lavafelder
⣿	Salzpfanne (Sebcha, Schott)
⌇	Trockental (Wadi, Oued)
⌣⌣	Oase
≋	Sumpf
—+—+—	Kanal
⊱	Staudamm
∴	antiker Ort
⋊	Paß

Maßstab 1 : 20 000 000
0 100 200 300 400 500
Kilometer

Maßstab 1 : 20 000 000
0 100 200 300 400 km

Erläuterungen siehe Seite 73

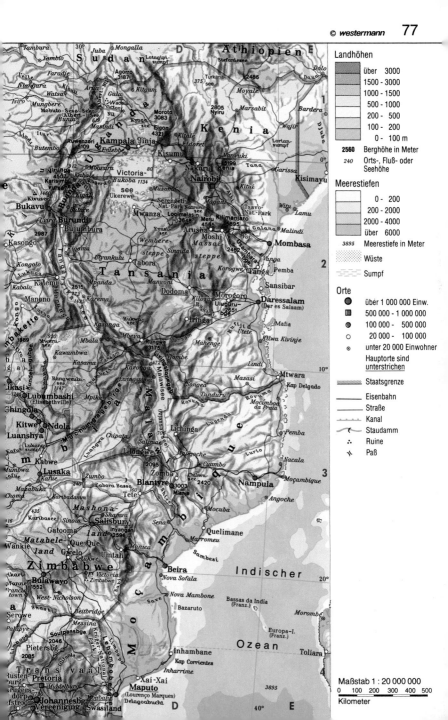

Landhöhen

über 3000
1500 - 3000
1000 - 1500
500 - 1000
200 - 500
100 - 200
0 - 100 m

2560 Berghöhe in Meter
240 Orts-, Fluß- oder Seehöhe

Meerestiefen

0 - 200
200 - 2000
2000 - 4000
über 6000

3895 Meerestiefe in Meter

Wüste
Sumpf

Orte

über 1 000 000 Einw.
500 000 - 1 000 000
100 000 - 500 000
20 000 - 100 000
unter 20 000 Einwohner
Hauptorte sind unterstrichen

Staatsgrenze
Eisenbahn
Straße
Kanal
Staudamm
Ruine
Paß

Maßstab 1 : 20 000 000
0 100 200 300 400 500
Kilometer

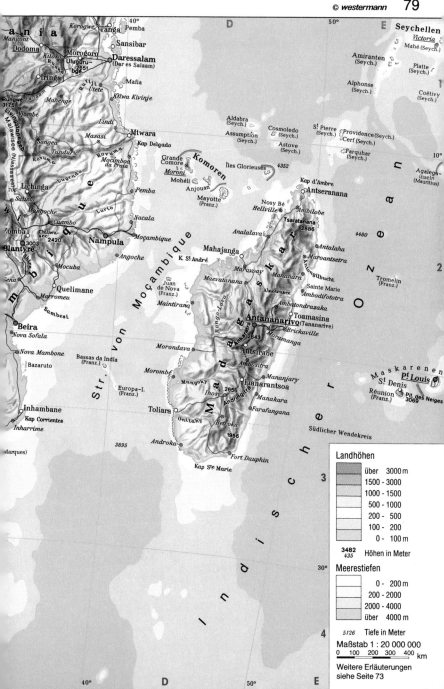

Seychellen
Victoria
Mahé (Seych.)
Amiranten (Seych.)
Platte (Seych.)
Alphonse (Seych.)
Coëtivy (Seych.)

...a n i a
Korogwe Tanga
40° Pemba
Manyoni
Dodoma
Kiloso Morogoro
Iringa Uluguru-bge. 2651
Utete
Mafia
Kilwa Kivinje
Sansibar
Daressalam (Dar es Salaam)
Rungwe 3175 Njombe
Mahenge
Lindi
Malawisee (Njassasee) Songea Tunduru
Masasi
Mtwara
Kap Delgado
Liuko Tonga
Lichinga
Satima
Mangoche
Cuambo
Zomba 3003 2420
Chilwa see
Blantyre
Mocuba
Quelimane
Sambesi
Beira
Nova Sofala
Nova Mambone
Bazaruto
Inhambane
Kap Corrientes
Inharrime
Marques)

Ruvuma
Lugenda
Lurio
Moçimboa da Praia
Pemba
Nacala
Nampula
Moçambique
Angoche
K. St André
Mahajanga

Grande Comore
Moroni
Mohéli
Anjouan
Mayotte (Franz.)

Komoren
Iles Glorieuses 4352

Aldabra (Seych.)
Assumption (Seych.)
Cosmoledo (Seych.)
Astove (Seych.)
St Pierre (Seych.)
Providence (Seych.)
Cerf (Seych.)
Farquhar (Seych.)
10°

Agalega-Inseln (Mauritius)

Kap d'Ambre
Antseranana
Nosy Bé Hellville
Ambilobe
Tsaratanana 2886
Antalaha
Maroantsetra
Analalava
4480

Marovoay
Maevatanana
Mananara
Antongilbucht
Sainte Marie
Ambodifototra
Alaotrasee
Ambatondrazaka
Toamasina (Tananarive)
Brickaville
Moramanga
Antananarivo (Tananarive)
2643
Maintirano
Morondava
Antsirabe
Ambositra
Maromokotro
Mananjary
Fianarantsoa 2656
Andringitra
Manakara
Farafangana
Ihosy
Toliara
Onilahy
Betroka
1956
3895
Androka
Fort Dauphin
Kap Ste Marie

Str. von Moçambique
Juan de Nova (Franz.)
Bassas da India (Franz.)
Europa-I. (Franz.)

M a d a g a s k a r

Bongo-Lava
Mangoky

Tromelin (Franz.)

M a s k a r e n e n
St Louis
St Denis
Réunion (Franz.)
Pit des Neiges 3069

Südlicher Wendekreis

O z e a n

I n d i s c h e r

Landhöhen

	über 3000 m
	1500 - 3000
	1000 - 1500
	500 - 1000
	200 - 500
	100 - 200
	0 - 100 m

3482
435   Höhen in Meter

Meerestiefen

	0 - 200 m
	200 - 2000
	2000 - 4000
	über 4000 m

5126   Tiefe in Meter

Maßstab 1 : 20 000 000

0 100 200 300 400 km

Weitere Erläuterungen siehe Seite 73

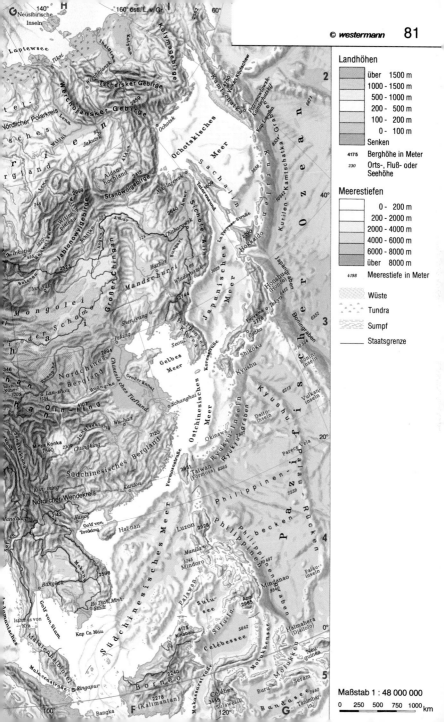

Landhöhen

über 1500 m
1000 - 1500 m
500 - 1000 m
200 - 500 m
100 - 200 m
0 - 100 m
Senken

4175 Berghöhe in Meter
230 Orts-, Fluß- oder Seehöhe

Meerestiefen

0 - 200 m
200 - 2000 m
2000 - 4000 m
4000 - 6000 m
6000 - 8000 m
über 8000 m

4198 Meerestiefe in Meter

Wüste
Tundra
Sumpf
Staatsgrenze

Maßstab 1 : 48 000 000

0 250 500 750 1000 km

Großbritannien und Irland

Frankreich

Niederl.

Italien

Deutsches Reich

Estland
Livland
Kurland

Finnland

Polen

Zypern

R u s s i s c h e s   R e i c h

Sachalin
1905 Jap.

Türkisches Reich

Mandschurei

Japanisches Reich

M o n g o l e i
1912 autonom

Innere Mongolei

Korea
1905 Jap.

Dairen
1905 Jap.

Weihaiwei
1898 Brit.

Tsingtau
1898 Deutsch

Kuwait
1899

Persien

Afghanistan

Hsinkiang

C h i n e s i s c h e s   R e i c h

Bahrain-I[n]
1867

Belutschistan
1876

Maskat
u. Oman

Tibet
1912 - 1951
autonom

Inner-Tibet

Nepal

Sikkim

Formosa
1895

Macao
1557 Port.

Hong Kong
1842 Brit.

Kwang-
tschouwan
1898 Franz.

Philippinen
1898 USA

Aden 1839

Kuria-Muria
Brit.

Diu
Port.
Damão
Port.

B r i t i s c h -
I n d i e n

Ober-
Birma
1886

Sokotra Brit.

Goa
Port.

Janaon
Franz.

Tschandarnagar
1816 Franz.

Indochina
1884

Siam

Mahé
Franz.

Pondicherry
Karikal Franz.

'Ceylon

Malediven

Nordborneo
Brunei
1888
Sarawak

Seychellen
Brit.

Amiranten
Brit.

Singapur
1819

N i e d e r l ä n d i s c h - I n d i e n

Timor
Port.

1914

Selbständige Staaten
(in Flächenfarbe)

Kolonialgebiete europäischer Staaten 1914
(in Bandkolorit) 1867 Jahr der Erwerbung

britisch
niederländisch

französisch
portugiesisch

Brit. = britisch
Jap. = japanisch

Maßstab   1 : 80 000 000

Franz. = französisch
Port. = portugiesisch

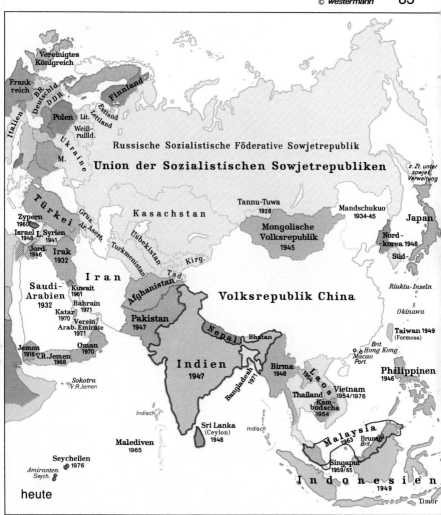

Vereinigtes
Königreich

Frank-
reich

BR.
Deutschld.

D.D.R.

Finnland

Italien

Polen

Lit.

Estland

Lettland

Weiß-
rußld.

Ukraine

M.

Russische Sozialistische Föderative Sowjetrepublik

Union der Sozialistischen Sowjetrepubliken

z. Zt. unter
sowjet.
Verwaltung

Türkei

Grus.
Ar.
Aserb.

Kasachstan

Tannu-Tuwa
1928

Mandschukuo
1934-45

Japan

Zypern
1960

Israel
1948

L.
1941

Syrien

Jord.
1946

Irak
1932

Usbekistan

Turkmenistan

Kirg.

Mongolische
Volksrepublik
1945

Nord-
korea 1948

Süd-

I r a n

Tad.

Riukiu-Inseln

Saudi-
Arabien
1932

Kuwait
1961

Bahrain
1971

Afghanistan

Volksrepublik China

Okinawa

Katar
1970

Verein.
Arab. Emirate
1971

Pakistan
1947

Nepal

Bhutan

Taiwan 1949
(Formosa)

Jemen
1918

V.R.Jemen
1968

Oman
1970

Brit.
Hong Kong
Macao
Port.

Philippinen
1946

Sokotra
V.R.Jemen

I n d i e n
1947

Bangladesch
1971

Birma
1948

Laos
1954

Vietnam
1954/1976

Thailand

Kam-
bodscha
1954

Indisch

Sri Lanka
(Ceylon)
1948

Indisch

M a l a y s i a
1963

Brunei
Brit.

Malediven
1965

Singapur
1959/65

Seychellen
1976

Amiranten
Seych.

I n d o n e s i e n
1949

heute

Timor

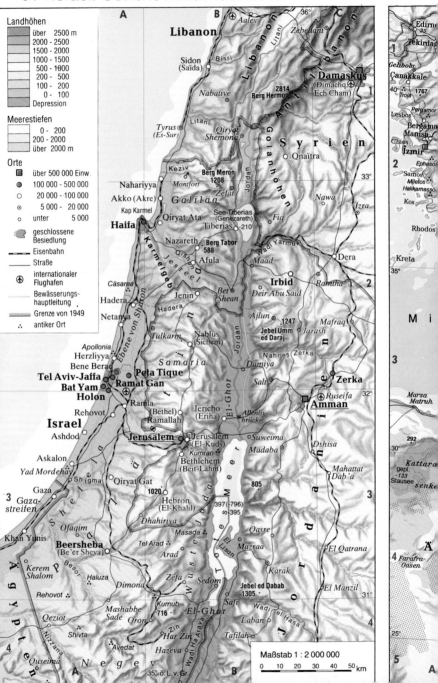

Landhöhen

	über 2500 m
	2000 - 2500
	1500 - 2000
	1000 - 1500
	500 - 1000
	200 - 500
	100 - 200
	0 - 100
	Depression

Meerestiefen

	0 - 200
	200 - 2000
	über 2000 m

Orte

▣	über 500 000 Einw.
◉	100 000 - 500 000
○	20 000 - 100 000
⊙	5 000 - 20 000
○	unter 5 000

geschlossene
Besiedlung

Eisenbahn

Straße

⊕ internationaler
Flughafen

Bewässerungs-
hauptleitung

Grenze von 1949

∴ antiker Ort

Maßstab 1 : 2 000 000

0   10   20   30   40   50 km

A · 30° · Schwarzes · 35° · *Sinop* · Meer · C · 40° · D

4031
Bosporus Zonguldak · *Cide* 1985 · *Bafra* · Samsun · Batumi
İstanbul · İzmit · Ereğli · P o n t i s c h e s · *Hopa* · Tbilissi
İzmit · Kastamonu · Ordu Giresun · *Ziganapaß* 1360 · Trabzon · Artvin · UdSSR
Marmara- · Adapazarı · *Aladağ* 2378 · Çankırı · G e b i r g e · *Kaçkar* 3937 · Leninakan
Meer · Bursa · Köroğludağları · Çorum · *Kızılırmak* · *Yeşilırmak* 3577 · *Çoruh* · Kars · Jerewan
Bandırma · *Ulu dağ* · Eskişehir · 851 · *Hattusa* · Sivas · Erzincan · Erzurum · Karaköse · 5165
Balıkesir · Kütahya · 792 · Ankara · Kırıkkale · 1275 · *Dıvrıği* · *West Euphrat* · *Aras* · Ararat
Akhisar · Polatlı · Kırşehir · A n a t o l i e n · Innerer Taurus · *Keban-* · Vansee · *Erciş* · Çoru
Gedyz · T · ü · Tuz gölü · 1045 · K · *Erciyas dağı* 3916 · Elazığ · Ö s t l i · Van · *Arnas* 3550 · İran
2157 · Afyon · 899 · Aksaray · Kayseri · Malatya 900 · T a u r u s · *Tartvan* 1720 · Çillo 4168
Uşak · 2581 · Akşehir · *Sabanca* · Niğde · 3014 · Diyarbakır · *Tigris* · Siirt · Cizre
Ödemiş · Denizli · Konya · 1027 · Ereğli · Maraş · Gaziantep · Mardin · *Qâmishli*
Aydın · *Büyük Menderes* · Isparta · Beyşehir- · Karaman · Adana · Urfa · *Ninive* · Mosul
Honaz dağı 2571 · Burdur · *Eğridirsee* 1176 · *Mittl. Taurus* · F r u c h t b a r e r · Hasakah · *Assur* · Erbil
Muğla · *Fethiye* · 3086 · Antalya · *Ak dağ* 2647 · Mersin · İskenderun · El-Bâb · *Qâmishli* · *Nimrud*
Rhodos · 4486 · *Finike* · Golf von Antalya · *Alanya* · *Silifke* · Antakya · Haleb (Aleppo) · Rakka · *Qaijarah*
Megiste · *Anamur* · Latakia 1562 · *Assad-(Tabqa-)Stausee* · Deir-ez-Zor · M e s o p o t a m i e n · Kirkuk
Zypern · Nikosia · *Banais* · S y r i e n · Hama · *Tigris* · *Euphrat* · Samarra
Troodos 1953 · Famagusta · Tartus · Homs · *Palmyra* · *Tadmor* · Bagdad (Baghdad)
Limassol · Tripoli (Trablous) · *Tadmor* · *Abu Kemal* · *Haditha* · 38
t t e l m e e r · L i b a n o n · *Baalbek* · S y r i s c h e · Ramadi · I r a k
Beirut · Sidon · 2814 · 3091 · Damaskus · *Wadi Hauran* · Kerbela · *Babylon*
Tyrus · *Hermon* · *Dera* 1735 · *Es Suweida* · W ü s t e · *Rutba* · Nedjef
Nahariyya · Haifa · 210 · *Irbid* · Israel · Tell Aviv- · Jaffa · *Nablus* · Zerka · Amman · *Turayf* · *Arar*
Jerusalem · Gaza · *Totes* 395 *Meer* · *Karak* · J o r d a n i e n · *Sakakah* 620 · Rafha
Rosetta (Rashid) · *Nildelta* · Damietta · *Dumyat* · Pt. Said · El-Arish · Beersheba · *Har Zin* · Petra · *El-Djauf*
Alexandria · Damanhur · El-Mansura · *Ismailia* · *Suez* · *Har Zin* · Maan
El Alamein · Tanta · Zagazig · *Suezkanal* · *Giddipaß* · *Mitlapaß* · 1035 · *Turayf*
Gizeh · *Pyramiden* · Kairo (El-Qahira) · Suez · *Sinai* · Petra · 30°
El-Faiyum · Beni Suef · 1473 · *Abu Zenima* · Elat · Akaba · *Hakl*
Beni Mazar · *Ras Gharib* · Sinai · 2579 · *Tabuk* · W ü s t e   N e f u d
T-Baharîya-Oasen · El-Minya · *Et-Tur* · *Sharm el-Sheich* · *Ras Mohammed* · *Tayma* · Haïl · 969 · S a u d i -
g y p t e n · Asyut · 45 · *Hurghada* 2187 · *Port Safaga* · *El-Wadj* · A r a b i e n
Dakhla-Oasen · Sohag · *Nag Hammadi* · Qena 88 · *Theben* · *Khaybar* · N e d j d
Kharga · Luxor · El-Quseir · *Marsa el-Alam* · *Umm Ladj* · Buraïda · Anaïsa
Baris · Isna · *Umm Ladj* · 25°
30° östl. L. v. Gr. · B · Idfu · 94 · Assuan (Syene) · 35° · C · *Janba* · Medina (El-Madinah) 870 · D

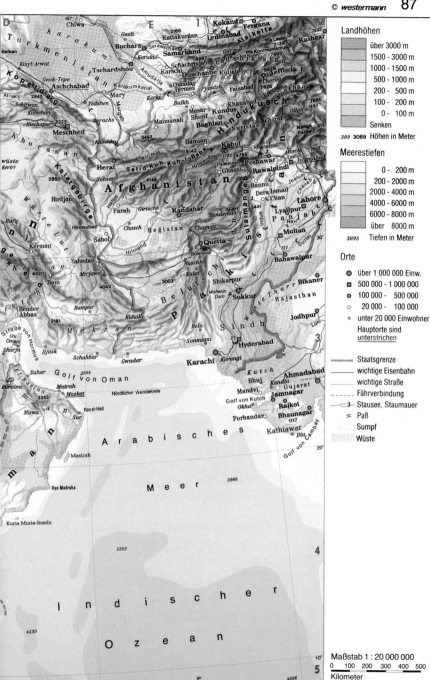

Landhöhen

über 3000 m
1500 - 3000 m
1000 - 1500 m
500 - 1000 m
200 - 500 m
100 - 200 m
0 - 100 m
Senken

389 **3069** Höhen in Meter

Meerestiefen

0 - 200 m
200 - 2000 m
2000 - 4000 m
4000 - 6000 m
6000 - 8000 m
über 8000 m

3895 Tiefen in Meter

Orte

⊙ über 1 000 000 Einw.
▣ 500 000 - 1 000 000
◉ 100 000 - 500 000
○ 20 000 - 100 000
∘ unter 20 000 Einwohner
Hauptorte sind <u>unterstrichen</u>

—— Staatsgrenze
—— wichtige Eisenbahn
—— wichtige Straße
----- Fährverbindung
⊃ Stausee, Staumauer
≍ Paß
≋ Sumpf
▓ Wüste

Maßstab 1 : 20 000 000
0 100 200 300 400 500
Kilometer

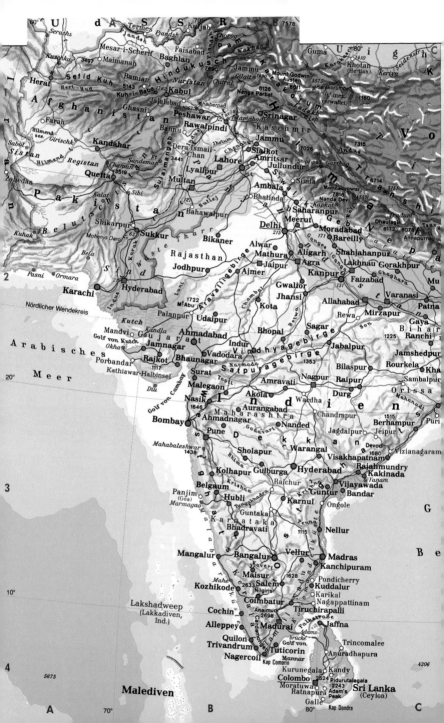

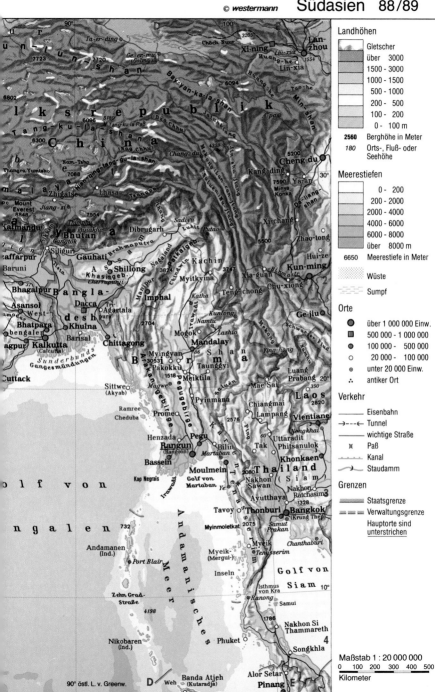

Landhöhen

	Gletscher
	über 3000
	1500 - 3000
	1000 - 1500
	500 - 1000
	200 - 500
	100 - 200
	0 - 100 m
2560	Berghöhe in Meter
180	Orts-, Fluß- oder Seehöhe

Meerestiefen

	0 - 200
	200 - 2000
	2000 - 4000
	4000 - 6000
	6000 - 8000
	über 8000 m
6650	Meerestiefe in Meter
	Wüste
	Sumpf

Orte

●	über 1 000 000 Einw.
■	500 000 - 1 000 000
⊙	100 000 - 500 000
○	20 000 - 100 000
⊚	unter 20 000 Einw.
∴	antiker Ort

Verkehr

——	Eisenbahn
→---←	Tunnel
——	wichtige Straße
⨯	Paß
⊥⊥⊥	Kanal
⌐	Staudamm

Grenzen

/////	Staatsgrenze
▬ ▬ ▬	Verwaltungsgrenze
	Hauptorte sind <u>unterstrichen</u>

Maßstab 1 : 20 000 000

0 100 200 300 400 500

Kilometer

Orte
über 1 000 000 Einw.
500 000 - 1 000 000
100 000 - 500 000
20 000 - 100 000
5 000 - 20 000
unter 5 000 Einwohner
Hauptorte sind
unterstrichen

Verkehr
Eisenbahn
Straße
Kanal
Staudamm
Ruine
Paß

Grenzen
Staatsgrenze
Grenzen der
Sowjetrepubliken

Maßstab 1 : 20 000 000
0 100 200 300 400 500 km

Maßstab 1 : 20 000 000

0 100 200 300 400 500 km

Erläuterungen s. Seite 90/91 und 94/95

Laptewsee

Barentssee

Karasee

Kara Sea

Sewernaja Semlja

Nowaja Semlja

Franz-Josef-Land

Alexandraland

Georgeland

Grahambell-I.

Wilczekland

Wiese-I.

Uschakow-I.

Schmidt-I.

Oktoberrevolution-I.

Komsomolez-I.

Arktisches Kap

Bolschewik-I.

K. Tschejuskin

Kirow-In.

Nordenskjöld-archipel

Dickson

Jenissej

Dudinka

Norilsk

Igarka

Turuchansk

Putorana gebirge

Taimyr-Halbinsel

Byrranga gebirge

Chatangabucht

Chatanga

Olenjok

Olenjokbucht

Lena

Lenadelta

Tiksibucht

Chabardach

Buorchaja-Bucht

Kojmni-Insel

Koljmskaja

Jamal-Halbinsel (Samojeden-H.-I.)

Gyda-H.-Insel

Obusen

Nördlicher Polarkreis

Salechard

Obdorsk

Workuta

Nowyj Port

Amderma

Maresalja

Pai Choi

Waigatsch

Kara

Chabarowo

Maly Karmakuly

Matotschkinstr.

Russkaja Gawan

K. Shelanija

Nordostland

Spitzbergen

Barentsinsel

Edgeinseln

Bäreninsel

Kolguiew

K. Kanin

Kaninhalbinsel

Indiga

Narjan Mar

Petschora

Ust-Zilma

Mesen

Uchta

Narvik

Hammerfest

Nordkap

Vadsö

Kirkenes

Petschenga

Poljarnyj

Murmansk

Halbinsel Kola

Kirowsk

Kandalakscha

Archangelsk

Sewerodwinsk

Syktywkar

Solikamsk

Beresniki

Perm

Serow

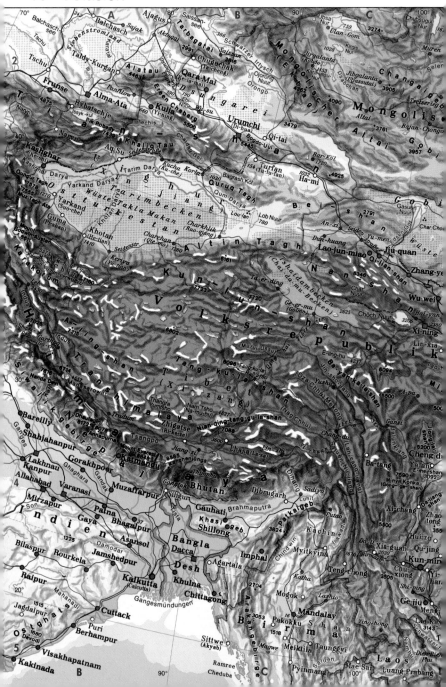

Landhöhen

	über 3000 m
	1500 - 3000 m
	1000 - 1500 m
	500 - 1000 m
	200 - 500 m
	100 - 200 m
	0 - 100 m
	Senken

623 **2291** Höhen in Meter

Meerestiefen

	0 - 200 m
	200 - 2000 m
	2000 - 4000 m
	4000 - 6000 m
	6000 - 8000 m
	über 8000 m

2745 Tiefen in Meter

Orte

⬠ über 1 000 000 Einw.
◼ 500 000 - 1 000 000
◉ 100 000 - 500 000
○ 20 000 - 100 000
⊙ unter 20 000 Einwohner
Hauptorte sind
<u>unterstrichen</u>

▨ Staatsgrenze
▬ wichtige Eisenbahn
— wichtige Straße
— Fährverbindung
⊸ Stausee, Staumauer
≠ Paß
≈ Sumpf

Mündungen des Hwangho

ooooooo 2278 vor Chr.
▭▭▭ 602 vor Chr.
▭▭▭▭ 11 nach Chr.
——— 1045 nach Chr.
— — — 1194 nach Chr.
–·–·– 1375 nach Chr.
········· 1494 nach Chr.
— — — 1938 nach Chr.
—— 1852 nach Chr.
1947

▨ Überschwemmungs-
gebiet 1938
············· Alte Küste

Maßstab 1 : 8 000 000

0   50   100   200

Kilometer

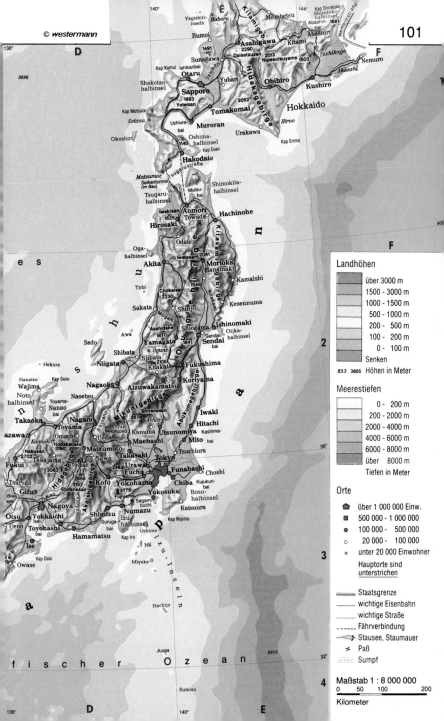

© westermann

101

Landhöhen

über 3000 m
1500 - 3000 m
1000 - 1500 m
500 - 1000 m
200 - 500 m
100 - 200 m
0 - 100 m
Senken

853 **3805** Höhen in Meter

Meerestiefen

0 - 200 m
200 - 2000 m
2000 - 4000 m
4000 - 6000 m
6000 - 8000 m
über 8000 m
Tiefen in Meter

Orte

über 1 000 000 Einw.
500 000 - 1 000 000
100 000 - 500 000
20 000 - 100 000
unter 20 000 Einwohner

Hauptorte sind
unterstrichen

Staatsgrenze
wichtige Eisenbahn
wichtige Straße
Fährverbindung
Stausee, Staumauer
Paß
Sumpf

Maßstab 1 : 8 000 000
0   50   100   200
Kilometer

Meng-zi

Birma
Myingyan 2475
Meiktila
Lao Kay
Schwarzer Fluss
Lang Son
Tao
Keng Twang
Mao-ming
Chan-jiang
Hai-king
V.R.China
Patras
(Dong-sha-dao)

Taunggyi
Dien Bien Phu
Mae Sai
Hanoi
Haiphong
Bei-hai
Hai-nan-Str.
Hai-kou
Hai-nan

Pyinmana
Prome
Luang Prabang
1884
Hoa Binh
Nam Dinh
Golf von Tonking
Chang-jiang 1879
Yu-lin

benzada
Chiangmai 2576 908
Lampang
Uttaradit
2817
2820
Thanh Hoa
Mawchi
Ping
Nongkhai
Vientiane
Vinh
Dong Hoi

Rangun
Pegu
Bilin
Martaban
2080
Moulmein
Phitsanulok
Khonkaen
Nakhon Phanom
Savannakhet
Huê
Da Nang
Vietnam
Paracel-Inseln
4424

Ye
Nakhon Sawan
Thailand
(Siam Plateau)
Ubon
Pakse
2500
2596
Quang Ngai

Tavoy
Ayutthaya 1328
Nakhon Ratchasima
Korat

Thonburi
Bangkok
Krung-Thep
Angkor
Stung Treng
Binh Dinh

Myinmoletkat 2074
Myeik (Mergui-)
Samut Prakan
Si Racha
Chanthaburi
Battambang
Pursat
Tonle Sap
Kambodscha
(Kamputschea)
2267
Dalat
Nha Trang
Phan Rang

Inseln
Tenasserim
Phnom Penh
Kratie
Ho Tschi Minh-Stadt (Saigon)

Isthmus von Kra
Kompong Som
Kampot
Ha Tien
My Tho
Vung Tau

Pangan-Samui
Ranong
Long Xuien
Can Tho
Mekong

Nakhon Si Thammareth 1786
Vinh Loi
Kap Ca Mau
Con Dao

Phuket
Kap Buliluyan
2867
Balabac

Songkhla
Pattani
Kudat

Banda Atjeh
Neh
Kota Baru
Malaysia
Kota Kinabalu
Kinabalu 4101
Labuan
Beaufort

Atjeh
Idi
Alor Setar
Pinang
Kuala Trengganu
Bandar-Seri-Begawan
Brunei (Brit.)
Miri
Niah
Seria
2438

Pangkalanbrandan
Taiping
3183
Tahan 2190
Kuala Dungun
Natuna-Inseln
Mukah
Bintulu

Bindjai
Belawan
Ipoh
Malaya
Kuantan
Anambas-Inseln
Kap Datu
Sibu
Kapuasgeb.
2988
2053 Kongkemul

Medan
Batak
3466
Telok Anson
Klang
Bandar Rompin
Inseln
Sambas
Kuching
Sarawak
1767
Batubrok 2240

Pematangsiantar
Kuala Lumpur
Malacca
Johore Baru
Tambelan-Inseln
Borneo
(Kalimantan)

Toba See
Sibolga
Bengkalis
Singapur
Riau-Inseln
Sintang
Kapuas
1758
2278 Raja
Samarinda

Nias
Gunungsitoli
5214
Dumai
Minas
Pakanbaru
Kampar
Pontianak
Dajakland
Balikpa

Batu-Inseln
Bukittinggi 2891
Marapi
Rengat
Indragiri
Lingga-Inseln
Singkep
Karimata-Inseln
Ketapang
Palangkaraja
Tanahgrogot
Amuntai 1892
Kotabaru

Siberut
Padang
Kerintji 3805
Hari
Belingu
Bangka
Palembang
Sampit
Mendawai
Barito
Banjarmasin

Mentawi-Inseln
Telanaipura (Jambi)
Musi
Plaju
Pangkal-pinang
Tanjung-pandan
Kap Sambar
Kotabumi
Kap Puting
Laut

Bengkulu
Muaraenim
Dempo 3159
Billiton (Belitong)
Kap Selatan

Enggano
Bandar Tanjungkarang (Telukbetung)
Panjiang
Sundastrasse
Merak
Karimundjawa
Bawean
Kangean-Inseln

V. Krakatau
Serang
Salak 2211
Bogor 2958
Jakarta
Cirebon
Pekalongan
Rembang
Madura
Situbondo

Gede
Bandung
Surakarta 3428
Semarang
Surabaya
Malang 3676
Semeru
Bali 3142

Jogyakarta
Banyuwangi
Lombok

Indischer Ozean

Südchinesisches Meer

Andamanisches Meer

Golf von Martaban

Golf von Siam

Malaiische Halbinsel

Strasse von Malacca

Christmas-Insel (Austr.)

Luzonstraße

Batan-Inseln

Babuyan-Inseln

Aparri
Laoag 2360
Sicapo
Amuyao 2702 Tuguegarao
Pulog 2928 Luzon
Baguio
Lingayen Cabanatuan
Tarlac
Angeles Quezon City
Olongapo Manila
Cavite San Pablo Catanduanes
Batangas Mamburao 2585 Naga
Mindoro Tablas V. Mayon 2462 Legaspi

Philippinen

Calbayog
Masbate Samar
Roxas Ormoc Tacloban
Panay Bacolod Cebu Baybay
San Carlos Dinagat
Negros Bohol Surigao
Dumaguete Butuan

Dipolog Iligan Cagayan
Pagadian Cotabato **Mindanao** Davao
Zamboanga 2965 Apo
Basilan Datu Piang Digose
Jolo Basilan General Santos
Kap San Augustin
Kiamba
Kap Tinaka

Pazifischer

Ozean

Parece Vela
(Jap.)

Jap-Inseln

Palau-Inseln

Treuhandgebiet

Pazifische Inseln

(USA)

Talaud-Inseln

Sangihe-Inseln Morotai

Celébes-see

Manado Klabat Tobelo Halmahera
Minahasa Soputan (Djailolo)
Totitoli Gorontalo Ternate
Maling 2707 Djailolo
Gorontalo 1661
Golf v. Tomini

Waigeo

Mapia-Inseln

Äquator

Makassarstraße

Tanjungselor
Tanjungredeb
angkulirang

Donggala Poso
3311 Tambusisi
2630
Celébes
(Sulawesi)

Golf v. Tolo

Batjan-Inseln 2111
Sula-Inseln Obi
Misool

Sala-wati
Sorong
Dampierstraße

Vogelkop 3100
Beraugolf
Steenkool

Manokwari Biak
Biak
Kap d'Urville
Japen Serui
Sarmi
Mamberamo

Neuguinea

Rantekombola
Majene Palopo
Parepare 2799
Watampone Kolaka Kendari
Ujung-Pandang 2871
(Makassar)
Bantaeng

Wotu
Raha
Butung

Namlea Piru 3018
2429 Seram
Buru 5780 Ambon
Banda-Inseln

Babo Golf v.
Fakfak Kaimana
Karufa
Kokonau

Maokegeb
5029 Sudirmangeb
4730
Djalaspitze
Trikora-spitze

Westirian

Watubela-Inseln
Seram-Laut-Inseln
Tajandu-Inseln
Kai-Inseln
Adi Dobos
Tual Aru-Inseln

Salayar

Tukangbesi-Inseln

Bandasee

Damar

Tanimbar-Inseln
Saumlaki

Dolak
Kap Vals

Kleine Sunda-Inseln
Tambora Raba 2382
2821
Waingapu
Sumba Endeh
Flores
Sawusee
Sawu Kupang
2427 Ramelau 2960
Dili
Lomblen Alor-Inseln Wetar
Babar
Sermata

Timorsee
Timor

Arafurasee

130° östl. L. v. Gr.

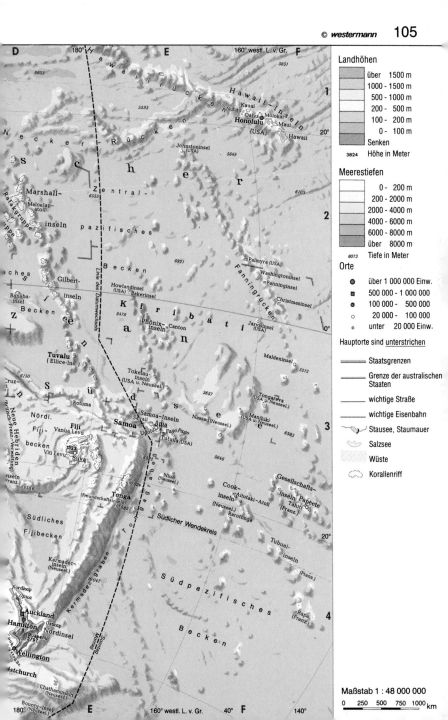

Landhöhen

- über 1500 m
- 1000 - 1500 m
- 500 - 1000 m
- 200 - 500 m
- 100 - 200 m
- 0 - 100 m
- Senken

3824 Höhe in Meter

Meerestiefen

- 0 - 200 m
- 200 - 2000 m
- 2000 - 4000 m
- 4000 - 6000 m
- 6000 - 8000 m
- über 8000 m

6073 Tiefe in Meter

Orte

- über 1 000 000 Einw.
- 500 000 - 1 000 000
- 100 000 - 500 000
- 20 000 - 100 000
- unter 20 000 Einw.

Hauptorte sind <u>unterstrichen</u>

- Staatsgrenzen
- Grenze der australischen Staaten
- wichtige Straße
- wichtige Eisenbahn
- Stausee, Staumauer
- Salzsee
- Wüste
- Korallenriff

Maßstab 1 : 48 000 000

0 250 500 750 1000 km

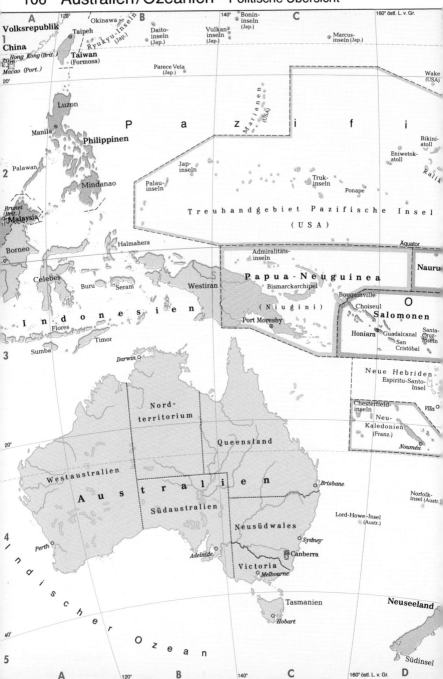

A · 120° · B · 140° · C · 160° östl. L. v. Gr.

Volksrepublik
China 1
Okinawa
Hong Kong (Brit.)
Macao (Port.)
Taipeh
Taiwan
(Formosa)
Ryukyu-Inseln (Jap.)
Daito-inseln (Jap.)
Vulkan-inseln (Jap.)
Bonin-inseln (Jap.)
Marcus-inseln (Jap.)
20°
Parece Vela (Jap.)
Wake (USA)

P a z i f i

Luzon

Manila
Philippinen

M a r i a n e n (USA)

Bikini-atoll
Eniwetok-atoll

Palawan 2
Mindanao

Jap-inseln
Palau-inseln

Truk-inseln
Ponape

R a l i k

Brunei
(Brit.)
Malaysia

T r e u h a n d g e b i e t   P a z i f i s c h e   I n s e l

(U S A)

Borneo

Halmahera

Admiralitäts-inseln

Äquator

Nauru

Celebes
Buru
Seram
Westiran

Papua-Neuguinea
Bismarckarchipel
(N i u g i n i)
Port Moresby

Bougainville
Choiseul
Salomonen
Honiara
Guadalcanal
San Cristóbal
Santa-Cruz-Inseln

O

I n d o n e s i e n

Flores
Timor
Sumba 3

Darwin

N e u e   H e b r i d e n
Espiritu-Santo-Insel

Chesterfield-inseln
Vila
Neu-Kaledonien
(Franz.)
Nouméa

Nord-territorium

Queensland

20°

A u s t r a l i e n
Westaustralien
Südaustralien

Brisbane

Norfolk-insel (Austr.)

Lord-Howe-Insel (Austr.) 4

Perth

Neusüdwales
Sydney

Adelaide
Canberra
Victoria
Melbourne

I n d i s c h e r   O z e a n

Tasmanien

Hobart

Neuseeland

40°

5

Südinsel

A · 120° · B · 140° · C · 160° östl. L. v. Gr. · D

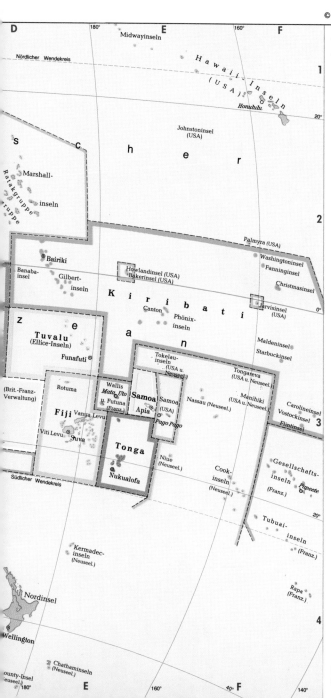

Legende:

- – – – – – Staatsgrenze
- ·············· Verwaltungsgrenze
- ⊚ Hauptstadt
- ○ Verwaltungsort

D | E | 180° | 160° | F

Midwayinseln

Nördlicher Wendekreis

H a w a i i - I n s e l n
(U S A)
Honululu

1

20°

s · · · c · · · h · · · e · · · r

Johnstoninsel
(USA)

Marshall-

Ratakgruppe

Ralikgruppe

inseln

2

Palmyra (USA)

Bairiki

Washingtoninsel
Fanninginsel

Banaba-
insel

Gilbert-

inseln

K i r i b a t i

Christmasinsel

Howlandinsel (USA)
Bakerinsel (USA)

Jarvisinsel
(USA)

0°

z · · · e

Tuvalu
(Ellice-Inseln)

a

Canton

Phönix-
inseln

n

Maldeninsel
Starbuckinsel

Funafuti ⊚

Tokelau-
inseln
(USA u.
Neuseel.)

Tongareva
(USA u. Neuseel.)

(Brit.-Franz-
Verwaltung)

Rotuma

Wallis
Mata Uto
u. Futuna
(Franz.)

Samoa
Samoa,
(USA)
Ápia ⊚
Pago Pago

Nassau (Neuseel.)

Manihiki
(USA u. Neuseel.)

Carolineinsel
Vostockinsel
Flintinsel

3

Fiji
Vanua Levu

Viti Levu
Suva ⊚

T o n g a

Niue
(Neuseel.)

Cook-
inseln

Gesellschafts-
inseln
Papeete

Südlicher Wendekreis

Nukualofa ⊚

(Neuseel.)

(Franz.)

20°

Tubuai-
inseln

(Franz.)

Kermadec-
inseln
(Neuseel.)

Nordinsel

Rapa
(Franz.)

4

⊚ Wellington

ounty-Insel
euseel.)
180°

Chathaminseln
(Neuseel.)

E

160°

40°

F

140°

Maßstab 1 : 48 000 000

0   250   500   750 1000 km

Pazifischer Ozean

Nordinsel
Auckland
Hamilton
New Plymouth
Wellington
Südinsel
Christchurch
Dunedin
Tasmansee
Stewart-I.

Queensland
Brisbane
Rockhampton

Großes Scheidegebirge

Neu-Süd-Wales
Grey-Gebirge
Darling-Ebene
Newcastle
Sydney
Wollongong
Canberra
Bundes-Terr.

Victoria
Melbourne
Geelong
Ballarat

Süd-Australien
Adelaide
Flinders-Geb.
Eyre-Halbinsel
Spencer-Golf

Tasmanien
Launceston
Hobart
Bass-Straße
Furneaux-Gruppe
King-I.

Macdonnell-Kette
Musgrave Geb.
Gibson Wüste
Simpson Wüste
Große Victoria Wüste
Austral.

Nullarbor Ebene
Große Australische Bucht

Indischer Ozean

Maßstab 1 : 20 000 000
0 100 200 300 400 500 km

Erläuterungen siehe Seite 105

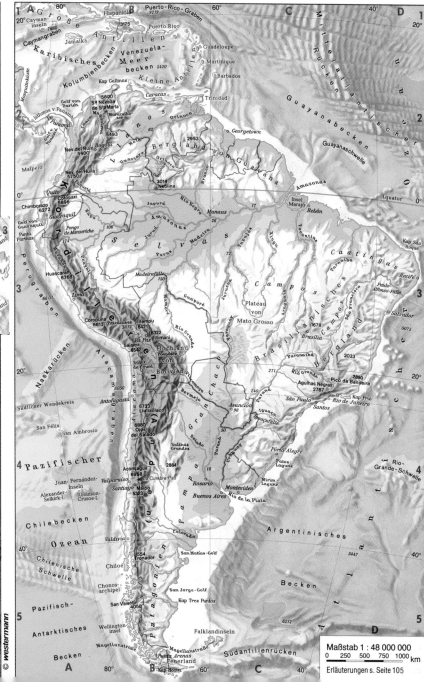

Maßstab 1 : 48 000 000
0   250   500   750   1000 km

Erläuterungen s. Seite 105

UdSSR

Island

Grönland
(mit Dänemark assoziiert)

Königin-
Elisabeth-
Inseln

Franklin

Godthåb

Ak.

Yukon

Mackenzie

Nordwestgebiete

Keewatin

Neufund

zu Kanada:
N.Br. = Neubraunschweig
P.E.I. = Prinz-Eduard-Inse

Whitehorse

Juneau

Brit.-Columbia

K
a

Alberta

Saskatchewan

Manitoba

n
a

d
a

Quebec

P.E.I.

N.
Br.

Edmonton

Ontario

Victoria

Quebec

Me. schot

Olympia

Regina

Winnipeg

Ottawa

Augusta

Die Staaten der USA
(United States of America)
in amtlicher Kurzform

Neuenglandstaaten
Me. = Maine
N.H. = New Hampshire
Vt. = Vermont
Mass. = Massachusetts
R.I. = Rhode Island
Conn. = Connecticut

Mittelatlant. Staaten
N.Y. = New York
N.J. = New Jersey
Pa. = Pennsylvania

Nordöstliche Mitte
Oh. = Ohio
Ind. = Indiana
Ill. = Illinois
Mich. = Michigan
Wis. = Wisconsin

Nordwestliche Mitte
Minn. = Minnesota
Iowa = Iowa
Mo. = Missouri
N.D. = Nord-Dakota
S.D. = Süd-Dakota
Nebr. = Nebraska
Kans. = Kansas

Südatlantische Staaten
Del. = Delaware
Md. = Maryland
D.C. = Distr. v. Columbia
Va. = Virginia
W.Va. = West-Virginia
N.C. = Nord-Carolina
S.C. = Süd-Carolina
Ga. = Georgia
Fla. = Florida

Südöstliche Mitte
Ky. = Kentucky
Tenn. = Tennessee
Al. = Alabama
Miss. = Mississippi

Südwestliche Mitte
Ark. = Arkansas
La. = Louisiana
Okla. = Oklahoma
Tex. = Texas

Felsengebirge
Mont. = Montana
Id. = Idaho
Wyo. = Wyoming
Colo. = Colorado
N.Mex. = Neu-Mexiko
Ariz. = Arizona

Ut. = Utah
Nev. = Nevada

Pazifische Staaten
Ak. = Alaska
Wash. = Washington
Oreg. = Oregon
Calif. = California
Hi. = Hawaii

Wash.
Salem
Oreg.
Boise
Id.
Helena
Mont.
N.D.
Bismark
Minn.
*St.
Paul*
Wis.
Mich.
Toronto
Albany
Mass.
Boston
R.I.

Vt. N.H.
Conn.

Carson City
Nev.
Sacramento
*Salt Lake
City*
Wyo.
Cheyenne
S.D.
Pierre
Iowa
*Des
Moin.*
Ill.
Ind.
Oh.
Columb
Madison
Lansing
N.Y.
Pa.
New York
Trenton
N.J.
Harrisb.
Del.
Md.
Washington (D.C.)
Richmond

Calif.
Ut.
U
Colo.
Denver
S
Nebr.
Lincoln
Mo.
Springf.
Top.
A
W.Va.
Char.
Va.
Raleigh

Santa Fe
Ariz.
Phoenix
N.Mex.
Okla.
Oklahoma City
Kans.
*Jeffers.
Cy.*
Ky.
Frankf.
Nashv.
Tenn.
N.C.
S.C.
Columbia

Tex.
Austin
Ark.
*Little
Rock*
Miss.
Jacks
Al.
Montgom.
Ga.
Atlanta
Tallahassee

La.
*Baton
Rouge*
Fla.

M
e
x
i
k
o

B
a
h
a
m

Nassau

Habana

K
u
b
a

Haït
Kingston

Jamaika

Mexiko

Belize
Belmopan

Guatemala
Guatemala

Honduras
Tegucigalpa

Nicaragua

S. Salvador
El Salvador

Costa Rica
S. José

Panamá
Panamá

K u b a

Kingston
Haïti **Dominik.**
Jamaika **Rep.** *Sto Domingo*
Pt.-au- Puerto Rico
Prince (USA)
Guadeloupe (Fr.)
Dominica
Martinique (Fr.)
Barbados
Curacao (Nied.) **Grenada**
Trinidad u.
Tobago

Panamá
Panamá **V e n e z u e l a** *Caracas*

G u y a n a *Georgetown*
Paramaribo
Bogotá **Surinam** *Cayenne*
K o l u m b i e n **Franz.-Guayana**

Quito
Ecuador

B r a s i l i e n

P
e
r *Lima*
u **B o l i v i e n**
La Paz
Brasília

P a r a g u a y

I. S. Felix *Asunción*
(Chile) I. S. Ambrosio
(Chile)

A r g e n t i n i e n

C
h *Santiago*
Juan-Fernandez- **i** *Buenos Aires* **Uruguay**
In. (Chile) **l** *Montevideo*
e

Falkland-Inseln
oder Malwinen
(Br.)

© westermann

Hauptorte sind <u>unterstrichen</u>

Maßstab 1 : 48 000 000
0 250 500   1000 km

Orte

- ⬛ über 1 000 000 Einwohner
- ⬛ 500 000 - 1 000 000
- ⬤ 100 000 - 500 000
- ◯ 20 000 - 100 000
- ◦ unter 20 000 Einwohner

Hauptorte sind <u>unterstrichen</u>

Staatsgrenze

Grenzen der Provinzen in Kanada und der Bundesstaaten in den USA

Eisenbahn

Panamerican Highway

wichtige Straße ⚔ Paß

Stausee → Staudamm

Wasserfall

Nationalpark

Tundra

Sumpf   Wüste

Landhöhen

Gletscher

- über 1500 m
- 1000 - 1500
- 500 - 1000
- 200 - 500
- 100 - 200
- 0 - 100 m

Meerestiefen

- 0 - 200 m
- 200 - 2000
- 2000 - 4000
- über 4000 m

Maßstab 1 : 20 000 000

0 100 200 300 400 500 km

Maßstab 1 : 20 000 000
0 100 200 300 400 500 km
Erläuterungen siehe Seite 115

© westermann 121

Maßstab 1 : 20 000 000
0 100 200 300 400 km
Erläuterungen siehe Seite 127

Maßstab 1 : 40 000 000
0 200 400 600 800 km

Nashville Oak Ridge Raleigh E F
Memphis Tennessee Chattanooga 2037 Nord·Carolina Kap Hatteras
Tennessee Charlotte New Bern
Birmingham Greenville Süd
Atlanta Columbia Wilmington
Alabama Carolina
Jackson Montgomery Macon Augusta Charleston 1
Columbus Georgia Savannah 30°
Natchez Altamaha
Baton Rouge Mobile Pensacola Jacksonville Atlantischer 6744
New Orleans Talla- hassee Ozean
Mississippi- mündungen Daytona Beach
Kap Canaveral
3880 Tampa Orlando
Saint Petersburg West Palm Beach
Okeechobee- Great Abaco Bahamas
see Grand Bahama 2
Fort Lauderdale Eleuthera
Miami Nassau Cat
Kap Sable Andros San Salvador (Watling-I. Guanahani)
Key West Florida Keys Nördl. Wendekreis
Habana Matanzas Mayaguana
Marianao Cárdenas Caicos- Inseln
Pinar del Río Santa Clara Caibarién Inagua- Inseln Turks- Inseln
Cienfuegos Sancti Spíritus
Kap San Antonio Pinos Kuba Camagüey Holguín Hispaniola
Manzanillo Nuevitas Cap-Haïtien 20°
Kap Cruz 1994 Guantánamo Dominikanische
Cayman-Inseln 6947 7240 Santiago Haïti Santiago Republik
(Brit.) de Cuba Windward Passage Monte Tina Santo Domingo
Jamaika 2256 Port-au-Prince 2689 Mona-passage
Montego Bay Spanish Town
Kingston Santo Domingo

Karibisches Meer
4230

Turneffe Golf von Swan (Honduras)
Inseln Honduras
Belmopan Cayos Kap Gracias a Dios
Belize Roatán La Ceiba
Puerto Barrios Puerto Cortéz Moskitoküste
San Pedro Sula Kap Catoche Corn-In. Aruba (Nied.) Curaçao (Nied.)
Honduras San Andrés Kap Callinas Golf von Venezuela Puerto Cabello
Tegucigalpa (Kolumbien) Santa Marta Punta Fijo Coro
Nicaragua Riohacha Sierra Nevada Cumarebo 3
Managua Moskitogolf Ciénaga 5776 Maracaibo
Masaya Corn-In. Barranquilla de Santa Marta Maracaibo- Solita
Granada (Nicaragua) Bluefields Cartagena Calamar see Valera
Nicaragua- Lorica Magdalena Venezuela
see Mompós Barinas
San Juan del Sur Monteria Mérida Guanare
Vulkan Orosi Apure
Costa Rica Colón 5002 Arauca
Limón Panama Cúcuta Pico Bolívar 10°
Puntarenas Isthmus von Panamá Bucaramanga San Cristóbal
Kap Blanco David Chiriquí Natá Sa. Nevada del Cocuy Arauca
San José Puerto Armuelles Azuero Kap Mala Rey 5493 Meta
Kokosinseln Puerto Cortés Coiba Puerto Berrio 4
(Costa Rica) Cupicagolf Medellín La Dorada Tunja
Manizales Ronda Bogotá
Pereira Kolumbien
Malpelo Ibagué Villavicencio
(Kolumbien) Buenaventura

90° westl. L. v. Gr. D 80° 70° F

Maßstab 1 : 20 000 000

0   100   200   300   400 km

Erläuterungen siehe Seite 127

90° westl. L. v. Gr.

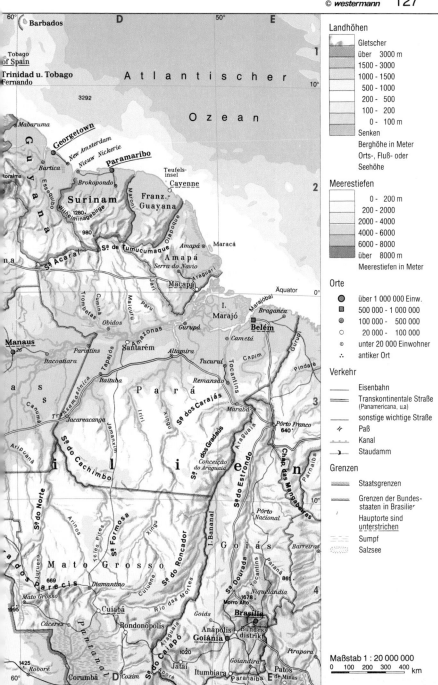

Landhöhen

- Gletscher
- über 3000 m
- 1500 - 3000
- 1000 - 1500
- 500 - 1000
- 200 - 500
- 100 - 200
- 0 - 100 m
- Senken

Berghöhe in Meter
Orts-, Fluß- oder
Seehöhe

Meerestiefen

- 0 - 200 m
- 200 - 2000
- 2000 - 4000
- 4000 - 6000
- 6000 - 8000
- über 8000 m

Meerestiefen in Meter

Orte

- ⬤ über 1 000 000 Einw.
- ⬛ 500 000 - 1 000 000
- ● 100 000 - 500 000
- ○ 20 000 - 100 000
- ⊙ unter 20 000 Einwohner
- ∴ antiker Ort

Verkehr

- ── Eisenbahn
- ═══ Transkontinentale Straße (Panamericana, u.a)
- ─── sonstige wichtige Straße
- ⤲ Paß
- Kanal
- ⟩ Staudamm

Grenzen

- Staatsgrenzen
- Grenzen der Bundes-staaten in Brasilier
- Hauptorte sind unterstrichen
- Sumpf
- Salzsee

Maßstab 1 : 20 000 000

0 100 200 300 400 km

50° westl. L. v. Gr.
40°

Äquator
5450

Amapá
Maracá
Serra do Navio
Araguari
Macapá
0°

Gurupá
I. Marajó
Marajóbal
Bragança
Altamira
Cametá
Belém
Capim
Tucuruí
Tocantins
São Luís
Parnaíba
Camocim
Rosário
Pindaré
Itapicuru
Mearim
1025
Sobral
Fortaleza
Remanção
Pôrto Franco
Caxias
Oiticica
Piripiri
Teresina
Ceará
Mossoró
Kap Sao Roque
Rocas
Fernando de Noronha
Marabá
Maranhão
640°
Floriano
Iguatu
Rio Grande do Norte
Natal
Serra dos Carajás
Conceição do Araguaia
Araguaia
Parnaíba
Piauí
Paulistana
Crato
Paraíba
Campina Grande
Kap Branco
João Pessoa
Salgueiro
Pernambuco
Caruaru
Recife
Sa. das Mangabeiras
Chap. das Mangabeiras
Gurgueia
Sa. do Piauí
Petrolina
Paulo Afonso-Fälle
Alagoas
Maceió
727
Sa. da Tabatinga
Juàzeiro
Senhor do Bonfim
Sergipe
Aracaju
Pôrto Nacional
Rio Grande
Barra
Goiás
861.
Barreiras
Bom Jesus da Lapa
Chapada Diamantina
Iaçu
Feira de Santana
Alagoinhas
Salvador
I. Bananal
1850
Pico das Almas
Bahia
Contas
Itabuna
Camamubai
Todos os Santos Bai
1678.
Niquelândia
Morro Alto
Monte Azul
Jequié
Vitória da Conquista
Ilhéus
Goiás
Anápolis
Bundes distrikt
Brasília
Goiânia
Pardo
Belmonte
Araguaia
1020
Montes Claros
Pirapora
Jequitinhonha
Jataí
Itumbiara
Goiandira
Diamantina
Teófilo Otoni
Caravelas
Paranaíba
Patos de Minas
Itambé
2033
Uberlândia
Minas Gerais
Gov. Valadares
Uberaba
Doce
Colatina
Espírito Santo
Tres Lagoas
Rio Grande
S. José do Rio Preto
Sete Lagoas
Belo Horizonte
Pico da Bandeira
2890
Vitória
Ribeirão Preto
São Paulo
Itapemirim
20°
Panorama
Bauru
Campinas
Agulhas Negras
2787
Sa. da Mantiqueira
Juiz de Fora
Campos
Paranapanema
Maringá
Londrina
Sa. do Mar
Petrópolis
Rio de Janeiro
Kap Frio
Niterói
Paraná
Ponta Grossa
São Sebastião
Rio de Janeiro
Südlicher Wendekreis
Sa. do Mar
Santo André
São Paulo
Santos
Paranaguá
Curitiba
Joinville
Blumenau
Catarina
Lajes
Florianópolis
Erexim
Santa Catarina
Tubarão

Atlantischer Ozean

D   40°   E

Maßstab 1 : 20 000 000
0   100   200   300   400   km
Erläuterungen siehe Seite 127

Maßstab 1 : 20 000 000

0 100 200 300 400 500 km

Erläuterungen siehe Seite 127

3

4

5

E

D

C

B

A

Buenos Aires

Montevideo

La Plata

Mar del Plata

Río de la Plata

Punta del Este

Nordspitze
Kap San Antonio
Südspitze

Necochea

Tandil

Azul

Tres Arroyos
Puerto Belgrano
Bahía Blanca

Bahía Blanca

Pehuajó

Santa Rosa

Mercedes

San Luis

Río Negro

Salado

Colorado

Río Colorado

Neuquén

Limay

Río Negro

Neuquén

San Carlos de Bariloche

Viedma

San Matías-Golf

Halbinsel Valdés

Rawson

Puerto Madryn

Las Plumas

Chubut

Río Chico

Río Chubut

Las Heras

Deseado

Comodoro Rivadavia

San Jorge-Golf

Puerto Deseado

Puerto Tres Puntas

Santa Cruz

Río Santa Cruz

Bahía Grande

Río Gallegos

Río Gallegos

Kap Dungeness

Magellanstraße

Río Grande

Porvenir

San Sebastián

Kap San Diego

Staateninsel

Le Maire-Straße

Feuerland
(Tierra del Fuego)

Ushuaia

Kap Hoorn

Puerto Williams

Monte Sarmiento 2300

Yogan 2469

Santa Inés

Punta Arenas

Puerto Natales

Ultima Esperanza

Magellanstraße

Halbinsel Brunswick

Última Esperanza

Río Gallegos

Río Turbio

San Lorenzo

4362

3390

3600

4058

4056

3755

3700

2300

Coihaique

Golfo de Penas

San Valentín

Wellington-insel

Chonos-archipel

Halbinsel Taitao

Castro

Chiloé

Mocha

Puerto Montt

Osorno

Valdivia

Temuco

Lebu

Santa María

Concepción

Talcahuano

Chillán

Linares

Talca

Curicó

Rancagua

San Antonio

Valparaíso

Viña del Mar

Santiago

San Rafael

Mendoza

Aconcagua 6959

Tupungato

Maipo

Tronador 3455

Lanín

Llaima

Villarrica

Buenos-Aires-See

Pueyrredón-See

Lago Argentino

Lago Viedma

5170

5266

5830

5745

6212

1243

Falklandinseln
(Brit.)
(Malwinen)

Stanley

110° westl. L. v. Gr.

Osterinsel
(Isla de Pascua)
(Chile)

Sala y Gómez
(Chile)

Juan-Fernández-Inseln
(Chile)
Robinson-
Crusoe-I.

Alexander
Selkirk-I.

30°S

40°

50°

60°

70°

80°

110°

30°S

40°

50°

60° westl. L. v. Gr.

Ibicuí

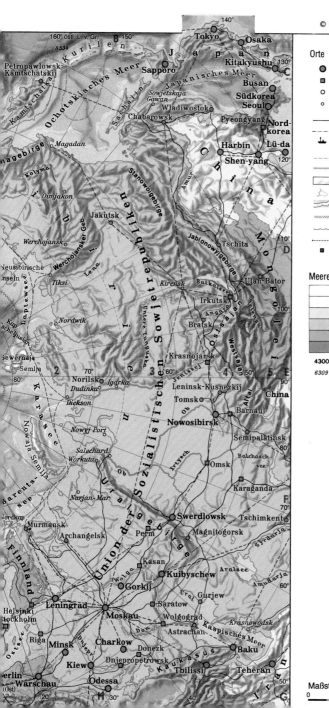

Orte

◉	über 1 000 000 Einwohner
▣	über 500 000 - 1 000 000
○	über 100 000 - 500 000
○	unter 100 000 Einwohner
——	wichtige Eisenbahn
- - - -	wichtige Fluglinie
⟀	Flugsicherungsschiff
- - - - -	Staatsgrenze
——	Grenze der Hoheitsgebiete
▱	Inlandeis
⌇	Gletscher
⌇⌇	Schelfeis
⌁⌁⌁	Packeis
- - - - -	äußerste Treibeisgrenze
· · · · · ·	Grenze der Ozeane
▪	wichtige Forschungsstation (ständig bewohnt)

Meerestiefen

	0 - 200
	200 - 2000
	2000 - 4000
	4000 - 6000
	6000 - 8000
	über 8000 m
4300	Höhe in Meter
6309	Tiefe in Meter

Maßstab 1 : 48 000 000

0   500   1000 km

Orte

- ◉ über 1 000 000 Einwohner
- ◼ über 500 000 - 1 000 000
- ○ über 100 000 - 500 000
- ○ unter 100 000 Einwohner

- —— wichtige Eisenbahn
- — — wichtige Fluglinie
- ⚓ Flugsicherungsschiff

- ----- Staatsgrenze
- —— Grenze der Hoheitsgebiete

- Inlandeis
- Gletscher
- Schelfeis
- Packeis
- äußerste Treibeisgrenze
- .... Grenze der Ozeane
- ◼ wichtige Forschungsstation (ständig bewohnt)

Meerestiefen

	0 - 200
	200 - 2000
	2000 - 4000
	4000 - 6000
	6000 - 8000
	über 8000 m

- **4300** Höhe in Meter
- *6309* Tiefe in Meter

Eismenge auf der Erde

Grönland 9% · Sonstige 1% · Antarktis 90%

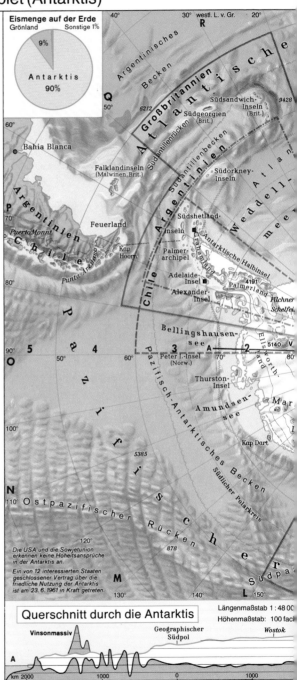

Argentinisches Becken

Großbritannien

A t l a n t i s c h e

Südsandwich-Inseln (Brit.)

6212 · 9428

Südgeorgien (Brit.)

Bahia Blanca

Falklandinseln (Malwinen, Brit.)

Südantillenrücken

Südantillenbecken

Südorkney-Inseln

A r g e n t i n i e n

Atlan...

Weddell

meer

Feuerland

Südshetland-Inseln

Chile

A r g e n t i n i e n

Puerto Montt

Kap Hoorn

Palmer-archipel

Antarktische Halbinsel

Grahamland

Punta Arenas

Adelaide-Insel

4191

Palmerland

Alexander-Insel

Filchner Schelfei

Bellingshausen-see

5140 V

Ellsworth...land

P a z i f i s c h e r

5 · 4 · 3 · 2

Peter I.-Insel (Norw.)

Thurston-Insel

Pazifisch-Antarktisches Becken

Amundsen-see

Mar...

Kap Dart

5385

Ostpazifischer Rücken

Südlicher Polarkreis

878

Rücken

Südpa...

Die USA und die Sowjetunion erkennen keine Hoheitsansprüche in der Antarktis an.

Ein von 12 interessierten Staaten geschlossener Vertrag über die friedliche Nutzung der Antarktis ist am 23. 6. 1961 in Kraft getreten.

Längenmaßstab 1 : 48 00...

Höhenmaßstab: 100 fac...

Querschnitt durch die Antarktis

Vinsonmassiv · Geographischer Südpol · Wostok

A

km 2000 · 1000 · 0 · 1000

Maßstab 1 : 48 000 000

0 · 500 · 1000 km

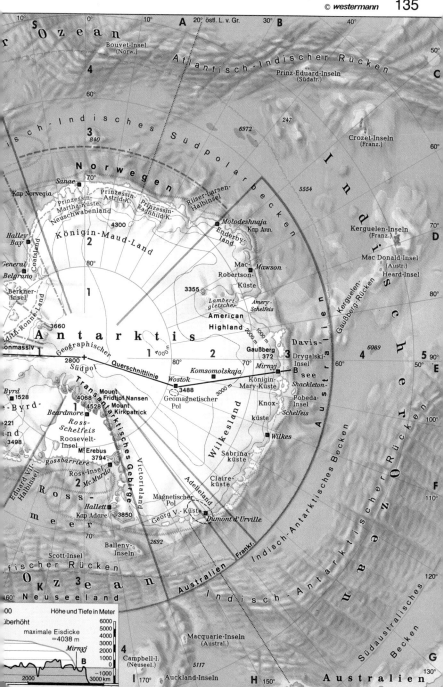

© *westermann*

Erde

Aufnahme der Erde aus rund 50 000 km,
Foto: NASA, Washington (Apollo 17)

Mond

	Erde	Mond	im Vergleich zur Erde rund
Durchmesser am Äquator	12 756,4 km	3 476 km	1/4
Durchmesser von Pol zu Pol	12 713,6 km	—"—	—"—
Äquatorumfang	40 076,6 km	10 920 km	1/4
Meridianumfang	40 009,2 km	—"—	—"—
Oberfläche	510 Mill. km²	38 Mill. km²	1/14
Volumen	1083 Mrd. km³	22 Mrd. km³	1/49
Mittlere Dichte	5,517 g/cm³	3,34 g/cm³	3/5
Mittlere Schwerebeschleunigung in 0m Höhe	981 cm/sec²	161,9 cm/sec²	1/6
Mittlerer Abstand von der Erde	—	384 400 km	
Bahnneigung gegen die Ekliptik (Erdbahn)	—	5° 8' 43"	

Zum Auffinden der Namen sind die Karten mit Seitenzahlen, Teilkarten zusätzlich mit römischen Ziffern
versehen; die Längengradstreifen weisen am oberen
und unteren Kartenrand rote Buchstaben, die Breiten-
gradzonen an den Seitenrändern rote Zahlen auf.
In dieser Abfolge bezeichnen sie die Lage des im Verzeichnis ausgewiesenen Namens nach Atlasseite,
Teilkarte und Gradfeld. Auf einen Kartennamen wird
im Verzeichnis in der Regel nur einmal verwiesen, und
zwar im allgemeinen auf die Übersichtskarte des
größten Maßstabs, in der er enthalten ist. Bei Flüssen
ist die Lage des Namens angegeben.
Die in den Karten abgekürzten Namen sind im Verzeichnis ausgeschrieben. Gleichlautenden Namen ist ein
unterscheidender Zusatz mit Lagebezeichnung oder
Hinweis auf die Art des Objektes in Klammern beigefügt,
ebenso dann, wenn ihre Bedeutung nicht klar erkennbar
ist [z. B. Titisee (O.), Stadland (Kap.)]. Die hierbei
benutzten Abkürzungen bedeuten:

(B.)	= Berg	(Kl.)	= Kloster, Kirche
(Fl.)	= Fluß	(L.)	= Landschaft
(G.)	= Gebirge	(R.)	= Ruine
(I.)	= Insel, Inseln	(S.)	= See
(O.)	= Ort, Siedlung	(Schl.)	= Schloß, Burg
(P.)	= Paß	(St.)	= Staat

Sämtliche Namen sind alphabetisch geordnet. Die
Umlaute ä, ö, ü sind wie die Selbstlaute a, o, u behandelt
und im Alphabet an entsprechender Stelle bei diesen
eingeordnet; ß ist ss gleichgestellt. Buchstaben mit
besonderen Zeichen aus fremden Schriften gelten als
einfache lateinische Buchstaben. Namenteile wie Aïn,
Bad, Bucht, Djebel, Golf, Kap, Monte, Mount, Oase, Paß,
Puerto, Punta, Rio, Saint, San, Santa, Wadi u. a. bleiben
in ihrer Stellung erhalten und sind bei der Alphabeti-
sierung mit berücksichtigt. Grundsätzlich nachgestellt
sind die deutschen Artikel (z. B. Börde, Die −).
Bei mehrsprachigen (Doppel-)Bezeichnungen wird,
wie in der Karte, der Zweitname in Klammern zum
Hauptnamen gesetzt, z. B. Preßburg (Bratislava).
Zusätzlich ist an entsprechender Stelle im Verzeichnis
der Zweitname in Gleichsetzung zum Hauptnamen
aufgenommen worden, z. B. Bratislava = Preßburg.

A

Aachen 26 B 3
Aalen 32 C/D 2
Aaley 84 B 1
Aalst 45 B/C 4
Aalten 44 E 3
Aar 28 D 2
Aarau 50 B/C 2
Aare 50 B 2
Aavasaksa 40 E/F 2
Aba 73 C 4
Abadan 86 C 3
Abadla 72 B 1
Abai 91 F 4
Abakan 93 G 4
Abashiri 101 F 1
Abbai 75 D 3
Abbeville 46 D/E 1
Abbiategrasso 50 C 4
Abéché 74 B/C 3
Åbenrå 42 C 3
Abensberg 31 D/E 3
Abeokuta 72 C 4
Aberdeen (Schottland)
  38 E/F 2
– (USA) 118 D 2
Abessinien = Äthiopien
Abha 86 C 6
Abidjan 72 B 4
Abilene 118 D 3
Abisko 40 D 1
Abomey 72 C 4
Abqaiq 86 D 4
Abruzzen 59 E 3/4
Absdorf 53 F/G 1
Abu Dhabi 86 D 5
Abu Hadrija 86 C 4
Abu Hamed 75 D 3
Abu Kemal 85 C/D 3
Abu Simbel 75 D 2
Abu Zenima 85 B 4
Abybro 42 C 1
Acajutla 123 C/D 3
Acapulco 122 B 3
Accra 72 B/C 4
Acheloos 67 B 4
Achenkirch 51 F 2
Achensee 51 F 2
Achern 32 B 2
Achill (I.) 39 A 4
Achim 25 E 2
Acireale 61 E 4
Aconcagua 130 B/C 3
Acre 128 A/B 2
Adala 67 F 4
Adama 75 D/E 4
Adamaoua 74 B 4
Adamsbrücke 88 B 4
Adam's Peak 88 C 4
Adana 85 C 2
Adapazari 85 B 1
Adda 58 C 2
Addis Abeba 75 D 4
Adelaide 109 B/C 5
Adelaide-Insel 134 P 3
Adelaide River (O.)
  108 B 3
Adélieland 135 G 2/3
Adelsberg (Postojna)
  53 E 4
Adelsheim 32 C 1
Aden 86 C 7
Adenau 28 B 2
Adige = Etsch
Adigrat 75 D 3
Adirondak Mountains
  121 F/G 1/2
Admiralitätsinseln 108 C 2
Admont 53 E 2
Adour 48 E 4
Adrar der Iforas 72 C 2/3
Adria (O.) 58 E 2
Adriatisches Meer
  59 E–H 2–4
Adula 50 C/D 3
Ærø 42 D 4

Ærøskøbing 42 D 4
A-er-shan 97 F 2
Afghanistan 83 u. 88 A 1
Afognak-Insel 114 D 4
Afula 84 B 2
Afyon 85 B 2
Agadez 73 C 3
Agadir 72 A/B 1
Agadische Inseln 60
  C/D 3/4
Ägäisches Meer 67
  D/E 4/5
Agalega-Inseln 79 E 2
Agartala 89 D 2
Agatenango 122 C 3
Agboville 72 B 4
Agde 49 E 4
Agen 48 D 3
Ager 52 D 2
Agger 26 C 3
Ägina 67 C 5
Agordat 75 D 3
Agorro 75 D 4
Agout 48 E 3
Agra 88 B 2
Agram = Zagreb
Agri 59 G 4
Agrigento 60 D 4
Agrinion 67 B 4
Aguascalientes 122 B 2
Aguilas 57 E 4
Agulhas Negras 129 D 4
Ägypten 71 u. 74/75 C/D 2
Ahaggar (Hoggar) 73 C 2
Ahaus 26 B 1
Ahlbeck 35 E 1/2
Ahlen 26 C 2
Ahmadabad 88 B 2
Ahmadnagar 88 B 3
Ahr 28 B/C 2
Ahrensburg 22 D 2
Ahtopol 66 F 2
Ahwas 86 C 3
Aichach 31 D 3
Aigen 53 D 1
Aigle 50 A 3
Ai-hui 97 F 1
Ailsa Craig 38 D 3
Ain 47 F 3
Aïn Sefra 72 B/C 1
Aion 94 H 2
Aïr (Azbine) 73 C 3
Airolo 50 C 3
Aisch 30 C 2
Aisne 45 C 5
Aitape 108 C 2
Aix-en-Provence 49 F 4
Ajaccio 49 H 5
Ajagus 93 E/F 5
Ajan 95 E 4
Ajdabijah 74 C 1
Ajdovščina 53 D 3
Ajios Efstratios 67 D 4
Ajlun 84 B 2
Ajmer 88 B 2
Akaba 85 B/C 3
Akaroa 109, I B 2
Aken 36 C/D 2
Aketi 76 C 1
Akhisar 67 E/F 4
Akimiski 117 C/D 4
Åkirkeby 43 G 4
Akita 101 D 2
Akjoujt 72 A 3
Akko (Akre) 84 A/B 2
Akola 88 B 2
Akranes 40, I B 1
Akre = Akko
Akron 120 C 3
Aksai-Chin 96 A/B 3
Aksaray 85 B 2
Akşehir 85 B 2
Aksum 75 D 3
Aktjubinsk 91 D 3
Aktogai 93 E/F 5
Akureyri 40, I C 1

Akyab = Sittwe
Ala 51 E/F 4
Alabama (St. u. Fl.) 119 E 3
Alagoas 129 E 2
Alagoinhas 129 E 3
Alagón 56 B 3
Alaikette 91 F 5
Alajuela 123 D 4
Alakul 93 E/F 5
Alakurtti 40 G 2
Alamos 122 B 2
Aland 34 B 3
Ålandinseln
  (Ahvenanmaa) 41 D/E 3
Alanya 85 B 2
Alaotra-See 79 D 2
Alaşehir 67 F 4
A-la-shan, Wüste –
  96/97 D 2/3
Alaska 114 D/E 3
Alatau 93 E/F 5
Alba (Schl.) 56 C 2
Albacete 57 E 3
Ålbaek 42 D 1
Alba Iulia 64 E 2
Albaner Berge 59 E 4
Albanien 17, III E/F 4 u.
  63 E 4
Albanische Alpen 62/63
  D/E 3
Albany (Fl., Kanada)
  117 C 4
– (O., Australien) 104 A 4
– (O., USA) 121 F/G 2
Alberobello 59 G 4
Albersdorf 22 C 1
Albert (O.) 45 A 4
Alberta 115 H 4
Albert-Kanal 45 D 3/4
Albert-Nil 77 D 1
Alberton 109 C 5
Albert-See = Mobuto-
  Sese-Seko-See
Albertville 50 A 4
Albi 48 E 3
Albino 51 D 4
Aborán 56 D 4/5
Ålborg 42 C/D 1/2
Albstadt 32 B 2
Albufera 57 E 3
Albula 51 D 3
Albuquerque 118 C 3
Alcala de Henares 56 D 2
Alcalá la Real 56 D 4
Alcamo 60 D 4
Alcañiz 57 E/F 2
Alcántara 56 B 3
Alcázar de San Juan
  56 D 3
Alcira 57 E 3
Alcobaça (Kl.) 56 A 3
Alcoy 57 E 3
Aldabra 79 D 1
Aldan (O. u. Fl.) 95 D 4
Alejsk 93 F 4
Aleksinac 63 E/F 3
Alençon 46 D 2
Alentejo 56 A/B 3/4
Aleppo = Haleb
Alert 116 E 1
Alès 49 F 3
Alessandria 58 C 2
Ålesund 41 A 3
Aletschgletscher,
  Großer – 50 C 3
Alexander-Archipel
  114/115 F 4
Alexander-Insel 134 P 3
Alexander-Selkirk-Insel
  131 A 3
Alexandria (Ägypten)
  85 A 3
– (Rumänien) 65 F 4
– (USA) 120 E 4
Allegheny (Fl. u. G.)
  120 D 3/4

Alexandrowsk-
  Sachalinskij 95 F 4
Alexandrupolis 66 D 3
Alfeld 25 E 3/4
Algarve 56 A/B 4
Algeciras 56 C 4
Algerien 71 u. 72/73 B/C 2
Alghero 58 B/C 4
Algier (El-Djezair) 57 G 4
Algoabai 78 B 4
Alhambra (Schl.) 56 D 4
Alhede 42 C 2
Aliakmon 66/67 B 3/4
Alicante 57 E 3
Alice Springs 109 B 4
Alicudi 60 D/E 3
Aligarh 88 B 2
Aliskerowo 94 H 3
Alkmaar 44 C 2
Allach-Jun 94 E 3
Allahabad 88 B/C 2
Alle 55 F 1
Allegheny-Gebirge
  119 E/F 3
Allendybrücke 84 B 3
Allenstein (Olsztyn)
  54/55 F 1
Allentown 121 F 3
Alleppey 88 B 4
Aller 25 E/F 3
Allersberg 31 D 2
Allgäuer Alpen 32/33 D 3
Allier 49 E 3
Allinge-Sandvig 43 G 4
Alma-Ata 93 E 5
Almada 56 A 3
Almadén 56 C 3
Almeloo 44 E 2
Almería 56 D 4
Alnwick (Schl.) 38 F 3
Alora 56 C 4
Alor-Inseln 103 D 4
Alor Setar 102 A/B 3
Alpena 120 B 1
Alpenvorland 32 C–F 2
Alphen aan den Rijn
  44 C 2
Alphonse 79 E 1
Alsdorf 26 B 3
Alsen 42 C 3/4
Alsenz 28 C 3
Alsfeld 29 E 2
Alta 40 E 1
Altafjord 40 E 1
Altai (G.) 93 F 4
– (O.) 96 C 2
Altamira (Brasilien)
  129 C 2
– (Spanien) 56 C 1
Altamura 59 G 4
Altdorf 50 C 3
Alte IJssel 44 E 3
Altena 26 C 2
Altenau 25 F 4
Altenbeken 27 D 2
Altenberg 37 E 3
Altenburg 36 D 3
Altenkirchen 28 C 2
Altentreptow 34 D 2
Altes Land 25 E 2
Althofen 53 E 3
Altin Tagh 96 B/C 3
Altiplano 128 B 4
Altoona 120 D 3
Altkastilien 56 C/D 1/2
Altkirch 50 B 2
Atmark 34 B 3
Altmühl 30 C 2
Altötting 33 F 2
Altvater 53 F 3
Alula 75 F 3
Alwar 88 B 2
Alytus 55 H 1
Alz 33 F 2
Alzenau 30 B 1
Alzette 28 B 3

Alz

Alzey 28 D 3
Amadeus-See 109 B 4
Amapá (O. u. Bundes-
  staat) 129 C 1
Amarillo 118 C 3
Amazonas (Solimoes, Fl.)
  128/129 A−C 2
− (Bundesstaat) 128 B 2
Ambala 88 B 1
Ambartschik 94 H 2
Ambato 126 B 3
Ambatondrazaka 79 D/E 2
Amberg 31 D/E 2
Ambilobe 79 D/E 2
Ambodifototra 79 D/E 2
Ambon 108 A 2
Ambositra 79 D 3
Ambrakischer Golf 67 B 4
Ambunti 108 C 2
Amderma 90 E 2
Ameland 44 D 1
American Highland
  (Antarktis) 135 D 2
Amersfoort 44 D 2
Amery-Schelfeis 135 D 3
Amfipolis 66 D 3
Amga (O. u. Fl.) 94
  D/E 3
Amgun 95 E 4
Amhara 75 D 3
Amiranten 79 E 1
Amman 84 B/C 3
Ammer 33 D 3
Ammerland 24 C/D 2
Ammersee 33 D/E 2/3
Amorbach 30 B 2
Amorgos 67 E 5
Amoy (Xia-men) 97 E 4
Ampato 126 B 4
Ampezzo 52 C 3
Amprior 121 E 1
Amravati 88 B 2
Amritsar 88 B 1
Amrum 22 B 1
Amsteg 50 C 3
Amsterdam 44 C/D 2
Amsterdam-Rhein-Kanal
  44 D 2/3
Amstetten 53 E/F 1
Am Timan 74 C 3
Amudarja 91 E 4/5
Amundsengolf 114 G/H 2
Amundsensee 134 N 2/3
Amuntai 102 C 4
Amur (Hei-long-jiang)
  97 F 1
Anabar 92 I 2
Anadyr (O. u. Fl.) 94 I 3
Anafi 67 E 5
Anaimudi 88 B 3
Anaïsa 85 D 4
Analalava 79 D 2
Anambas-Inseln 102 B 3
Anamur 85 B 2
Anápolis 129 C/D 3
Anaporis 126 B 3
Anatolien 85 A−C 2
Anchorage 114 D/E 3
Ancona 59 E 3
Andalsnes 41 A/B 3
Andalusien 56 B/C 4
Andamanisches Meer
  89 D 3/4
Andenne 45 D 4
Andermatt 50 C 3
Andernach 28 C 2
Andikithira 67 C 6
Andishan 91 F 4
Andong 100 B 2
Andorra 17, III C/D 4 u.
  57 F 1
Andöy 40 C/D 1
Andria 59 G 4
Andringitra 79 D 3
Androka 79 D 3
Andros (I., Bahamas)
  123 E 2
− (I., Griechenland) 67 D 5
Andújar 56 C 3/4

Andulo 76 B 3
Anécho 72 C 4
Anegada 125 E 3
Angara 93 G/H 4
Ang-ang-qi 97 F 2
Angarsk 93 H 4
Angel de la Guarda
  122 A 2
Angeles 103 C/D 2
Angelfälle 126 C 2
Ängelholm 43 F/G 2
Angeln 22 C 1
Angermanälv 40 D 3
Angermünde 35 D/E 3
Angers 46 C 3
Angkor 102 B 2
Anglesey 39 D 4
Angmagssalik 116 H 3
Angoche 79 C/D 2
Angola 71 u. 76 B 3
Angoulême 46 D 4
Angra dos Reis 129 D 4
Anguilla 125 E 3
Anholt 43 E 2
An-hui 98/99 C 3
Anjou 46 C 3
Anjouan 79 D 2
An-kang 98 A 3
Ankara 85 B 2
Ankaratra 79 D 2
Anklam 35 D 1
Ankober 75 D/E 4
Ankogel 52 D 2
Annaba 73 C 1
Annaberg 53 F 2
Annaberg-Buchholz 37 E 3
Annam 102 B 2
Annapolis 121 E 4
Annapurna 88 C 2
Annecy 50 A 4
Ansbach 30 C 2
Anseong 100 A 2
An-shan 99 D 1
Anshero-Sudshensk
  93 F 4
An-shun 97 D 4
Antakya 85 B/C 2
Antalana 79 E 2
Antalya 85 B 2
Antananarivo
  (Tananarive) 79 D/E 2
Antarktis 134/135
Antequera 56 C 4
Antiatlas 72 B 1/2
Antibes 49 G 4
Anticosti 117 E 5
Antietam 120 E 4
Antigua 125 E 3
Antilibanon 84 B/C 1
Antipoden-Insel 13 P 7
Antofagasta 130 B 2
Antongilbucht 79 D/E 2
Antseranana 79 D/E 2
Antsirabe 79 D 2
Antwerpen 45 C 3
Anuradhapura 88 C 4
Anvik 114 C 3
An-xi 96 C 2
Aoga 101 D 3
Äolische Inseln =
  Liparische Inseln
Ao-men = Macao
Aomori 101 E 1
Aosta 50 B 4
A-pa 96 D 3
Aparri 103 D 2
Apatity 40 H 2
Apeldoorn 44 D 2
Apenninen 58/59
  C−G 2−4
Apia 105 E 3
Apo 103 D 3
Apolda 36 C 3
Apollonia 84 A 2
Apolyontsee 66 F 3
Aporé 129 C 3
Appalachen 120/121
  D−G 2−4
Appenzell 51 D 2

Appenzeller Alpen
  50/51 D 2
Apuka 94 H/I 3
Apulien 59 F/G 4
Apure 126 C 2
Apurimac 126 B 4
Apuşenigebirge 64 E 2
Äquatorial-Guinea
  71 u. 76 B 1
Arabisches Meer 88 A 2
Arabische Wüste 85 B 4/5
Aracaju 129 E 3
Arad (Israel) 84 B 3
− (Rumänien) 64 D 2
Arada 74 C 3
Arafura-See 108 B 2
Aragonien 57 E 1/2
Araguaia 129 C/D 2/3
Arak 86 C/D 3
Arakangebirge 89 D 2/3
Araks 91 C 5
Aralsee 91 D/E 4
Aralsk 91 E 4
Aramao 109 C 4
Aranda de Duero 56 D 2
Aran-Inseln 39 A/B 4
Aranjuez 56 D 3
Araouane 72 B 3
Arar 85 D 3
Ararat (B., Türkei) 85 D 2
− (O., Australien) 109 C 5
Aras 85 D 1/2
Aravalligebirge 88 B 2
Arbai-Chere 97 D 2
Arba Minch 75 D 4
Arbatax 58 C 5
Arc 50 A 4
Arcachon 48 C 3
Archangelsk 90 C 2
Arcopaß 131 B 3
Arda 66 D 3
Ardebil 86 C 2
Ardennen 45 C/D 4/5
Arecibo 125 E 3
Arendsee 34 B 3
Arequipa 126 C 4
Arezzo 58 E 3
Argen 32 C 3
Argens 49 G 4
Argentinien 113 u.
  130/131 B/C 2−4
Argeş 65 F 3
Argolischer Golf 67 C 5
Argonnen 47 F 2
Argos 67 C 5
Argostolion 67 B 4
Argun 97 F 1/2
Århus 42 C/D 2
Arica 130 B/C 1
Ariège 48 D 4
Arinos 128 C 3
Aripuana 128 B/C 2
Arita 100 C 3
Arizona 118 B 3
Arkalyk 91 E 3
Arkansas (St. u. Fl.)
  118/119 C/D 3
Arkona 34 D 1
Arktis 132/133
Arlberg (Paß) 51 E 2
Arles 49 F 4
Arlon 45 D 5
Armagh 38 C 3
Armagnac 48 C/D 3/4
Armançon 47 F 3
Armenien 91 C 4/5
Armentières 45 A 4
Armidale 109 D 5
Arnas 85 D 2
Arnau 22 B 1
Arneburg 34 C 3
Arnheim (Arnhem)
  44 D/E 3
Arnhemland 108 B 3
Arnissa 66 B 3
Arno 58 D 3
Arnoldstein 52/53 D 3
Arnöy 40 E 1
Arnsberg 26 D 2

Arnstadt 36 C 3
Arnstein 30 B/C 1/2
Arnstorf 31 E 3
Arnswalde (Choszczno)
  35 F 2
Arolsen 29 D 1
Arona 50 C 4
Arosa 51 D 3
Arran 38 D 3
Arras 45 A 4
Års 42 C 2
Arta (O., Griechenland)
  67 B 4
− (O., Mallorca) 57 G 3
Artem 95 E 5
Artemowsk 93 G 4
Artern 36 C 2
Artois 46/47 D/E 1
Artvin 85 D 1
Arua 77 D 1
Aruba 126 C 1
Arusha 77 D 2
Aruwimi 76/77 C 1
Arve 50 A 3
Arvidsjaur 40 D/E 2
Arvika 41 C 4
Arys 91 E 4
Arzew 57 E 5
Arzignano 51 F 4
Aš = Asch
Asahidake 101 D/E 2
Asahigawa 101 E 1
Asansol 89 C 2
Asburton 104 A 4
Ascension 68 B 3
Ascoli Piceno 59 E/F 3
Asch (Aš) 31 E 1
Aschach 53 D/E 1
Aschaffenburg 30 B 2
Aschau 33 F 3
Aschchabad 91 D/E 5
Aschersleben 36 C 2
Ascona 50 C 3
Åsele 40 D 2
Aselle 75 D 4
Asenovgrad 66 D 2
Aserbaidjan 86 C 2
Aserbaidshan 91 C 4
Asanti 72 B 4
Ashdod 84 A 3
Ashio 101 D 2
Ashland 120 B 4
Ashtabula 120 C 3
Asiago 51 F 4
Asinara 58 B/C 4
Asir 86 C 5/6
Askalon 84 A 3
Askja 40, I C 1
Aßling (Jesenice)
  53 D/E 3
Asmara 75 D 3
Asola 51 E 4
Asosa 75 D 3
Asowsches Meer 91 B 4
Asperg 32 C 2
Aspromonte 61 E/F 3
Assab 75 E 3
Assad-Stausee
  (Tabqa-Stausee) 85 C 2
Assal-See 75 E 3
Assam 89 D 2
Assen 44 E 1
Assens 42 C/D 3
Assino 93 F 4
Assisi 59 E 3
Assos 67 4
Assuan (Syene) 85 B 5
Assumption 79 D 1
Assur 85 D 2
Asti 58 C 2
Astipaläa 67 E 5
Astorga 56 B 1
Åstorp 43 F/G 2
Astove 79 D 2
Astrachan 91 C/D 4
Astrolabe-Bai 108 C 2
Asturien 56 B/C 1
Asunción 130 D 2
Asyut 85 A/B 4

Ata

Atacamá 130 B/C 2
Atar 72 A 2
Atassu 91 F 4
Atbara 75 D 3
Atbassar 91 E 3
Ath 45 B 4
Athabasca (Fl. u. -see)
　115 H/I 4
Athen (Athinä) 67 C/D 5
Athens 120 B/C 4
Athi 77 D 2
Äthiopien 71 u. 75 D/E 3
Athlone 39 C 4
Athos 66 D 3
Ati 74 B 3
Atjeh 102 A 3
Atlanta 119 E 3
Atlantic City 121 F/G 4
Atlantischer Ozean
　10 F/G 2−6
Ätna 61 E 4
Ätran 43 G 1

Atranos 66 F 3
Atrato 126 B 2
Atrek 87 D 2
Atschinsk 93 G 4
Attendorn 26 C 2
Attersee 52 D 2
Au (O.) 31 D 3
Auasberge 78 A 3
Aubagne 45 D 5
Aube 47 F 2
Auburn 121 H 1
Auch 48 D 4
Auckland 109, I B 1
Aude (Fl.) 48 E 4
Audincourt 50 A 2
Audjila 74/75 C 2
Auerbach (O., Bayern)
　31 D 2
− (O., DDR) 36 D 3
Augsburg 33 D/E 2
Augusta (Italien) 61 E 4
- (USA) 119 E 3

Augustów 55 G 2
Aulendorf 32 C 3
Auob 78 A 3
Aurich 24 C 2
Aurillac 48/49 E 3
Ausangate 126 B 4
Auscha (Ustěk) 37 F 3
Aussig 37 E/F 3
Austin 118 D 3
Australien 104 B/C 4
Australische Alpen 109 C 5
Äußere Hebriden
　38 B/C 1/2
Auvergne 48/49 E 3
Auxerre 47 E 3
Auyán-Tepuí 126 C 2
Avallon 47 E 3
Avedat 84 A 4
Aveiro 56 A 2
Avellino 59 F 4
Aversa 59 F 4
Avesnes 45 B/C 4

Avesta 41 D 3
Aveyron 48 D 3
Aviano 52 C 3
Avignon 49 F 4
Ávila 56 C 2
Avilés 56 C 1
Avisio 51 F 3
Avon 39 F 4
Avranches 46 C 2
Awaji 100 C 3
Awash 75 E 3
Axarfjord 40, I C 1
Axios 66 C 3
Ayamonte 56 B 4
Aydin 67 E/F 5
Ayod 75 D 4
Ayr 38 D 3
Ayutthaya 102 A/B 2
Ayvalick 67 E 4
Azaouad 72 B 3
Azuero 123 D 4
Azul 131 C/D 3

B

Baar (L.) 32 B 3
Baarn 44 D 2
Babar 103 D 4
Bab el-Mandeb 75 E 3
Babia Gora 54 E 3
Babo 108 B 2
Babuyan-Inseln 103 D 2
Babylon 85 D 3
Bacău 65 G 2
Bacher (G.) 53 F 3
Backnang 32 C 2
Bačkovo 66 D 3
Bacolod 103 D 2
Bad Aibling 33 E/F 3
Badajoz 56 B 3
Badalona 57 G 2
Bad Aussee 53 D/E 2
Bad Bergzabern 28 C/D 3
Bad Berka 36 C 3
Bad Berleburg 26/27 D 2
Bad Berneck 31 D 1
Bad Bevensen 25 F 2
Bad Blankenburg 36 C 3
Bad Bramstedt 22 C/D 2
Bad Buchau 32 C 2
Bad Doberan 34 B/C 1
Bad Driburg 27 E 2
Bad Düben 36/37 D 2
Bad Dürkheim 28 C/D 3
Bad Dürrheim 32 B 2
Bad Ems 28 C 2
Baden (Österreich)
　53 G 1/2
Baden-Baden 32 B 2
Baden-Württemberg 20
　C 4 u. 32 B/C 2/3
Bad Essen 24 D 3
Bad Frankenhausen
　36 B/C 2
Bad Freienwalde 35 D/E 3
Bad Friedrichshall 32 C 1
Bad Füssing 31 F 3
Bad Gandersheim
　25 E/F 4
Badgastein 52 D 2
Bad Gleichenberg 53 F 3
Bad Goisern 52 D 2
Bad Harzburg 25 F 4
Bad Hersfeld 29 E 2
Bad Hofgastein 52 D 2
Bad Homburg 28/29 D 2
Bad Honnef 26 C 2
Bad Hönningen 28 C 2
Bad Ischl 52 D 2
Bad Kissingen 30 C 1
Bad Kleinen 34 B 2
Bad Kleinkirchheim 53 D 3
Bad König 29 E 3
Bad Königshofen im
　Grabfeld 30 C 1
Bad Kösen 36 C 2

Bad Kreuznach 28 C 3
Bad Krozingen 32 A 3
Bad Langensalza 36 B 2
Bad Lauterberg 25 F 4
Bad Liebenstein 36 B 3
Bad Liebenwerda 37 E 2
Bad Liebenzell 32 B 2
Bad Mergentheim 32 C 1
Bad Münder 25 E 3
Bad Münstereifel 26 B 3
Bad Nauheim 28/29 D 2
Bad Neuenahr-Ahrweiler
　28 B/C 2
Bad Neustadt an der
　Saale 30 B/C 1
Bad Oeynhausen 27 D 1
Bad Orb 29 E 2
Bad Pyrmont 25 E 3/4
Bad Rappenau 32 B/C 1
Bad Reichenhall 33 F 3
Bad Rippoldsau 32 B 2
Bad Salzdetfurth 25 E/F 3
Bad Salzschlirf 29 E 2
Bad Salzuflen 27 D 1
Bad Salzungen 36 B 3
Bad Sankt Leonhard
　53 E 3
Bad Schandau 37 F 3
Bad Schmiedeberg
　36/37 D 2
Bad Schussenried
　32 C 2/3
Bad Schwalbach 28 C/D 2
Bad Schwartau 22/23 D 2
Bad Segeberg 22 D 2
Bad Soden-Salmünster
　29 E 2
Bad Sooden-Allendorf
　29 E 1
Bad Tennstedt 36 B 2
Bad Tölz 33 E 3
Bad Überkingen 32 C 2
Bad Vilbel 29 D 2
Bad Waldsee 32 C/D 3
Bad Wiessee 33 E 3
Bad Wildungen 29 D/E 1
Bad Wilsnack 34 B/C 3
Bad Wimpfen 32 B/C 1
Bad Windsheim 30 C 2
Bad Wörrishofen 33 D 3
Bad Wurzach 32 C/D 3
Baena 56 C 4
Baffinbai 116 E 2
Baffin-Inseln 116 D/E 2/3
Bafq 87 D 3
Bafra 85 C 1
Bagdad (Baghdad) 85 D 3
Bagé 130 D 3
Bagenkop 42 D 4
Baghlan 88 A/B 1

Bagnères-de-Bigorre
　48 D 4
Bagnères-de-Luchon
　48 D 4
Bagolino 51 E 4
Baguio 103 D 2
Bahamas 123 E 2
Bahawalpur 88 B 2
Bahia 129 D 3
Bahía Blanca (O. u. Bucht)
　131 C 3
Bahrain (St. u. O.)
　83 u. 86 D 4
Bahr Aouk 74 B/C 4
Bahr el-Abiad (Weißer Nil)
　75 D 3
Bahr el-Arab 74/75 C 3/4
Bahr el-Azrak (Blauer Nil)
　75 D 3
Bahr el-Djebel 75 D 4
Bahr el-Ghazal
　74/75 C/D 4
Bahr Salamat 74 B 3
Baia Mare 64 E 2
Baïbokoum 74 B 4
Bai-cheng 97 F 2
Baiersbronn 32 B 2
Baikalsee 93 H 4
Baikonur 91 E 4
Baile Atha Cliath = Dublin
Bains-les-Bains 50 A 1
Bairiki 107 D 2
Bairnsdale 109 C 5
Baïse 48 D 4
Bai-se 97 D 4
Baja 64 D 2
Bajan-Chongor 96 C/D 2
Bajuda-Steppe 75 D 3
Bak 53 G 3
Baker-Insel 105 E 2
Baker Lake 116 B 3
Bakkabucht 40, I D 1
Bakonywald 64 B 2
Baku 91 C/D 4
Balabacstraße
　102/103 C 3
Balaton = Plattensee
Balchasch (O. u. -see)
　91 F 4
Balearen 57 F/G 2/3
Bali 102 C 4
Balikesir 67 E/F 4
Balikpapan 102/103 C 4
Balingen 32 B 2
Ballarat 109 C 5
Ballenstedt 36 B/C 2
Balleny-Inseln 135 I 3
Ballerup-Måløv 43 F 3
Ballina 38 B 3
Ballymena 38 C 3
Balmhorn 50 B 3

Balmoral (Schl.) 38 E 2
Balranald 109 C 5
Balsas 122 C 3
Baltimore 121 E 4
Baltrum 24 C 2
Balya 67 E 4
Bam 87 D 4
Bamako 72 B 3
Bambari 74 C 4
Bamberg 30 C 2
Bambouto-Gebirge
　74 A/B 4
Bamenda 74 A/B 4
Bamian 88 A/B 1
Bampur 87 D/E 4
Banana 76 B 2
Bananal, Insel − 129 C 3
Banat 64 D 3
Banater Gebirge 64 D/E 3
Bancroft 120 E 1
Banda Atjeh 102 A 3
Banda-Inseln 108 A 2
Bandar 88 C 3
Bandar Rompin 102 B 3
Bandar Tanjungkarang
　(Telukbetung) 102 B 4
Bandasee 103 D 4
Bandirma 66 F 3
Bandudu 76 B 2
Bandung 102 B 4
Banff (Kanada) 115 H 4
− (Schottland) 38 E 2
Bangala 76 B 1
Bangalur 88 B 3
Bangassou 74 C 4
Bangka 102 B 4
Bangkok (Krung-Thep)
　102 B 2
Bangladesh 83 u.
　89 C/D 2
Bangor (Nordirland) 38 D 3
− (Wales) 39 D/E 4
Bangui 74 B 4
Bangweulu-See 77 C/D 3
Bani 72 B 3
Banias 85 B/C 2
Banja Luka 62 C 2
Banjarmasin 102/103 C 4
Banjul (Bathurst) 72 A 3
Banks-Insel 114 G/H 2
Bann 38 C 3
Bannu 88 A/B 1
Banning 103 C 4
Bantry (O. u. -bai)
　39 A/B 5
Banyuwangi 102 C 4
Banz (Kl.) 30 C 1
Bao-ding 98 C 2
Bao-ji 98 A 3
Bapaume 45 A 4
Bar 62 D 3

Barabaebene 93 E 4
Barabinsk 93 E/F 4
Baracaldo 56 D 1
Baranowitschi 55 I 2
Baraque de Fraiture
45 D 4
Barbados 125 F 3
Barbuda 125 E 3
Barcaldine 109 C 4
Barcares 49 E 4
Barcelona 57 G 2
Barcelos 128 B 2
Bardaï 74 B 2
Bardas Blancas 131 C 3
Bardera 75 E 4
Bardiya 74 C 1
Bardowick 25 F 2
Bareilly 88 B/C 2
Bäreninsel (Barentsee)
92 A 2
– (Ostsibirien) 94 H 2
Barentsburg 132 H/I 2
Barentsinsel 92 A 2
Barentssee 90 A – C 1
Bargusin 93 H/I 4
Bari 59 G 4
Barinas 126 B/C 2
Baris 85 B 5
Barisal 89 C/D 2
Barito 102 C 4
Barkly-Tafelland
108 B/C 3
Bar-le-Duc 47 F 2
Barletta 59 G 4
Barlinek = Berlinchen
Barnaul 93 F 4
Barneveld 26 A 1
Barnstaple 39 D/E 5
Baro 73 C 4
Barobai 100 A 3
Barquisimeto 126 C 1
Barra 129 D 3
Barranquilla 126 B 1
Barraute 117 D 5
Barre 121 G 1
Barreiras 129 D 3
Barreiro 56 A 3
Barrengrounds 117 D 4
Barrow (Fl., Irland) 39 C 4
– (I., Australien) 104 A 4
– (O., Alaska) 114 C/D 2
Barrow Creek 108/109 B 4
Barrow in Furness 39 E 3
Barrowstraße 116 B 2
Barsinghausen 25 E 3
Bar-sur-Aube 47 F 2
Barth 34 C 1
Bartica 127 D 2
Baruni 88/89 C 2
Barun Urt 97 E 2
Baruth 37 E 1
Barwon 109 C 4
Basel 50 B 2
Basento 59 G 4
Ba-shi-Straße 97 F 4
Basilan (O. u. I.) 103 D 3
Baskische Provinzen
56/57 D 1
Basodino 50 C 3
Basra 86 C 3
Bassano del Grappa
51 F 4
Bassas da India
79 C/D 3
Bassein 89 C 3
Bass-Straße 109 C 5
Bassum 24 D 3
Bastia 49 H 4
Bastogne 45 D 4
Bata 76 A 1
Batak 102 A 3
Batalha 56 A 3
Ba-tang 96 C/D 3/4
Batangafo 74 B/C 4
Batangas 103 C/D 2
Batan-Inseln 103 D 1
Batare 77 D 2
Bath (England) 39 E 5
– (USA) 121 I 2

Bathurst (Australien)
109 C 5
– (Kanada) 117 E 5
Bathurst Inlet 114 H/I 3
Bathurst-Insel (Australien)
108 A/B 3
– (Kanada) I/K 2
Batjan-Inseln 103 D 4
Baton Rouge 119 D 3
Batouri 74 B 4
Batschka 62/63 D 2
Båtsfjord 40 G 1
Battambang 102 B 2
Batu 75 D 4
Batubrok 102 C 3
Batu-Inseln 102 A 3/4
Batumi 91 B/C 4
Bat Yam 84 A 2
Bauchi 73 C 3
Baume-les-Dames 50 A 2
Baumholder 28 C 3
Baunatal (O.) 29 E 1
Bauru 129 D 4
Bautzen 37 F 2
Bawean 102 C 4
Baybay 103 D 2
Bay City 120 B 2
Bayerischer Wald
31 E/F 2/3
Bayern 20 D/E 4;
30/31 u. 32/33
Bayeux 46 C 2
Bayonne 48 C 4
Bayreuth 31 D 2
Bayrischzell 33 E/F 3
Baza 57 D 4
Bazaruto 79 C 3
Beachport 109 B 5
Béarn 48 C 4
Beauce 46 D/E 2
Beaufort 102 C 3
Beaufort-See 114 D/E 2
Beaufort West 78 B 4
Bauharnois-Kanal
121 F/G 1
Beaumont (USA) 119 D 3
Beaumont-en-Argonne
45 C/D 5
Beaune 47 F 3
Beauraing 45 C/D 4
Beauvais 46 D/E 2
Bebra 29 E 2
Bečej 63 E 2
Béchar 72 B 1
Bechuanaland 78 B 3
Beckum 26 D 2
Bečov = Petschau
Bederkesa 24 D 2
Bedford 39 F 4
Beelitz 34 C/D 3
Beerfelden 29 D 3
Beersheba (Béer Sheva)
Beeskow 35 E 3
Begitschew-Insel 92 I 2
Bei-an 97 F 2
Bei-hai (Pakhoi) 97 D 4
Beilngries 31 D 2
Beinn Dearg 38 D 2
Beira (Moçambique)
79 C 2
– (Portugal) 56 A/B 2
Beirut 85 B/C 3
Bei-shan 96 C 2
Beitbridge 78 C 3
Beit Lahm = Bethlehem
Beja (Portugal) 56 B 3
– (Tunesien) 60 B 4
Bejaia 73 C 1
Béjar 56 C 2
Békescsaba 64 D 2
Bela 88 A 2
Bela Crkva 63 E 2
Belawan 102 A 3
Belchen 32 A 3
Belcher-Inseln 117 C/D 4
Belcher-Kanal 116 B 2
Belém (Brasilien) 129 D 2
Belet Uen 75 E 4
Belfast 38 D 3

Belfort 50 A 2
Belgard (Bialograd)
35 F 1/2
Belgaum 88 B 3
Belgien 17, III D 3 u.
45 B – D 4
Belgrad (Beograd)
63 D/E 2
Belinga 76 B 1
Belize (St. u. O.) 123 D 3
Bellano 51 D 3
Bella Unión 130 D 3
Belle-Ile 46 B 3
Belle-Isle-Straße 117 F 4
Belleville 120 E 1
Bellin (Payne) 117 D/E 3/4
Bellinghausen-See
134 O 2/3
Bellinzona 50 D 3
Belluno 52 C 3
Belmez 56 C 3
Belmonte 129 E 3
Belmopan 123 D 3
Bellmullet 38 B 3
Belœil (Schl.) 45 B 4
Belo Horizonte 129 D 3
Belutschistan 88 A 1/2
Belvedere Marittimo 59 F 5
Belzig 34 C 3
Belzy 55 I 5
Benadir 75 E 4
Benavente 56 B/C 2
Benbecula 38 B/C 2
Bender Abbas 87 D 4
Bender Deylam
86 C/D 3/4
Bender Mashur 86 C 3
Bender Schah 86 D 2
Bender Shahpur 86 C/D 3
Bendigo 109 C 5
Bene Beraq 84 A 2
Benediktenwand 33 E 3
Benevento 59 F 4
Bengasi (Benghazi) 74 B 1
Bengkalis 102 B 3
Benguela 76 B 3
Beni 128 B 3
Beni-Abbes 72 B 1
Benidorm 57 E/F 3
Beni Mazar 85 A/B 4
Benin (Dahomey, St.)
71 u. 72 C 3/4
– (O., Nigeria) 73 C 4
Beni Suef 85 B 4
Benjamin Constant
126 B/C 3
Benkulu 102 B 4
Ben Lawers 38 D/E 2
Ben Macdhui 38 D/E 2
Ben More Assynt 38 D 1/2
Ben Nevis 38 D 2
Bennington 121 G 2
Bensert (Bizerte) 60 B/C 4
Bensheim 28/29 D 3
Bentheim 27 C 2
Benue 73 C 4
Ben Wyvis 38 D 2
Beograd = Belgrad
Beraun (Berounka)
31 F 1/2
Berber (O.) 75 D 3
Berbera 75 E 3
Berbérati 74 B 4
Berchtesgaden 33 F/G 3
Berditschew 55 K 4
Beresina 55 K 1/2
Beresina-Kanal 55 K 1
Beresniki 90 D 3
Beresowo 90 E 2
Bergama 67 E 4
Bergamasker Alpen
51 D/E 4
Bergamo 51 D 4
Bergell 51 D 3
Bergen (Niedersachsen)
25 E 3
– (Norwegen) 41 A 3
– (Rügen) 34 D 1
Bergen op Zoom 45 C 3

Bergheim 26 B 3
Bergisch-Gladbach 26
C 2/3
Bergse Maas 44 C/D 3
Berhampur 88/89 C 3
Beringen 45 D 3
Beringinsel 94 H 4
Beringstraße 114 B/C 3
Berkel 44 E 2
Berkeley Springs 120 D 4
Berkovica 66 C 2
Berlenga-Inseln 56 A 3
Berlin (West, Bundes-
republik Deutschland)
34 D 3
– (Ost, DDR) 34 D 3
– (USA) 121 H 1
Berlinchen 35 E/F 2
Bermejo 130 C 2
Bermuda-Inseln 12 D 3
Bern 50 B 3
Bernburg 36 C 2
Berndorf 53 F/G 2
Berner Alpen 50 B/C 3
Berninagruppe 51 D 3
Bernkastel-Kues 28 C 3
Beroun 37 F 4
Berounka = Beraun
Berry 46 D/E 3
Bersenbrück 24 C 3
Bertschogur 91 D/E 4
Berwick-upon-Tweed
38 F 3
Besançon 50 A 2
Betanzos 56 A/B 1
Bétaré Oya 74 B 4
Bethanien 78 A 3
Bethel (Alaska) 114 C 3
Bethel = Ramallah (Israel)
Bethlehem (Beit-Lahm,
Israel) 84 B 3
– (Südafrika) 78 B 3
– (USA) 121 F 3
Béthune 45 A 4
Betpak-Dala (Hunger-
steppe) 91 E/F 5
Betroka 79 D 3
Bet Shean 84 B 2
Betwa 88 B 2
Betzdorf 28 C 2
Beveren 45 B/C 3
Beverungen 27 E 2
Beverwijk 44 C 2
Beyşehir-See 85 B 2
Bézier 49 E 4
Bhadravati 88 B 3
Bhagalpur 89 C 2
Bhatpara 89 C 2
Bhaunagar 88 B 2
Bhima 88 B 3
Bhopal 88 B 2
Bhutan 83 u. 89 C/D 2
Biak (I. u. O.) 108 B 2
Bialograd = Belgard
Bialystock 55 G 2
Biarritz 48 C 4
Biasca 50 C/D 3
Biberach 32 C 2
Bicaz 65 F/G 1
Biddeford 121 H 2
Bié 76 B 3
Biebrza 55 G 2
Biedenkopf 28 D 2
Biel (Bienne) 50 B 2
Biela (Bilina) 37 E/F 3
Bielefeld 26/27 D 1
Bieler See 50 A/B 2
Biella 50 B/C 4
Bielsko-Biala 54 E 3
Bielsk Podlaski 55 G 2
Bienne = Biel
Biese 34 B 3
Bietigheim (Kr. Rastatt)
32 B 2
Bietigheim-Bissingen
32 B/C 1/2
Biggestausee 26 C/D 2

Bignasco 50 C 3
Bihać 62 B/C 2
Bihar (B., Rumänien)
 64 E 2
– (Provinz, Indien) 88 C 2
Bija 93 F 4
Bí-jie 97 D 4
Bijsk 93 F 4
Bikaner 88 B 2
Bikin 95 E 5
Bikini-Atoll 104 D 2
Bilaspur 88 C 2
Bilbao 56/57 D 1
Bilin 89 C 3
Bilina = Biela
Biliiuna 108 A 3
Billiton (Belitong) 102 B 4
Billund 42 C 3
Bilma 73 D 3
Bilogebirge 62 C 1/2
Bilzen 45 D 4
Bindjai 102 A 3
Bingen 28 C 3
Bingham 121 I 1
Binghamton 121 F 2
Binh Dinh 102 B/C 2
Bintulu 102 C 3
Binz 34 D 1
Bioko Island (Fernando
 Póo) 76 A 1
Birao 74 C 3
Birdjan 87 D 3
Birdsville 109 B 4
Birdum 108 B 3
Bir el-Atrun 74 C 3
Birkenfeld 28 C 3
Birkenhead 39 E 4
Birkfeld 53 F 2
Bîrlad 65 G 2
Birma 83 u. 89 D 2
Birmingham (England)
 39 E/F 4
- (USA) 119 E 3
Bir Moghreim 72 A/B 2
Birnbaum 54 C/D 2
Birnlücke 52 C 2
Birobidshan 95 E 5
Birougouberge 76 B 2
Birs 50 B 2
Bisceglie 59 G 4
Bischofshofen 52 D 2
Bischofswerda 37 F 2
Bischofswiesen 33 F 3
Bischwiller 32 A 2
Bishah 86 C 6
Bishop Rock 39 C 6
Biskra 73 C 1
Bismarck (USA) 118 C 2
Bismarck-Archipel
 108 C/D 2
Bismarck-See 108 C/D 2
Bismarck (DDR) 34 B 3
Bispingen 25 F 2
Bisri 84 B 1
Bissagosinseln 72 A 3
Bissau 72 A 3
Bistriţa 65 F 2
Bitburg 28 B 3
Bitche 28 C 3
Bitola 63 E 4
Bitonto 59 G 4
Bitterfeld 36 D 2
Bitterfontein 78 A/B 4
Bitterrootkette 118 B 2
Bivio 51 D 3
Biwasee 101 D 3
Bjelala 91 D 3
Bjelgorod 90/91 B 3
Bjelogorsk 95 D/E 4
Bjelomorsk 90 B 2
Bjelucha 93 F 5
Bjelyj-Insel 90 E/F 1
Blåbjerg 42 B 3
Blackall 109 C 4
Blackburn 39 E 4
Black Hills 118 C 2
Blackpool 39 E 4
Blackwater 39 B 4
Blagoevgrad 66 C 2

Blagoweschtschensk
 95 D/E 4
Blair Athol 109 C 4
Blanca Peak 118 C 3
Blanc Sablon 117 E/F 4
Blankenburg 36 B/C 2
Blankenfelde 34 D 3
Blankenheim 26 B 3
Blantyre 78/79 C 2
Blatná 31 F 2
Blau 32 C 2
Blaubeuren 32 C 2
Blaue Berge (Australien)
 109 C 5
– (USA) 118 B 2
Blauer Nil = Bahr el-Azrak
Blåvands Huk 42 A/B 3
Blaye 48 C 3
Bleckede 25 F 2
Bled 53 D/E 3
Bleicherode 36 B 2
Bleilochtalsperre 36 C 3
Blekinge 41 C 4
Blenheim 109, I B 2
Blida 57 G 4
Blies 28 C 3
Blinnenhorn 50 C 3
Bloemfontein 78 B 3
Blois 46 D 3
Blokhus 42 C 1
Blovice 31 F 2
Bludenz 51 D 2
Bluefields 123 D 3
Bluff 109, I A 2
Blumberg 32 B 3
Blumenau 129 D 4
Blyth 38 F 3
Boston (England) 39 F 4
– (USA) 121 H 2
Bo 72 A 4
Boa Vista (I., Kapverden)
 68 A 2
– (O., Brasilien) 128 B 1
Bober (Bóbr) 37 G 2
Bobingen 33 D 2
Böbingen 32 C 2
Böblingen 32 C 2
Bobo Dioulasso 72 B 3
Bóbr = Bober
Bobruisk 55 K 2
Bôca do Acre 128 B 2
Bochnia 54 F 3/4
Bocholt 26 B 2
Bochum 26 C 2
Bockhorn 24 C/D 2
Bodaibo 93 I 4
Bode 36 B/C 2
Bodélé 74 B 3
Boden 40 E 2
Bodenmais 31 F 2
Bodensee 32 C 3
Bodenwerder 25 E 4
Bodö 40 C 2
Bodrog 64 D 1
Bodrum 67 E 5
Boë 72 A 3
Boende 76 C 2
Bogatynia = Reichenau
Bogdo Uul 96 B/C 2
Bogen 31 E 3
Bogenfels 78 A 3
Bogense 42 D 3
Bogor 102 B 4
Bogotá 126 B 2
Bogutschany-Stausee
 93 G 4
Böhlen 36 D 2
Böhmisch Leipa
 (Česka Lípa) 37 F 3
Bohmte 24 D 3
Bohoi 103 D 3
Bohor 53 F 3
Boise 118 B 2
Boizenburg 34 A 2
Bojana 62 D 3
Bojden 42 D 3
Bokel 24 D 2
Bolesławiec = Bunzlau
Bolívar (B.) 126 C 2

Bolivien 113 u. 128 B 3
Bollnäs 41 C/D 3
Bolmsee 43 G 2
Bologna 58 D 2
Bolschewik-Insel 92 H/I 2
Bolsenasee 58 D 3
Bolsón de Mapimí 122 B 2
Boltenhagen 34 B 2
Bolton 39 E 4
Bolzano = Bozen
Boma 76 B 2
Bombala 109 C/D 5
Bombay 88 B 3
Bom Jesus da Lapa
 129 D 3
Bomu 76 C 1
Bonaire 126 C 1
Bondoukou 72 B 4
Bonga 75 D 4
Bongo-Lava 79 D 2
Bongor 74 B 3
Bonifacio 49 H 5
Bonin-Inseln 104 C 1
Bonn 26 C 3
Bonthe 72 A 4
Boothia-Halbinsel 116 B 2
Bopfingen 32/33 D 2
Boppard 28 C 2
Bor = (Haid, ČSSR)
 – (Jugoslawien) 63 F 2
 – (Sudan) 75 D 4
Boran 75 D/E 4
Borås 41 C 4
Bordeaux 48 C 3
Borden-Insel 114 H 2
Bordeyri 40, I B 1
Borgarnes 40, I B 1
Bórgefjell 40 C 2
Borger 44 E 2
Borgholm 41 D 4
Borglumkloster 42 C 1
Borgo 51 F 3
Borgomanero 50 C 4
Borgosesia 50 C 4
Borgou 72 C 3
Borislaw 55 G 4
Borissow 55 K 1
Borja 126 B 3
Borken (Nordrhein-
 Westfalen) 26 B/C 2
 – (Hessen) 29 E 1
Borkou 74 B 3
Borkum (O. u. I.) 24 B 2
Borlänge 41 C 3
Bormio 51 E 3
Borna 36 D 2
Borneo (Kalimantan)
 102 C 3
Bornheim 26 B 3
Bornholm 43 G 4
Bornu 73 D 3
Borroloola 108 B 3
Borsja 95 C 4
Bosa 58 C 4
Bosaso 75 E 3
Bo-shan 99 C 2
Bosna 62 D 2
Bosnien und Herzegowina
 62 C/D 2/3
Bosporus 66 F 3
Bossangoa 74 B 4
Botev 66 D 2
Botoşani 65 G 2
Botrange 45 E 4
Botswana 71 u. 78 B 3
Botte Donato 61 F 3
Bottnischer Meerbusen
 40/41 D/E 2/3
Bottrop 26 B 2
Bouaké 72 B 4
Bouar 74 B 4
Bou Arfa 72 B 1
Boufarik 57 G 4
Bougainville 108 C 2
Bouillon 45 D 5
Bouira 57 G 4
Boulay-Moselle 28 B 3
Boulia 109 B 4
Boulogne 46 D 1

Bounty-Inseln 105 E 5
Bourbonnais 46/47 E 3
Bourg 47 F 3
Bourges 46/47 E 3
Bourg-Saint-Maurice
 50 A 4
Bourke 109 C 5
Bournemouth 39 E/F 5
Bouvet-Insel 135 A 4
Bovec 52 D 3
Bowen 108 C 3/4
Bowling Green 119 E 3
Bo-xian 98 C 3
Boxmeer 26 A 2
Boxtel 45 D 3
Boyne 39 C 4
Bozen (Bolzano) 51 F 3
Brabant 45 C 4
Brač 62 C 3
Braccianosee 58 E 3
Brackwede 26 D 2
Bradford (England)
 39 E/F 3/4
 – (USA) 120 D 3
Braga 56 A 2
Bragança (Brasilien) 129 D 2
 – (Portugal) 56 B 2
Brahe (Brda) 54 D/E 2
Bramaputra 89 D 2
Brahmsee 22 C 1
Bräila 65 G 3
Brake 24 D 2
Brakel 27 E 2
Bramminge 42 B/C 3
Bramsche 24 C 3
Branco 128 B 1
Brandano 59 G 4
Brandberg 78 A 3
Brande 42 C 3
Brandenburg (O. u. L.)
 34/35 C/D 3
Brand-Erbisdorf 37 E 3
Brandon 115 I/K 5
Brandýs nad Labem –
 Stara Boleslav 37 F 3
Braniewo = Braunsberg
Brantford 120 C 2
Brasilia 129 D 3
Brasilien 113 u. 128/129
 B–D 2
Braşov (Kronstadt)
 65 F/G 3
Brasschaat 45 C 3
Bratsk 93 G/H 4
Braunau 52 D 1
Braunlage 25 F 4
Braunsberg (Braniewo)
 54 E/F 1
Braunschweig 25 F 3
Brava 75 E 4
Bray 39 C/D 4
Brazos 118 D 3
Brazzaville 76 B 2
Brda = Brahe
Brecht 45 C 3
Breda 45 C 3
Bredasdorp 78 A/B 4
Bredebro 22 B 1
Bredstedt 22 B/C 1
Breg 32 B 2/3
Bregenz 51 D 2
Breidafjord 40, I B 1
Breisach 32 A 2
Breisgau 32 A 3
Breisig 28 C 2
Bremen 24/25 D 2
Bremerhaven 24 D 2
Bremervörde 25 E 2
Brenne 46 D 3
Brenner 51 F 2
Breno 51 E 4
Brenta (B. u. Fl.)
 51 E/F 3/4
Brescia 51 E 4
Breslau (Wrocław) 54 D 3
Brest (O., Frankreich)
 46 A 2
 – (O., UdSSR)
 55 G/H 2/3

Bretagne 46 B/C 2/3
Bretten 32 B 1
Brewarrina 109 C 3
Bria 74 C 4
Briançon 49 G 3
Briare 47 E 3
Brickaville 79 D/E 2
Bridgeport 121 G 3
Bridgeton 121 F 4
Bridgetown 125 F 3
Brie 47 E 2
Brienz 50 B/C 3
Briey 28 A 3
Brig 50 B 3
Brigach 32 B 2/3
Brighton 39 F/G 5
Brilon 26/27 D 2
Brindisi 59 H 4
Brioni 62 A 2
Brisbane 109 D 4
Bristol 39 E 5
Bristolbai 114 C/D 4
Bristolkanal 39 D/E 5
Britisch-Columbia 115 G 4
Brive 46 D 4
Brixen (Bressanone)
  51 F 3
Broad Law 38 E 3
Brockton 121 H 3
Brockville 121 E/F 1
Brodeur-Halbinsel 116 C 2
Brody 55 H 3
Broken Hill 109 C 5
Brokopondo 127 D 2
Bromberg (Bydgoszcz)
  54 D/E 2
Brome 25 F 3
Brønderslev 42 D 1
Brönnöysund 40 B/C 2
Brookskette 114 C/D 3
Broome 104 B 3
Brovst 42 C 1
Brownsville 118 D 4
Bruay 46 E 1
Bruchsal 32 B 1
Bruck an der Leitha 53 G 1
− an der Mur 53 E/F 2

Bruck (Bayern) 31 E 2
Brückelberg 31 F 2
Brückenau 30 B 1
Brückl 53 E 3
Brüderinsel 86 D 7
Brügge 45 B 3
Brühl 26 B 3
Bruneck (Brunico) 51 F 3
Brunei 102 C 3
Brunico = Bruneck
Brünig (Paß) 50 C 3
Brunsbüttel 22 B/C 2
Brunssum 26 A/B 3
Brüssel (Bruxelles) 45 C 4
Brüssow 35 E 2
Brüsterort 54 E/F 1
Brüx (Most) 31 F 1
Bruxelles = Brüssel
Buçaco 56 A 2
Bucaramanga 126 B 2
Buchanan 72 A 4
Buchara 91 E 4/5
Buchen 32 C 1
Büchen 22 D 2
Buchenwald 36 C 2
Buchholz 25 E/F 3
Buchloe 33 D 2
Buchs 51 D 2
Buchtarma-Stausee 93 F 5
Bucht von Benin 72/73 C 4
Bucht von Bonny 76 A 1
Bucht von Kiáutschou
  99 D 2
Bucht von Kotor 62 D 3
Bückeburg 25 E 3
Buckie 38 E 2
Buckleboo 109 B 5
Bucklige Welt 53 F/G 2
Bucureşti = Bukarest
Budapest 64 C 2
Büdingen 29 E 2
Budva 62 D 3
Buéa 74 A/B 4
Buenaventura 126 B 2
Buenos Aires 131 C/D 3
Buenos-Aires-See 131 B 4
Buffalo 120 D 2

Bug (Fl. zur Weichsel)
  55 G 2
Bughan 100 A 2
Bugi 108 C 2
Bühl 32 B 2
Buin 108 C 2
Bujumbura 77 C/D 2
Buka 108 C 2
Bukarest (Bucureşti)
  65 G 3
Bukavu 77 C 2
Bukittinggi 102 A 4
Bukoba 77 D 2
Bukowina 55 H 4
Bulawayo 78 B 3
Bulbjerg 42 B/C 1
Bulgan 97 D 2
Bulgarien 17, III
  F 4 u. 66 C−E 2
Bulhar 75 E 3
Bulle 50 A/B 3
Bulun 92 K 2
Bumba 76 C 1
Buna 108 C 2
Buncrana 38 B/C 3
Bundaberg 109 D 4
Bünde 26/27 D 1
Bundesrepublik
  Deutschland
  20 B − D 1 − 5
Bundoran 38 B 3
Bungsberg 23 D 1
Bunia 77 C 1
Bunzlau (Boleslalawiec)
  37 G 2
Buolkalach 92 I/K 2
Buor-Chaja-Busen 94 E 2
Buraïda 85 D 4
Buraimi 87 D 5
Burdur 85 A/B 2
Burejagebirge 95 E 4/5
Büren 27 D 2
Bürfell 40, I C 1
Burg (auf Fehmarn) 23 E 1
Burg (DDR) 34 B 3
Burgas 66 E 2
Burgau 30 C 3

Burgdorf (Niedersachsen)
  25 E/F 3
− (Schweiz) 50 B 2
Burgenland 53 G 2
Burghausen 33 F 2
Burgkunstadt 31 D 1
Burglengenfeld 31 D/E 2
Burlington 121 G 1
Burgos 56 C/D 1
Burgstädt 37 D 3
Burgund 47 E/F 3/4
Burgundische Pforte
  50 A/B 2
Burketown 108 B 3
Burnley 39 E 4
Burns 118 B 2
Burriana 57 E/F 3
Buru 103 D 4
Burundi 71 u. 77 C/D 2
Busan 100 B 3
Busango-Sumpf 76 C 3
Buschir 86 C/D 4
Buschmannland 78 A 3
Busira 76 B 2
Bussang 50 A 2
Bussen 32 C 2
Bussum 44 D 2
Busto Arsizio 50 C 4
Büsum 22 B 1
Buta 76 C 1
Butare 77 C/D 2
Butembo 77 C 1
Butschatsch 55 H 4
Butte 118 B 2
Butuan 103 D 3
Butung 103 D 4
Butzbach 28 D 2
Bützow 34 B 2
Buxtehude 25 E 2
Büyük Menderes
  (Mäander) 67 E/F 5
Buzău 65 G 3
Bychow 55 K 2
Bydgoszcz = Bromberg
Bylot-Insel 116 D 2
Byrrangagebirge 92 G/H 2
Bytom = Beuthen

C

Cabanatuan 103 D 2
Cabeza del Buey 56 C 3
Cabimas 126 B 1
Cabinda 76 B 2
Cabora Bassa 78 C 2
Cabotstraße 117 E/F 5
Cabrera 57 G 3
Cáceres (Brasilien)
  128 C 3
− (Spanien) 56 B 3
Caconda 76 B 3
Cádiz 56 B 4
Caen 46 C 2
Cagayan 103 D 3
Cagliari 58 C 5
Cahors 48 D 3
Caibarién 123 E 2
Caicos-Inseln 123 E 2
Cairns 108 C 2
Caiundo 76 B 3
Cajamarca 126 B 3
Cala 56 B 4
Calaba 73 C 4
Calafat 64 E 4
Calais 46 E 1
Calama 130 C 2
Câlârşi 65 G 3
Calatayud 57 D/E 2
Calau 37 E/F 2
Calbayog 103 D 2
Calbe 36 C 2
Calcite 120 B 1
Calcutta = Kalkutta
Caldaro = Kaltern
Caldas da Reinha 56 A 3
Cali 126 B 2

Callao 126 B 4
Calmian-Inseln 103 C 2
Caltagirone 60 D 4
Caltanissetta 60 D 4
Calvados 46 C 2
Calvi 49 H 4
Calvinia 78 A/B 4
Calw 32 B 2
Camabatela 76 B 2
Camagüey 123 E 2
Camargue 49 F 4
Cambrai 45 B 4
Cambrian Mountains
  39 D/E 4
Cambridge (England)
  39 G 4
− (Maryland, USA)
  121 E/F 4
− (Massachusetts, USA)
  121 H 2
− (Ohio, USA) 120 C 3/4
Cambridge Bay (O.)
  114 I 3
Camden 121 F 4
Camenbert 46 D 2
Cameta 129 D 2
Cammin (Kamień
  Pomorski) 35 E 2
Camocim 129 D 2
Camooweal 108 B 3
Campbell-Insel 135 I 4
Campeche (Provinz u. O.)
  122/123 C/D 3
Campechebai 122 C 2
Campidano 58 C 5
Campina Grande 129 E 2

Campinas 129 D 4
Campione 51 E 4
Campobasso 59 F 4
Campo Grande 128 C 3
Campos 129 D 4
Campo Tures = Sand
Canakkale 66 E 3
Canal du Midi 48/49 E 4
Cananea 122 A/B 1
Canberra 109 C/D 5
Cangas de Narcea 56 B 1
Cang-zhou 98 C 2
Caniapiscau 117 E 4
Çankiri 85 B 1
Cannae 59 F/G 4
Cannes 49 G 4
Cannobio 50 C 3
Canossa 58 D 2
Cantal 48/49 E 3
Canterbury 39 G 5
Canterbury-Bucht 109,
  I B 2
Canterbury-Ebene
  109, I B 2
Can Tho 102 B 3
Canton (I.) 105 E 3
− (O., USA) 120 C 3
Cantwell 114 E 3
Cape Coast 72 B 4
Cape Dorset 116 D 3
Capelongo 76 B 3
Cape May (O.) 121 F 4
Cape Town = Kapstadt
Cap-Haïtien (O.) 123 E 2/3
Capim 129 D 2
Capraia 58 C/D 3

Caprera 58 C 4
Capri 59 E/F 4
Caqueta 126 B 3
Caracal 65 F 3
Caracaraí 128 B 1
Caracas 126 C 1/2
Caravaca 57 D/E 3
Caravelas 129 E 3
Carbonia 58 C 5
Carcassonne 48 D/E 4
Cardamongebirge 88 B 4
Cardenas 123 D 2
Cardiff 39 E 5
Cardigan (O. u. -bai)
  39 D 4
Cardona 57 F 2
Carei 64 E 2
Cargados-Corajos-
  Inseln 69 E/F 3
Cargellico 109 C 5
Caribou-Berge 115 H 4
Carlisle 38 E 3
Carlow 39 C 4
Carlsbad 118 C 3
Carmarthen 39 D 5
Carmaux 48 E 3
Carmona 56 C 4
Carnac 46 B 3
Carnarvon 104 A 4
Càrn Eige 38 D 2
Carnot 74 B 4
Caroline-Insel 107 F 3
Caroni 126 C 2
Carpentaria-Golf
  108 B/C 3
Carrara 58 D 2
Carrauntoohill 39 B 5

Car

Carreria 130 C/D 2
Carrick 39 B 4
Carson City 118 B 3
Cartagena (Kolumbien)
126 B 1
– (Spanien) 57 E 4
Cartago 123 D 4
Caruaru 129 E 2
Casablanca
(Ed-Dar-el-Baida)
72 A/B 1
Casale Monferrato 50 C 4
Cäsarea 84 A 2
Casiquiare 126 C 2
Casper 118 C 2
Cassinga 76 B 3
Castelfidardo 59 E 3
Castelfranco 51 F 4
Castellón de la Plana
57 E/F 2/3
Castelnaudary 48 D 4
Castelo Branco 56 B 3
Castilla 123 D 3
Castlebar 39 B 4
Castres 48 E 3
Castries 125 E 3
Castro 131 B 4
Castrop-Rauxel 26 C 2
Cat 123 E 2
Catamarca 130 C 2
Catanduanes 103 D 2
Catania 61 E 4
Catanzaro 61 F 3
Čatež 53 F 4
Catri 61 F 3
Cauca 126 B 2
Cauterets 48 C 4
Cavan 39 C 4
Cavite 103 D 2
Cavour-Kanal 50 C 4
Caxias 129 D 2
Cayambe 126 B 3
Cayenne 127 D 2
Cayman-Inseln 123 D 3
Ceahlâul 65 F 2
Ceanannas 39 C 4
Ceará 129 E 2
Cebu 103 D 2
Cedar City 118 B 3
Cefalú 60 D 3
Celano ᴜ9 E 3/4
Celébes (Sulawesi)
103 C/D 4
Celébes-See 103 C/D 3
Celje = Cilli
Celle 25 E/F 3
Cellino 52 C 3
Cerbère 49 E 4
Ceres 50 B 4
Ceresole 50 B 4
Cerknica 53 E 4
Cernavoda 65 H 3
Cerro de Pasco 126 B 4
Cerro el Libertador
130 C 2
Cervaro 59 F 4
Cervignano 52 D 4
Cesena 58 E 2
Česká Lipa = Böhmisch
Leipa
Český Brod 37 F 3
Cessnock 109 C/D 5
Cetinje 62 D 3
Ceuta 56 C 5
Cevennen 49 E/F 3/4
Ceylon = Sri Lanka
Chabarowo 90 D/E 2
Chabarowsk 95 E 5
Chablais (L.) 50 A 3
Chablis 47 E 3
Chaleurbai 117 E 5
Chalkidike 66 C 3
Chalkis 67 C/D 4
Challenger-Tief 104 C 2
Chalmer-Ju 90 E 2
Châlons-sur-Marne 47 F 2
Chalon-sur-Saône 47 F 3
Cham (O. u. Fl.) 31 E 2
Chaman 88 A 1

Chambal 88 B 2
Chambersburg 120 D/E 4
Chambéry 49 F 3
Chambezi 77 D 3
Chamonix 50 A 4
Champagne 47 E/F 2/3
Champlain-See 121 G 1
Chañaral 130 B 2
Chancellorsville 120 E 4
Chan Chan 126 B 3
Chandrapur 88 B/C 3
Chandyga 94 E 3
Changaigebirge 96 C/D 2
Chang-chun 97 F 2
Chang-de 97 D/E 4
Chang-du 96 C 3
Chang-jiang 102 B 2
Chang-sha 97 E 4
Chang-shu 99 D 3
Chang-zhou 99 C 3
Chania 67 C 6
Chan-jiang (Tsamkong)
97 E 4
Chankasee 95 E 5
Chanthaburi 102 B 2
Chantilly 120 E 4
Chanty-Mansijsk 90 E/F 2
Chao-an 97 E 4
Chao-jang 99 C/D 1
Chapada das Mangabeiras
129 D 2/3
Chapada Diamantina
129 D 3
Charchan (Qie-mo) 96 B 3
Char Choto 96/97 D 2
Charente 46 C 4
Charkhlik (Ruo-qiang)
96 B 3
Charkow 90/91 B 3
Charleroi 45 C 4
Charleston 120 C 4
Charleville (Australien)
109 C 4
Charleville-Mèzières 45 C 5
Charlotte 119 E/F 3
Charlottetown 117 E 5
Charlotte Waters 109 B 4
Charters Tower 108 C 4
Chartes 46 D 2
Chasseral 50 A/B 2
Chasseron 50 A 3
Chatanga (O. u. Fl.) 92 H 2
Châteaubriant 46 C 3
Châteaudun 46 D 2
Châteauroux 46 D/E 3
Châtelet 45 C 4
Châtellerault 46 C/D 3
Chatham (O., USA)
121 J 3
Chatham-Inseln 105 E 5
Châtillon (Italien) 50 B 4
Châtillon-sur-Seine 47 F 3
Chattanooga 119 E 3
Chaumont 47 F 2
Chauny 45 B 5
Chaves 56 B 2
Cheb = Eger (O.)
Cheduba 89 C 3
Chelm 55 G 3
Cheltenham 39 E/F 5
Chemax 123 D 2
Chemnitz = Karl-Marx-
Stadt
Chenab 88 B 1
Cheng-de 99 C 1
Cheng-du 97 D 3
Cheolwean 100 A 2.
Cheongjin 100 B 1
Cher 46 D 3
Cherbourg 46 C 2
Cherchell 57 F/G 4
Cherrapunji 89 C 2
Cherson 91 B 4
Chesapeake-Bai 121 E 4
Chester (England) 39 E 4
– (USA) 121 F 4
Chesterfield Inlet 116 B 3
Chesterfield-Inseln 108 D 3
Chestertown 121 F/G 2

Cheta 92 G 2
Chetumal 123 D 3
Cheviot Hills 38 E 3
Cheyenne 118 C 2
Chiangmai 102 A 2
Chiapas 122 C 3
Chiari 51 D/E 4
Chiasso 50 D 4
Chiavenna 51 D 3
Chiba 101 E 3
Chibougamau 117 D 5
Chicago 119 E 2
Chiclayo 126 A/B 3
Chico 131 C 4
Chicoutimi 117 D 5
Chiemsee 33 F 3
Chiese 51 E 4
Chieti 59 F 3
Chihuahua 122 B 2
Chile 113 u. 130/131
B/C 2–4
Chillagoe 108 C 3
Chillán 131 B 3
Chillicothe 120 B 4
Chiloe 131 B 4
Chilok 93 H/I 4
Chilwa-See 79 C 2
Chimay 45 C 4
Chimborazo 126 B 3
Chimbote 126 B 3
China, Volksrepublik –
83 u. 96/97 B–E 3
Chincha-Inseln 126 B 4
Chindwin 89 D 2
Chingola 76/77 C 3
Chinon 46 D 3
Chioggia 58/59 E 2
Chios (O. u. I.) 67 D/E 4
Chipancingo 122 B/C 3
Chipata 77 D 3
Chiriqui 123 D 4
Chirquilagune 123 D 4
Chirripo 123 D 4
Chitral 88 B 1
Chittagong 89 D 2
Chiusi 58 D 3
Chivasso 50 B 4
Chiwa 91 D/E 4
Chmelnizkij 55 I 4
Chöch Nuur 96 C 3
Choi 85 D 2
Choiseul 108 C 2
Chojna = Königsberg
Cholet 46 C 3
Cholmsk 95 F 5
Choma 76/77 C 3
Chomutov = Komotau
Chonos-Archipel 131 B 4
Chonuu 94 F 3
Chora Sfakion 67 C/D 6
Choszczno = Arnswalde
Chotin 55 I 4
Christchurch 109, I B 2
Christianshåb 116 F 3
Christiansø 43 G 4
Christmas-Insel 105 F 2
Chromtau 91 D/E 3
Chubb-Krater =
New-Quebec-Krater
Chubsugul Nur 96 C/D 1
Chubut 131 C 4
Chugatberge 114 E 3
Chuguchak (Ta-cheng)
96 B 2
Chuncheon 100 A/B 2
Chungking (Chong-qing)
97 D 4
Chur 51 D 3
Churchill (Fl. zum Atlantik)
117 E 4
– (O. u. Fl. zur Hudsonbai)
115 I 4 u. 117 B 4
Chust 55 G 4
Chu-xiong 96 D 4
Cichén Itzá 123 D 2
Cide 85 B 1
Cienfuegos 123 D 2
Cieza 57 E 3
Cima Presanella 51 E 3

Cîmpina 65 F/G 3
Cîmpulung 65 F 3
Cîmpulung Moldovenesc
65 F 2
Cilli (Celje) 53 F 3
Cilo 85 D 2
Cinca 57 F 2
Cincinnati 119 E 3
Ciney 45 D 4
Circle (O.) 114 E 3
Cirebon 102 B 4
Cisapaß 58 D 2
Ciskei 78 B 4
Citeaux 47 F 3
Ciudad Bolívar 126 C 2
Ciudad del Carmen
122 C 3
Ciudad Encatada 57 D 2
Ciudad Guayana 126 C 2
Ciudad Juárez 122 B 1
Ciudad Real 56 C/D 3
Ciudad Rodrigo 56 B 2
Ciudad Victoria 122 C 2
Civitavecchia 58 D 3
Cividale 52 D 3
Cizre 85 D 2
Clairvaux 47 F 2
Claremont 121 G/H 2
Clarksburg 120 C 4
Clausthal-Zellerfeld 25 F 4
Clear (I.) 39 B 5
Clearwater-See 117 D 4
Clermont-Ferrand
48/49 E 3
Clermont-Porcien
45 B/C 5
Cleveland 120 C 3
Clifden 39 A 4
Cloncurry 108 C 4
Clonmel 39 C 4
Cloppenburg 24 C/D 3
Cloud Peak 118 C 2
Cluj (Klausenburg) 64 E 2
Cluny 47 F 3
Cluses 50 A 3
Clusone 51 D/E 4
Coahuila 122 B 2
Coari (O. u. Fl.) 128 B 2
Coatsland 135 R 2
Coatzacoalcos 122 C 3
Cobán 123 C/D 3
Cobar 109 C 5
Cobh 39 B 5
Cobija 128 B 3
Coburg 30 C 1
Coca 56 C 2
Cochabamba 128 B 4
Cochem 28 C 2
Cochin 88 B 3
Cochinchina 102 B 2/3
Cochrane 117 C 5
Coco 123 D 3
Codogno 51 D 4
Codroipo 52 C/D 4
Coen 108 C 3
Coesfeld 26 C 2
Coëtivy 79 E 1
Coevorden 44 E 2
Cognac 46 C 4
Cogne 50 B 4
Cóiba 123 D 4
Coimbatur 88 B 3
Coimbra 56 A 2
Colatina 129 D/E 3
Colchester 39 G 5
Col de Fréjus 50 A 4
Col de la Forclaz 50 A/B 3
Col de l'Iseran 50 A/B 4
Col de Pymorens
48 D/E 4
Col de Tende 49 G 3
Col di Tenda 58 B 2
Colditz 36/37 D 2
Col du Galibier 50 A 4
Col du Lauteret 50 A 4
Col du Mont Cenis
50 A/B 4
Colebrook 121 H 1
Colima 122 B 3

Coll 38 C 2
Colli Euganei 51 F 4
Collingwood (Australien) 109 C 4
– (USA) 120 C/D 1
Colmar 50 B 1
Colombier 50 A 3
Colombo 88 B/C 4
Colorado (Bundesstaat u. Fl., USA) 118 B/C 3
– (Fl., Argentinien) 131 C 3
Colorado Springs 118 C 3
Columbia (Fl.) 118 A/B 2
-(O.) 119 E 3
Columbretes-Inseln 57 F 3
Columbus (Georgia) 119 E 3
-(Ohio) 120 B 4
Colville 114 D 3
Comacchio 59 E 2
Comayagua 123 D 3
Comer See 51 D 3/4
Comino 60 D 4
Como 50 D 4
Comodoro Rivadavia 131 C 4
Comoé 72 B 4
Compiègne 47 E 2
Conakry 72 A 4
Conceição do Araguaia 129 C/D 2
Concepción (Chile) 131 B 3
– (Paraguay) 130 D 2
Concepción del Uruguay 130 C/D 3
Conchos 122 B 2
Concord 121 H 2
Concordia 130 D 3
Con Dao 102 B 3
Conegliano 52 C 4
Conflans 28 A/B 3
Confranc 57 E 1
Conneaut 120 C 3
Connecticut (Bundesstaat u. Fl.) 121 G 2/3
Connellsville 120 D 3
Connemare 39 B 4
Constanța = Konstanza
Constantine 73 C 1
Contas 129 D/E 3
Cook Inlet 114 D 3

Cook-Inseln 105 E/F 3
Cook-Straße 109, I B 2
Cooktown 108 C 3
Coolgardie 104 A 4
Cooma 109 C 5
Coonamble 109 C 5
Cooper's Creek 109 B 4
Cootamundra 109 C 5
Copán 123 D 3
Copiapó 130 B 2
Copper Center 114 E 3
Coppermine 114 H 3
Coquilhatville = Mbandaka
Coquimbo 130 B 2/3
Corabia 65 F 4
Corato 59 G 4
Corbeil 46 E 2
Corcaigh = Cork
Corcovadogolf 131 B 4
Cordillera de Mérida 126 B/C 2
Cordillera Domeyko 130 C 2
Córdoba (Argentinien) 130 C 3
– (Spanien) 56 C 4
Cordova 114 E 3
Corisco-Bucht 76 A 1
Cork (Corcaigh) 39 B 5
Corlu 66 E/F 3
Corner Brook 117 F 5
Corn-Insel 123 D 3
Cornwall (L., England) 39 D 5
– (O., Kanada) 121 F 1
Corny 28 B 3
Coro 126 C 1
Coromandel-Halbinsel 109, I B 1
Coronation-Golf 114 H/I 3
Coropuna 126 B 4
Corozal 123 D 3
Corpus christi 118 D 4
Correnti 61 E 4
Corrientes 130 D 2
Corte 49 H 4
Cortina d'Ampezzo 51 G 3
Cortland 121 E/F 2
Çoruh 85 D 1
Çorum 85 B/C 1

Corumbá 128 C 3
Cosenza 61 E/F 3
Cosmoledo 79 D 1
Cosne 47 E 2
Cossonay 50 A 3
Costa Blanca 57 E/F 3/4
Costa Brava 57 G 1/2
Costa Colombina 56 B 4
Costa del Azahar 57 E/F 2/3
Costa de Levante 57 E/F 3
Costa de los Vinos 56 B 4
Costa del Sol 56 C/D 4
Costa de Rias Bajos 56 A 1
Costa Dorada 57 F 2
Costa Luminosa 57 E 4
Costa Rica 123 D 3
Costa Verde 56 B/C 1
Costa Virgen 56 D 4
Coswig (Bez. Halle) 36 D 2
– (Bez. Dresden) 37 E 2
Cotabato 103 D 3
Côte d' Or 47 F 3
Cotentin 46 C 2
Cotonou 72 C 4
Cotopaxi 126 B 3
Cotswold Hills 39 E/F 4/5
Cottbus 37 F 2
Courcelles 45 C 4
Courcelles-Chaussy 28 B 3
Coutances 46 C 2
Couvin 45 C 4
Coventry 39 F 4
Covilhã 56 B 2
Coxim 128 C 3
Cozumel 123 D 2
Crailsheim 32 D 1
Craiova 64 E 3
Crato 129 E 2
Crau 49 F 4
Crécy 46 D/E 1
Cree-See 115 I 4
Crema 51 D 4
Cremona 51 D/E 4
Cres 62 B 2
Cret de la Neige 47 F/G 3

Creuse 46 D 3
Crimmitschau 36 D 3
Crișul Alb 64 D/E 2
Crișul Negru 64 D/E 2
Crișul Repede 64 D/E 2
Crivitz 34 B 2
Crnagora 63 E 3
Crodo 50 C 3
Cro Magnon 48 D 3
Cromer 39 G 4
Crossen (Krosno Odrzanskie) 37 G 1/2
Crotone 61 F 3
Croydon 108 C 3
Crozet-Inseln 135 C 5
Cruzeiro do Sol 128 A 2
Csongrád 64 C/D 2
Cuambo 79 C 2
Cuenza (Ecuador) 126 B 3
– (Spanien) 57 D/E 2
Cuernava 122 B/C 3
Cuevas del Almanzora 57 D/E 4
Cuiabá 128 C 3
Cuito Cuanavale 76 B/C 3
Culiacán 122 B 2
Culuene 128 C 3
Cumaná 126 C 1
Cumberland 120 D 4
Cumberland-Inseln 108 C/D 4
Cumberlandsund 116 E 3
Cumbrian Mountains 38 E 3
Cumina 128 C 2
Cuneo 58 B 2
Cunnamulla 109 C 4
Cupar 38 E 2
Cupicagolf 123 E 4
Curaçao 126 C 1
Curicó 131 B 3
Curitiba 129 C/D 4
Curtis-Insel 109 D 4
Cuttack 88/89 C 2
Cuxhaven 24 D 2
Cuzco 126 B 4
Cyrenaika 74 C 1
Czeremcha 55 G 2
Częstochowa = Tschenstochau

D

Da-ba-shan 98 A/B 3
Dabola 72 A 3
Dacca 89 D 2
Dachau 33 E 2
Dachla (Villa Cisneros) 72 A 2
Dachstein 52/53 D 2
Daedong 100 A 2
Daegu 100 B 3
Daejeon 100 A 2
Dagabur 75 E 4
Dagardi 67 F 4
Dagö (Hiiumaa) 41 E 4
Dahlak-Archipel 75 D/E 3
Dahlem 26 B 3
Dahme (O., Bez. Cottbus) 37 E 2
– (O., Schleswig-Holstein) 23 E 1
Dahna, Wüste – 86 C 4/5
Dahomey = Benin
Dahra 57 F 4
Daisen 100 C 3
Daisetsuzan 101 E 1
Dajakland 102 C 4
Dajarra 109 B 4
Dakar 72 A 3
Dakhla-Oasen 85 A 4
Dakota 118 D 2
Dakovica 63 E 3
Dalaj Nuur 97 E 2
Dalälv 41 D 3

Dalan-Dzadagad 97 D 2
Dalarna 41 C 3
Dalat 102 B 2
Dalby 109 D 4
Da-Li 98 A 3
Dallas 118 D 3
Dalmatien 62 B– D 3
Dalmatinische-Inseln 62 B/C 2/3
Dalneretschensk 95 E 5
Daloa 72 B 4
Daly Waters 108 B 3
Damanhur 85 A/B 3
Damar 103 D 4
Damaraland 78 A 3
Damaskus (Dimachq, Ech Cham) 84 B/C 1
Damergou 72 C 3
Damietta (Dumyat) 85 B 3
Damiya 84 B 2
Dammastock 50 C 3
Damme 24 D 3
Damodar 88/89 C 2
Dampier 104 A 3/4
Dampier-Straße 108 C 2
Danakil 75 E 3
Da Nang 102 B 2
Dänemark 17, III D 3 u. 42/43
Danmarkstraße 116 I 3
Dannemora 41 D 3
Dannenberg 25 G 2
Danzig (Gdańsk) 54 E 1
Danziger Bucht 54 E 1

Darchan 97 D 2
Dardanellen (Hellespont) 66 E 3
Dar el-Beida 57 G 4
Daressalam (Dar-es-Salaam) 77 D/E 2
Darfur 74 C 3
Dargun 34 C 2
Darlingkette 104 A 4
Darling (Fl.) 109 C 5
Darling Downs 109 C 4
Darlington 38 F 3
Darmstadt 28/29 D 3
Dar Nuba 75 C/D 3
Dar Rounga 74 B/C 4
Darß 34 C 1
Darßer Ort 34 C 1
Dartmoor 39 D/E 5
Daru 108 C 2
Darwin 108 A/B 3
Dassow 34 B 2
Da-tong 98 B 1
Datteln 26 C 2
Datu Piang 103 D 3
Daun 28 B 2
Dauphine 78 B 3
Dauphiné 49 F 3
Davao 103 D 3
Davenport 119 D 2
Davissee 135 D 3
Davisstraße 116 F 3
Davos 51 D 3

Dawson 114 F 3
Dawson Creek 115 G 4
Dax 48 C 4
Da-yn 97 E 4
Daytona Beach 119 E/F 4
De Aar 78 B 4
Deakin 109 A 5
Dearborn 120 B 2
Deauville 46 D 2
Debar 63 E 4
Deblin 55 F/G 3
Dębno = Neudamm
Debra Markos 75 D 3/4
Debra Tabor 75 D 3
Debrecen 64 D 2
Decazeville 48 E 3
Děčin = Tetschen
Dee 38 E 2
Defregger Gebirge 52 C 3
Deggendorf 31 E/F 3
Deim Zubeir 74 C 4
Deinze 45 B 3/4
Deir Abu Saïd 84 B 2
Deir-ez-Zor 85 C 2/3
Deister 25 E 3
Dej 64 E 2
Dekkan 88 B/C 3
Delagoabucht 78/79 C 3
Delano Peak 118 B 3
Delaware (Bundesstaat) 120 B 3
– (Fl.) 121 F 3
– (O., Ohio, USA) 121 F 4

Del

Delémont 50 B 2
Delft 44 C 2/3
Delfzijl 44 E 1
Delhi 88 B 2
Delitzsch 36 D 2
Dellys 57 G 4
Delme 24 D 3
Delmenhorst 24 D 2
De Long-Inseln 94 G 2
Delos 67 D 5
Delphi 67 C 4
Del Rio 118 C/D 4
Delvinë 63 D/E 5
Demawend 86 D 2
Demer 45 C 3/4
Demirköprüstausee 67 F 4
Demjanskoje 90 E/F 3
Demmin 34 D 2
Dempo 102 B 4
Denain 45 B 4
Den Burg 44 C 1
Dendermonde 45 C 3/4
Den Haag 44 B/C 2
Den Ham 26 B 1
Den Helder 44 C 2
Denia 57 F 3
Denizli 85 A/B 2
D'Entrecasteaux-Inseln
    108 C 2
Dents du Midi 50 A 3
Denver 118 C 2/3
Dera 84 C 2
Dera Ismail Chan 88 B 1
Derbent 91 C 4
Derby (Australien) 104 B 3
– (England) 39 E/F 4
Derna 74 C 1
Deseado 131 C 4
Desenzano del Garda
    51 E 4
Desht-i-Kevir = Große
    Salzwüste
Des Moines 119 D 2
Desna 90 B 3
Dessau 36 D 2
Dessie 75 D 3
Detmold 27 D/E 2
Detroit 120 B 2
Dettifoss 40, I C/D 1
Deurne 45 D 3
Deutschland,
    Bundesrepublik –
    20 B – D 1 – 5
Deutsche Demokratische
    Republik (DDR)
    20 D/E 2/3
Deutschlandsberg 53 F 3
Deva 64 E 3
Deventer 44 E 2
Devodi 88 C 3
Devoll 63 E 4
Devon 39 D/E 5
Devon-Insel 116 C 2
Devonport 109 C 6
De-zhou 98 C 2
Dhahiriya 84 A/B 3
Dhahran 86 D 4
Dhaulagiri 88 C 2
Dhofar 86 D 6
Diamantina 129 D 3
Diamantino 128 C 3
Diamond-Insel 108 D 3
Dibrugarh 89 D 2
Dickson 92 F 2
Dieburg 29 D 3
Diemel 29 E 1
Dien Bien Phu 102 B 1
Diepholz 24 D 3
Dieppe 46 D 2
Diest 45 D 3/4
Dießen 33 D/E 3
Dietfurt 31 D 2
Dievenow (Dziwnów)
    35 E 1
Diez 28 C 2
Digne 49 G 3
Digos 103 D 3
Digul 108 B 2
Dihang 89 D 2

Di-hua = Urumchi
Dijon 47 F 3
Diksmuide 45 A/B 3
Dili 103 D 4
Dill 28 D 2
Dillenburg 28 D 2
Dilling 75 C/D 3
Dillingen 30 C 3
Dimachq = Damaskus
Dimitrovgrad (Bulgarien)
    66 D/E 2
– (Jugoslawien) 63 F 3
Dimona 84 A/B 3
Dinagat 103 D 2
Dinan 46 B 2
Dinant 45 C 4
Dinara 62 C 2/3
Dinard 46 B 2
Dingelstädt 36 B 2
Dingolfing 31 E 3
Dingwall 38 D 2
Ding-xian 98 B 2
Dinkel 26 B 1
Dinkelsbühl 30 C 2
Dinslaken 26 B 2
Diourbel 72 A 3
Dipolog 103 D 3
Dippoldiswalde 37 E 3
Diredaua 75 E 3/4
Dirranbandi 109 C 4
Dirschau (Tczew) 54 E 1/2
Disful 86 C 3
Diskobay 116 F 3
Disko-Insel 116 F 3
Dithmarschen 22 B/C 1
Ditzingen 32 B/C 2
Diu 88 B 2
Divriği 85 C 2
Dixonstraße 115 F 4
Diyarbakir 85 C/D 2
Dja 74 B 4
Djado 73 D 3
Djailolo 103 D 3
Djajawidjajagebirge
    108 B/C 2
Djalaspitze 108 B 2
Djalo, Oase – 74 C 2
Djambala 76 B 2
Djanet (Fort Charlet)
    73 C 2
Djang 74 A 4
Djask 87 D 4
Djebel el-Akhdar 74 C 1
Djebel es-Soda 74 B 2
Djebel Gurgei 74 C 3
Djebel Harasa 75 D 3
Djebel Marra 74 C 3
Djebel Nefusa 74 B 1
Djebel Sarhro 72 B 1
Djebel Teljo 74 C 2
Djebel Toubkal 72 B 1
Djebel Tuwaiq 86 C 5/6
Djebel Uweinat 74 C 2
Djedi 73 C 1
Djefara 73 D 1
Djelfa 73 C 1
Djema 74 C 4
Djerba 73 D 1
Djibouti (St. u. O.)
    71 u. 75 E 3
Djidda 86 B 5
Djizan 86 C 6
Djofra-Oasen 74 B 2
Djourab 74 B 3
Djuba 75 E 4
Djursland 42 D 2
Dnjepr 90 B 3/4
Dnjepr-Bug-Kanal 55 H 2
Dnjepropetrowsk 91 B 4
Dnjestr 90/91 A 4
Dobbiaco = Toblach
Dobbyn 108 B 3
Döbeln 37 E 2
Doberlug-Kirchhain 37 E 2
Dobiegniew = Woldenberg
Dobo 108 B 2
Doboj 62 C/D 2
Döbraberg 31 D 1
Dobrudscha 65 H 3/4

Doce 129 D 3
Dodekanes 67 E 5
Dodona 77 D 2
Doetinchem 44 E 2/3
Dogdo 100 B 2
Doggerbank 38 G/H 3
Dogo 100 C 2
Doha 86 D 4
Dokkum 44 D/E 1
Dolak 108 B 2
Dôle 47 F 3
Dolina 55 G/H 4
Dollart 24 C 2
Dolo 75 E 4
Dolomiten 51 F/G 3
Dom (B.) 50 B 3
Domažlice 31 E 2
Dombarowskij 91 D/E 3
Dombås 41 B 3
Dombes 47 F 3
Dominica 125 E/F 3
Dominikanische Republik
    123 E/F 3
Dömitz 34 B 2
Domodossola 50 C 3
Domokos 67 B/C 4
Dompaire 50 A 1
Don (Fl., Schottland) 38 E 2
– (Fl., UdSSR) 90 B/C 3/4
Donau 14/15 D – F 4/5
Donaueschingen 32 B 3
Donaumoos 31 D 3
Donauried 30 C 3
Donaustauf 31 E 2
Donauwörth 30 C 3
Don Benito 56 C 3
Doncaster 39 F 4
Donegal 38 B 3
Donegalbai 38 B 3
Donez 91 B 4
Donezk 91 B 4
Donggala 103 C 4
Dong Hoi 102 B 2
Dongo 50/51 D 3
Dongola 75 D 3
Dong-sha-dao = Pratas
Donnaz 50 B 4
Donnerpaß 118 A 3
Donnersberg (CSSR)
    37 E 3
– (Pfalz) 28 C 3
Dora Baltea 50 B 4
Dora Riparia 50 B 4
Dordrecht 44 C 3
Dordogne 48 C/D 3
Dorfen 33 F 2
Dori 72 B 3
Dormagen 26 B 2
Dornbirn 51 D 2
Dornoch 38 D/E 2
Dorohoi 65 G 2
Dorpat (Tartu) 41 F 4
Dorsten 26 B 2
Dortmund 26 C 2
Dortmund-Ems-Kanal
    26 C 2
Dörzbach 32 C 1
Dosse 34 C 3
Dosso 72 C 3
Douai 45 B 4
Douala 74 B 4
Douarnenez 46 A 2/3
Doubs 50 A 2/3
Douglas (England) 39 D 3
-(USA) 118 B/C 3
Doumé 74 B 4
Doune (Schl.) 38 D/E 2
Douro 56 A 2
Dover (England) 39 G 5
– (USA) 121 F 4
Dovrefjell 41 B 3
Drachten 44 E 1
Draguignan 49 G 4
Drakensberge 78 B/C 3
Drama 66 D/E 2
Dramburg (Drawsko
    Pomorski) 35 F 2
Drammen 41 B 4
Drangajökull 40, I B 1

Drau (Drava) 52 C – F 3
Drawsko Pomorski =
    Dramburg
Dreistelzberg 30 B 1
Drei Zinnen 51 G 3
Dresden 37 E/F 2
Dreux 46 D 2
Drewenz (Drwęca) 54 E 2
Driesen (Drezdenko)
    35 F 3
Drin 63 E 3
Drina 62 D 2
Drobeta Turnu Severin
    64 E 3
Drogheda 39 C 4
Drogobytsch 55 G 4
Drôme 49 F 3
Dronninglund 42 D 1
Drushina 94 F 3
Drut 55 K 2
Druzba 66 F 2
Drwęca = Drewenz
Drygalski-Insel 135 D 3
Dsabchan 96 C 2
Dshagdygebirge 95 D/E 4
Dshalinda 95 D 4
Dshambul 91 E/F 4
Dsheskasgan 91 E 4
Dshetygara 91 E 3
Dshisa 84 B/C 3
Dshugdshurgebirge
    94/95 E/F 4
Dshulfa 91 C 5
Dshussaly 91 E 4
Dsun Bulak 97 E 2
Dsungarei 96 B 2
Dsungarische Pforte
    93 F 5
Dubawntsee 114 I/K 3
Dubbo 109 C 5
Dublin (Baile Atha Cliath)
    39 C/D 4
Dubno 55 H 3
Du Bois 120 D 3
Dubrovnik 62 C/D 3
Dubuque 119 D 2
Ducherow 35 D 1
Duderstadt 25 F 4
Dudinka 92 F 3
Duero 56 C 2
Dufourspitze 50 B 4
Duhnen 24 D 2
Duisburg 26 B 2
Dulce 130 C 2
Dulcegolf 123 D 4
Dülmen 26 C 2
Duluth 119 D 2
Dumaguete 103 D 3
Dumai 102 B 3
Dumfries 38 D/E 3
Dümmer 24 D 3
Dumyat = Damietta
Dün 36 B 2
Duna = Donau
Düna (Daugava) 41 F 4
Dünaburg (Daugavpils)
    41 F 4/5
Dunajec 54 F 4
Dunaújváros 64 C 2
Dunbar 38 E 2
Duncansby Head 38 E 1
Dundalk 39 C/D 3/4
Dundas 116 E 2
Dundee 38 E 2
Dunderland 40 C 2
Dundret 40 E 2
Dunkirk 120 D 2
Düne (I.) 22 A/B 1
Dunedin 109, I B 2
Dunfermline 38 E 2
Dun-hua 100 B 1
Dun-huang 96 C 2
Dünkirchen (Dunkerque)
    46 E 1
Dun Laoghaire 39 C/D 4
Duppauer Gebirge 31 F 1
Durance 49 F 4
Durango (Mexiko) 122 B 2
– (USA) 118 C 3

Durban 78 C 3
Düren 26 B 3
Durg 88 C 2

Durham 38 E/F 3
Durmitor 62 D 3
Dürrenstein 53 E/F 2

Durrës 62 D 4
Duschanbe 91 E 5
Düsseldorf 26 B/C 2

Du-yun 97 D 4
Dziwnow = Dievenow

E

Eastburne 39 G 5
East London 78 B 4
Eastmain 117 D 4
Easton 121 E/F 4
Ebbe (G.) 26 C 2
Ebeltoft 42 D 2
Ebensee (O.) 53 D 2
Eberbach 32 C 1
Ebermannstadt 31 D 2
Ebern 30 C 1
Ebersberg 33 E/F 2
Eberswalde-Finow 35 D 3
Ebingen 32 B 2
Ebi-Nuur 96 B 2
Eboli 59 F 4
Ebolowa 74 B 4
Ebro 56/57 D−F 1/2
Ebschloh 26 D 3
Ech Cham = Damaskus
Echo Bay (Port Radium)
114 H 3
Echternach 28 B 3
Echuca 109 C 5
Écija 56 C 4
Eckernförde 22 C 1
Ecuador 113 u. 126 B 3
Edam 44 D 2
Ed-Damer 75 D 3
Ed-Dueim 75 D 3
Eddystone 39 D/E 5
Ede 44 D 2
Edea 74 B 4
Edeïen Murzuq 74 B 2
Edeïen Ubari 74 B 2
Eder 29 E 1
Edessa 66 C 3
Edge-Insel 92 A 2
Edinburgh 38 E 3
Edirne 66 E 3
Edith-Ronne-Land
135 P/Q 1
Edjéleh 73 C 2
Edmonton 115 H 4
Edremit 67 E 4
Eduard VII.-Halbinsel
135 L 2
Edwards-Plateau 118 C 3
Eemshaven 44 E 1
Eforie 65 H 4
Eger (O. u. Fl., ČSSR)
31 E 1
− (O., Ungarn) 64 D 2
Egersund 41 A 4
Eggebek 22 C 1
Eggegebirge 27 D/E 2
Eggenburg 53 F/G 1
Eggenfelden 31 E 3
Eglab 72 B 2
Eğridir-See 85 B 2
Ehingen 32 C 2
Eichsfeld 36 B 2
Eider 22 C 1
Eiderstedt 22 B 1
Eifel 28 B 2
Eil 75 E/F 4
Eilenburg 36/37 D 2
Einbeck 25 E 4
Eindhoven 45 D 3
Einsiedeln 50 C 2
Eire = Irland
Eirunepé 128 B 2
Eisack 51 F 3
Eisenach 36 B 2/3
Eisenberg 36 C 3
Eisenerz (O.) 53 E 2
Eisenerzer Alpen 53 E 2
Eisenhüttenstadt 37 F 1
Eisenkappel 53 E 3
Eisenstadt 53 G 2
Eiserfeld 26 D 3

Eisernes Tor 64 E 3
Eisfeld 36 B 3
Eisleben 36 C 2
Eislingen 32 C 2
Eitorf 26 C 3
Ekibastus 93 E 4
Ektag = Mongolischer
Altai
El-Agheila 74 B 1
El-Agreb 73 C 1
El-Aiun 72 A 2
El-Alamein 85 A 3
El-Araïch 72 B 1
El-Arish 85 B 3
El-Asnam (Orléansville)
57 F 4/5
Elat 85 B/C 4
Elâziğ 85 C 2
Elba 58 D 3
El-Bâb 85 C 2
El-Bahariya-Oasen 85 A 4
Elbasan 62/63 D/E 4
El-Batina 87 D 5
Elbe 18/19 C−F 2/3
Elbe-Havel-Kanal
34 B/C 3
El-Beida 74 C 1
Elbe-Lübeck-Kanal 22 D 2
Elbe-Seitenkanal 25 F 2/3
Elbeuf 46 D 2
Elbing (Elblag) 54 E/F 1
Elbrus 91 C 4
Elbsandsteingebirge
37 F 3
Elburs 86 D 2
El Cerro 128 B 4
Elche 57 E 3
Elde 34 B 2
El-Debba 75 D 3
Eldikan 94 E 3
El-Diwan 75 D 2
El-Djanf 74 C 2
El-Djezair = Algier
El-Djouf 72 B 2
El Dorado 77 D 1
El Escorial (Schl.) 56 C 2
Eleuthera 123 E 2
El Faiyum 85 A/B 4
El-Fasher 74 C 3
Elfenbeinküste
71 u. 72 B 4
El Ferrol del Caudillo 56 A 1
Elgena 75 D 3
El-Geneina 74 C 3
El-Ghor 84 B 2/3
Elgin 38 E 2
El-Goléa 73 C 1
Elgon 77 D 1
El-Hank 72 B 2
El-Hasa 86 D 4
El-Hauta 86 C 5
Elhovo 66 E 2
Elisabethville =
Lubumbashi
Elista 91 C 4
Elizabeth (Australien)
109 B 5
− (USA) 121 F 3
Elizabeth-Inseln 121 H 3
El-Jadida (Mazagan)
72 A/B 1
El-Jaghbub 75 D 2
Elk = Lyck
El-Kala 60 B 4
El-Kef 60 B 4
El-Khalil = Hebron
El-Khoms 74 B 1
Elkins 120 D 4
Elko 118 B 2
El-Kuds = Jerusalem

El-Kunfudha 86 C 6
Ellesmere-Inseln
116 C/D 1/2
Ellice-Insel = Tuvalu
El-Lisan 84 B 3
El-Lith 86 C 5
Ellrich 36 B 2
Ellsworthland 134 O 2
Ellwangen 32 C/D 2
Elm (G., Niedersachsen)
25 F 3
− (O., Schweiz) 50 D 3
El-Madinah = Medina
El-Mansura 85 B 3
El-Manzil 84 C 3
El-Merj 74 B/C 1
El-Minya 85 A/B 4
Elmira 121 E 2
Elmshorn 22 C 2
El-Muglad 74 C 3
El-Nahud 74 C 3
Elne (Kl.) 49 E 4
El-Obeid 75 C/D 3
El-Oued 73 C 1
El Pico 128 B 3
El-Qahira = Kairo
El-Qatrana 84 C 3
El-Qatrun 74 B 2
El-Quseir 85 B 4
El Salvador 123 D 3
Elsaß 47 G 2
Elsch 58 D 1
Elsfleth 24 D 2
Elsterberg 36 C/D 3
Elstergebirge 31 E 1
Elsterwerda 37 E 2
El-Sufaynah 86 C 5
El Tigre 126 C 2
El Turbio 131 B 5
El-Ubayleh 86 D 5
Elvas 56 B 3
El-Wadj 85 C 3
Ely (England) 39 G 4
− (USA) 118 B 3
Elz (Fl. zum Rhein) 32 A 2
− (Fl. zum Mosel) 28 C 2
Elze 25 E 3
Ema 41 F 4
Emba 91 D 4
Embarcación 130 C 2
Embrun 49 G 3
Emden 24 C 2
E-mei-shan 96 D 4
Emerald 109 C 4
Emi Koussi 74 B 3
Emilia 58 D 2
Emlichheim 24 B/C 3
Emmeloord 44 D 2
Emmen 44 E 2
Emmendingen 32 A/B 2
Emmental 50 B 2/3
Emmerich 26 B 2
Ems 24 C 2/3
Emsdetten 26 C 1
Ems-Jade-Kanal 24 C 2
Emsland 24 C 3
Encarnación 130 D 2
Encounter-Bai 109 B 5
Endeh 103 D 4
Endelave 42 D 3
Enderbyland 135 C 3
Enez 66 E 3
Engadin 51 D/E 3
Engelberg (O.) 50 C 3
Engels 91 C 3
Engen 32 B 2
Enggano 102 B 4
England 39 F/G 4
English Channel =
Der Kanal

Enkhuizen 44 D 2
Enna 60 D 4
Ennedi 74 C 3
Ennepetal (O.) 26 C 2
Ennigerloh 26 C/D 2
Ennis 39 B 4
Enns (O. u. Fl.) 53 E 1
Enontekiö 40 E 1
Enschede 44 E 2
Ensenada 122 A 1
En-shi 98 A 3
Ensisheim 50 B 2
Entebbe 77 D 1
Entenbühl 31 E 2
Entrèves 50 A/B 4
Enugu 73 C 4
Enz (Fl. zum Neckar)
32 B/C 2
Epe 44 D 2
Epernay 47 E 2
Ephesos 67 E 5
Epinal 50 A 1
Epirus 67 B 4
Eppingen 32 B 1
Eraclea 60 D 4
Erbach 29 D 3
Erbeskopf 28 B/C 3
Erbil 85 D 2
Erciş 85 D 2
Erciyas daği 85 B/C 2
Erding 33 E/F 2
Erdiplateau 74 C 3
Erdistan 86 D 3
Ereen Chabarg 96 B 2
Ereğli 85 B 1
Erexim 129 D 4
Erft 26 B 2/3
Erftstadt 26 B 3
Erfurt 36 B 3
Erg Chech 72 B 2
Ergene 66 E 3
Erg er-Raoui 72 B 2
Ergoldsbach 31 E 3
Erice 60 D 3
Erie (O. u. -see)
120 C/D 2/3
Erie-Kanal 120 D 2
Erigavo 75 E 3
Eriha = Jericho
Eritrea 75 D/E 3
Erkelenz 26 B 2
Erkner 35 D 3
Erlangen 30/31 C/D 2
Erlauf 53 F 1
Erlenbach (O., Hessen)
30 B 2
− (O., Schweiz) 50 B 3
Er-lian 97 E 2
Ermelo 44 D 2
Ernstberg 28 B 2
Er-Riad 86 C 5
Er-Rif 72 B 1
Errigal 38 B/C 3
Er-Roseires 75 D 3
Erstein 32 A 2
Eryx = Erice
Erzgebirge 31 E/F 1
Erzincan 85 C 1/2
Erzurum 85 C/D 1/2
Esbjerg 42 B 3
Esch 45 D 5
Eschenbach 31 D 2
Eschkopf 28 C 3
Eschwege 29 F 1
Eschweiler 26 B 3
Esens 24 C 2
Esino 59 E 3
Eskilstuna 41 D 4
Eskimo Point 117 B 3
Eskişehir 85 B 1/2

Esl

Esla 56 C 1
Eslohe 26 D 2
Eslöv 43 G 3
Esmeraldas 126 B 2
Espelkamp 27 D 1
Esperance 104 B 4
Espírito Santo 129 E 3
Espíritu-Santo-Insel 104 D 3
Espoo 41 E/F 3
Esquel 131 B 4
Es-Salum 74 C 1
Essaouira (Mogador) 72 A/B 1
Esse-Chaija 94 E 3

Essen (Niedersachsen) 24 C 3
– (Nordrhein-Westfalen) 26 B/C 2
Essequibo 127 D 2
Essex 39 G 5
Esslingen 32 C 2
Es-Sur = Tyrus
Es-Suweida 85 C 3
Estergom 64 C 2
Estland 41 F 4
Estoril 56 A 3
Estremadura 56 A 3
Estremoz 56 B 3
Etah 116 D 2
Etoschapfanne 78 A 2

Etsch 51 E 3
Ettal (Kl.) 33 E 3
Ettelbrück 28 B 3
Etten-Leur 45 C 3
Ettlingen 32 B 2
Et-Tur 85 B 4
Euböa (Ewwia) 67 C/D 4
Eucla 109 A 5
Euclid 120 C 3
Eugene 118 A 2
Eupen 45 D/E 4
Euphrat (Firat) 85 C/D 2/3
Eure 46 D 2
Eureka 118 A 2
Europäisches Nordmeer 132 I/K 2/3

Europa-Insel 79 D 3
Europoort 44 B 3
Euskirchen 26 B 3
Eutin 22 D 1
Evansville 119 E 3
Evergem 45 B 3
Everglades 119 E 4
Evian-les-Bains 50 A 3
Evora 56 A/B 3
Evreux 46 D 2
Exmoor 39 E 5
Exmouth 39 E 5
Extremadura 56 B 3
Eyasi-See 77 D 2
Eyjafjord 40, I C 1
Eyre-Halbinsel 109 B 5
Eyre-See 109 B 4

F

Fåborg 42 D 3
Fabriano 59 E 3
Fada 74 C 3
Faddejewskij-Insel 94 F 2
Faenza 58 D 2
Făgăraş 65 F 3
Fagernes 41 B 3
Faido 50 C 3
Fairbanks 114 E 3
Fairport 120 C 3
Faisabad 88 A/B 1
Faizabad 88 C 2
Fakfak 108 B 2
Fakse 43 F 3
Falcon-Stausee 118 D 4
Falaises 46 D 1/2
Falkenau (Sokolov) 31 E 1
Falkenberg (DDR) 37 E 2
– (Schweden) 43 F 2
Falkensee (O.) 34 C/D 3
Falkenstein 36 D 3
Falkland-Inseln 131 C/D 5
Fallersleben 25 F 3
Fallingbostel 25 E 3
Fall River 121 H 3
Falmouth 39 D 5
Falsebai 78 A 4
Falster 43 E/F 4
Falun 41 C/D 3
Falzaregopaß 51 G 3
Famagusta 85 B 3
Fanning-Insel 105 F 2
Fano 59 E 3
Fano 42 B 3
Faradje 77 C 1
Farafangana 79 D 3
Farafra-Oasen 85 A 4
Farah 88 A 1
Farasan-Inseln 86 C 6
Fargo 118 D 2
Farina 109 B 4
Faro 56 B 4
Farquhar 79 E 2
Fashoda = Kodok
Fassatal 51 F 3
Fatima (Kl.) 56 A 3
Faverges 50 A 4
Faxabucht 40, I B 1
Faya 74 B 3
Fécamp 46 D 2
Fehmarn 23 D/E 1
Fehmarnbelt 23 E 1
Fehmarnsund 23 D/E 1
Fehrbellin 34 C 3
Feira de Santana 129 D/E 3
Feistritz 53 F 2
Felber Tauern 52 C 2
Felda 36 B 3
Feldbach 53 F 3
Feldberg (B., Schwarzwald) 32 A/B 3
– (O., DDR) 34 D 2
Feldkirch 51 D 2
Feldkirchen 53 E 3
Fella 52 D 3
Fellbach 32 C 2

Feltre 51 F 3
Femundsee 41 B 3
Feng-cheng 99 D 1
Feng-feng 98 B 2
Fens, The – 39 F/G 4
Fen-yang 98 B 2
Fergana 91 F 4
Ferlach 53 E 3
Fernando de Noronha 129 E 2
Fernando Póo = Bioko Island
Fernpaß 51 E 2
Fès 72 B 1
Fethiye 85 A 2
Feucht 31 D 2
Feuchtwangen 30 C 2
Feuerland (Tierra del Fuego) 131 C 5
Fezzan 74 B 2
Fianarantsoa 79 D 3
Fichtelberg 37 D/E 1
Fichtelgebirge 31 D/E 1/2
Fiddichow (Widuchowa) 35 E 2
Figueira da Foz 56 A 2
Figueras 57 G 1
Figuig 72 B 1
Fiji 105 D 3
Filchner-Schelfeis 134 P 2
Filitosa 49 H 5
Findlay 120 B 3
Finike 85 B 2
Finisterre-Gebirge 108 C 2
Finke 109 B 4
Finne 36 C 2
Finnentrop 26 C 2
Finnischer Meerbusen 41 E/F 3/4
Finnland 17, III F 2 u. 40/41 E 3 – G 3
Finnmark 40 E/F 1
Finow 35 D 3
Finschhafen (O.) 108 C 2
Finschküste 108 C 2
Finsteraarhorn 50 C 3
Finsterwalde 37 E 2
Fiq 84 B 2
Firth of Clyde 38 D 3
Firth of Forth 38 E 2
Firth of Lorn 38 C/D 2
Firth of Tay 38 E 2
Firusabad 86 D 4
Fischbacher Alpen 53 F 2
Fischerhalbinsel 40 H 1
Fishguard 39 D 4/5
Fitzroy 104 B 3
Fjerritslev 42 C 1
Fladengrund 38 F/G 1
Flagstaff 118 B 3
Flamborough Head 39 G 3
Fläming 36/37 D 1/2
Flandern 45 A/B 3/4
Flannan-Inseln 38 B/C 1
Flekkefjord 41 A 4
Flensburg 22 C 1
Fletschhorn 50 B/C 3

Fleurus 45 C 4
Flevoland 44 D 2
Flexenpaß 51 D/E 2
Flims 50/51 D 3
Flinders 108 C 3
Flinders-Gebirge 109 B 5
Flinders-Riff 108 C 3
Flin-Flon 115 I/K 4
Flint 120 B 2
Flint-Insel 107 F 3
Flöha 37 E 3
Florencia 126 B 2
Florenz (Firenze) 58 D 3
Flores (I., Indonesien) 103 D 4
– (O., Guatemala) 123 C/D 3
Floressee 103 C 4
Floriano 129 D 2
Florianópolis 129 D 4
Florida 119 E 4
Florida Keys 119 E 4
Florina 66 B 3
Florø 41 A 3
Flüela 51 D/E 3
Fly 108 C 2
Foča 62 D 3
Focşani 65 G 3
Foggia 59 F/G 4
Föhr 22 B 1
Foix 48 D 4
Folda 40 C 2
Folgefonni 41 A 3/4
Foligno 59 E 3
Folkestone 39 G 5
Fonfar 38 E 2
Fonsecabai 123 D 3
Fontainebleau 46/47 E 2
Fonte Boa 128 B 2
Forbach (Baden-Württemberg 32 B 2
– (Frankreich) 28 B 3
Forbes 109 C 5
Forchheim 31 D 2
Forggensee 33 D 3
Forli 58 D/E 2
Formentera 57 F 3
Formosa (O., Argentinien) 130 D 2
– = Taiwan
Fornaes 42 D/E 2
Forno di Zoldo 52 C 3
Forsayth 108 D 3
Forst 37 F 2
Fort Albany 117 C 4
Fortaleza 129 E 2
Fort Archambault = Sarh
Fort Chimo 117 E 4
Fort Collinson 114 H 2
Fort Dauphin 79 D 3
Fort-de-France 125 E/F 3
Fort Frances 117 B 5
Fort George 117 D 4
Fort Good Hope 114 G 3
Fort Hope 117 C 4
Forth Smith 119 D 3
Fort Lamy = Ndjemena 74 B 3

Europa-Insel / Fort McMurray

Fort McMurray 115 H/I 4
Fort Nelson 115 G 4
Fort Norman 114 G 3
Fort-Peck-Stausee 118 C 2
Fort Rupert 117 D 4
Fort Sandeman 88 A 1
Fort Schewtschenko 91 D 4
Fort Selkirk 114 F 3
Fort Severn 117 C 4
Fort Simpson 114 G/H 3
Fort Vermilion 115 H 4
Fort Victoria 78 C 3
Fort Wayne 119 E 2
Fort William 38 D 2
Fort Worth 118 D 3
Fort Yukon 114 E 3
Fos 49 F 4
Fo-shan 97 E 4
Fougères 46 C 2
Fourmies 45 B/C 4
Foveaux-Straße 109, I A 2
Foxe 116 D 3
Foxekanal 116 D 3
Franceville 76 B 2
Franche-Comté 47 F/G 3
Francis-Case-Stausee 118 C/D 2
Francistown 78 B 3
Frankenwald 31 D 1
Fränkische Alb 31 D 2
Fränkische Schweiz 31 D 2
Frankenberg (Hessen) 29 D/E 1
– (DDR) 37 E 3
Frankenhöhe 30 C 2
Frankenmarkt 52 D 1/2
Frankenthal 28 D 3
Frankfort (USA) 119 E 3
Frankfurt/Main 28 D 2
– /Oder 35 E 3
Fränkische Saale 30 B/C 1
Franklin-Distrikt 114 H – K 2
Franklin-Straße 114 K 2
Frankreich 17, III C/D 4 u. 46/47 u. 48/49
Franzensbad (Františkovy Lázně) 31 E 1
Franz-Josef-Land 92 B – D 2 u. 132 G/H 1
Französisch-Guayana 113 u. 127 D 2
Fraser 115 G 4
Fraserburgh 38 E/F 2
Fraser-Insel 109 D 4
Frauenfeld 50 C/D 2
Frechen 26 B 3
Fredericia 42 C 3
Frederick 120 E 4
Fredericksburg 120 E 4
Fredericton 117 E 5
Frederikshåb 116 F 3
Frederikshavn 42 D/E 1
Frederikssund 43 F 3
Frederiksvaerk 43 E 2/3

Fredrikstad 41 B 4
Freetown 72 A 4
Freiberg 37 E 3
Freiberger Mulde 37 E 2/3
Freiburg (Breisgau)
32 A/B 2
– (Fribourg, Schweiz)
50 B 3
Freilassing 33 F 3
Freising 31 D 3
Freistadt 53 E 1
Freistett 32 A/B 2
Freital 37 E 2/3
Fréjus 49 G 4
Fremantle 104 A 4
Fresno 118 B 3
Freudenstadt 32 B 2
Freundenstadt =
Tonga
Freyburg 36 C 2
Freystadt (Kożuchów)
37 G 2

Freyung 31 F 3
Friaul 52 C/D 3
Fribourg = Freiburg
(Schweiz) 50 B 3
Friedberg (Bayern)
33 D/E 2
– (Hessen) 28/29 D 2
– (Steiermark) 53 F/G 2
Friedeberg (Strzelce
Krajeńskie) 35 F 3
Friedland (O., DDR)
34 D 2
– (O., Niedersachsen)
25 E/F 4
Friedrichshafen 32 C 3
Friedrichskoog 22 D 1
Friedrichstadt 22 C 1
Friesack 34 C 3
Friesoythe 24 C/D 2
Frische Nehrung 54 E 1
Frisches Haff 54 E 1
Fritzlar 29 E 1

Frobisherbai (O. u. Bucht)
116 E 3
Frome-See 109 B/C 5
Frosinone 59 E 4
Froya 40 B 3
Fruchtbarer Halbmond (L.)
85 C/D 2
Frunse 93 E 5
Fuchskauten 28 C/D 2
Fuerteventura 72 A 2
Fuhse 25 F 3
Fu-jin 97 G 2
Fujiyama 101 D 3
Fukui 101 D 3
Fukuoka 100 B 3
Fukushima 101 E 2
Fulda (O. u. Fl.) 29 E 1/2
Fulpmes 51 F 2
Funchal 72 A 1
Fundão 56 B 2
Fundybai 117 E 5
Fünen (Fyn) 42 D 3

Funtua 73 C 3
Furka 50 C 3
Furneaux-Gruppe
109 D 5/6
Fürstenau 24 C 3
Fürstenberg (O., DDR)
34 D 2
Fürstenfeld 53 F/G 2
Fürstenfeldbruck 33 D/E 2
Fürstenwalde 35 E 3
Fürth 30 C 2
Furth im Wald 31 E 2
Furtwangen 32 B 2
Fu-shun 99 D 1
Füssen 33 D 3
Fu-xian 98 A 2
Fu-xin 99 D 1
Fu-yang 98 C 3
Fu-yu 97 F 2
Fu-zhou 97 E 4
Fyn = Fünen
Fynshav 42 D 4
Fyns Hoved 42 D 3

G

Gabela 76 B 3
Gabès 73 D 1
Gablonz (Jablonec) 37 G 3
Gaborone 78 B 3
Gabrova 66 D 2
Gabsan 100 B 1
Gabun (St. u. Fl.)
71 u. 76 A/B 1/2
Gadebusch 34 B 2
Gadera 51 F 3
Gaesong 97 F 3
Gaeta 59 E 4
Gafsa 73 C 1
Gaggenau 32 B 2
Gagnoa 72 B 4
Gagnon 117 E 4
Gail 52 D 3
Gaildorf 32 C 1
Gailtaler Alpen 52 C/D 3
Gaimersheim 31 D 3
Gairdner-See 109 B 5
Gaising 41 F 4
Galakka 74 B 3
Galana 77 D 2
Galápagos-Inseln 126, I
Galashiels 38 E 3
Galaţi 65 G 3
Galdhöpiggen 41 A/B 3
Galena 114 D 3
Galician 56 A/B 1
Galiläa 84 B 2
Galite 60 B 4
Galla 75 D/E 4
Galle 88 B/C 4
Gallego 57 E 1
Gallipolis 120 B 4
Gällivare 40 E 2
Gallneukirchen 53 E 1
Galveston 119 D 4
Galway (O. u. -bay) 39 B 4
Gambela 75 D 4
Gambia 71 u. 72 A 3
Gamboma 76 B 2
Gammertingen 33 C 2
Gamvik 40 G 1
Gander 117 F 5
Ganges (Ganga) 88 B/C 2
Ganggye 100 A 1
Ganghwa 100 A 2
Gangreung 100 B 2
Gangtok 89 C 2
Gannett Peak 118 B/C 2
Gansberg 78 A 3
Ganysee 114 I/K 3
Ganzi 96 D 3
Gao 72 C 3
Gao-xiung = Kaohsiung
Gap 49 F/G 3
Gard 49 F 3/4
Garda 51 E 4

Gardasee 51 E 4
Gardelegen 34 B 3
Gardone Riviera 51 E 4
Garissa 77 D/E 2
Garm 91 E/F 5
Garmisch-Partenkirchen
33 D/E 3
Garonne 48 C/D 3/4
Garoua 74 B 4
Garrel 24 D 3
Garthog (Ga-er) 96 A/B 3
Gartz 35 E 2
Gary 119 E 2
Gasan-Kuli 91 D 5
Gascogne 48 C/D 3/4
Gashaka 73 D 4
Gasli 91 E 4
Gasmata 108 C/D 2
Gaspé 117 E 5
Gassaway 120 C 4
Gassun-Nuur 96 C/D 2
Gastuni 67 B 5
Gateshead 38 E/F 3
Gatooma 78 B/C 2
Gattinara 50 C 4
Gattschina 41 G 4
Gauhati 89 D 2
Gaula 41 B 3
Gausta 41 B 4
Gaußberg (Antarktis)
135 E 2/3
Gauting 33 E 2
Gave du Pau 48 C 4
Gävle 41 D 3
Gawler-Gebirge 109 B 5
Gaya 88/89 C 2
Gaza 84 A 3
Gaziantep 85 C 2
Gdańsk = Danzig
Gdingen (Gdynia)
54 D/E 1
Gedaref 75 D 3
Gede 102 B 4
Gedern 29 E 2
Gediz 67 E 4
Gedser 43 E 4
Gedser Odde 43 E/F 4
Geelong 109 C 5
Ge-er-mu (Golmo) 96 C 3
Geeste 24 D 2
Geesthacht 22 D 2
Geiersberg 30 B 2
Geilenkirchen 26 B 3
Geilo 41 B 3
Geiranger 41 A 3
Geisenfeld 31 D 3
Geislingen an der Steige
32 C 2
Ge-jiu 96 D 4
Gela 60 D 4
Gelbes Meer 97 F 3

Gelderland 26 B 1
Geldern 26 B 2
Geldrop 45 D 3
Geleen 45 D/E 4
Gelibolu 66 E 3
Gelnhausen 29 E 2
Gelsenkirchen 26 B/C 2
Gemmi 50 B 3
Gemona 52 D 3
Gemünden (Bayern) 30 B 1
– (Hessen) 29 D 2
Geneva 120 E 2
Genève = Genf
General Santos 103 D 3
Genezareth = See Tiberias
Genf (Genève) 50 A 3
Genfer See (Lac Léman)
50 A 3
Gengenbach 32 B 2
Genil 56 C 4
Genk 45 D 3/4
Gent 45 B 3
Genthin 34 C 3
Genua (Genova) 58 C 2
Geogeum 100 A 3
Geoje 100 B 3
Geok-Tepe 91 D 5
Georgetown 127 D 2
Georgia 119 E 3
Georgian-Bai 120 C 1
Georgsmarienhütte
24 C/D 3
Gepatschspeicher 51 E 3
Gera 36 C/D 3
Geraldton 104 A 4
Gérardmer 50 A 1
Geretsried 33 E 3
Gerlospaß 52 C 2
Germantown 121 F 3
Germering 33 E 2
Germersheim 28 D 3
Gernsheim 28/29 D 3
Gerolstein 28 B 2
Gerolzhofen 30 C 2
Gerona 57 G 2
Gerre-Berge 74 B 3
Gers 48 D 4
Gersfeld 29 E 2
Gersprenz 29 D 3
Gerstetten 32 C/D 2
Gersthofen 30 C 3
Gerstungen 36 B 3
Geschriebenstein 53 G 2
Geseke 26 D 2
Gesellschaftsinseln
105 F 3
Gettysburg 120 E 4
Geyer 37 D 3
Gezira 75 D 3
Gföhl 53 F 1
Gutli 64 E/F 2

Ghadames 74 B 1
Ghaghara 88 C 2
Ghana 71 u. 72 B 4
Ghardaïa 73 C 1
Gharyan 74 B 1
Ghasni 88 A 1
Ghat 74 B 2
Gheorgheni 65 F/G 2
Gheorghiu-Dej 65 G 2
Ghirtal 73 C 1
Ghoi 86 C 2
Giants Causeway 38 C 3
Gibraltar 56 C 4
Gibsonwüste 104 B 4
Giddipaß 85 B 3
Gideälv 40 D 3
Giengen 32 D 2
Gießen 28/29 D 2
Gifhorn 25 F 3
Gifu 101 D 3
Giglio 58 D 3
Gijón 56 C 1
Gila (Fl.) 118 B 3
Gila-Wüste 122 A 1
Gilbert-Inseln 105 D 2/3
Gilbjerg Hoved 43 F 2
Gilge 55 F 1
Gilgit 88 B 1
Gilju 100 B 1
Gimcheon 100 B 2
Ginir 75 E 4
Giohar 75 E 4
Gioia de Colle 59 G 4
Giona 67 C 4
Giovipaß 58 C 2
Gippsland 109 C 5
Giresun 85 C 1
Girischk 88 A 1
Gironde 48 C 3
Gisborne 109, I B 1
Gishiga 94 H 3
Giurgiu 65 F/G 4
Gizeh 85 B 3/4
Gjirokaster 63 D/E 4
Gjövik 41 B 3
Gladstone 109 D 4
Glåma 41 B 3
Glamis (Schl.) 38 E 2
Glan 28 C 2
Glandorf 24 C/D 3
Glarner Alpen 50/51 C/D 3
Glärnisch 50 C/D 3
Glarus 50 D 2
Glasgow 38 D/E 3
Glashütte 37 E 3
Glasow 90 D 3
Glatz (Kłodzko) 54 D 3
Glauchau 36 D 3
Gleinalpe 53 E/F 2
Gleiwitz (Gliwice) 54 E 3
Glendalough (Kl.) 39 C/D 4

Glenmorgan 109 C 4
Glenn More 38 D 2
Glens Falls 121 F/G 2
Glittertind 41 B 3
Gliwice = Gleiwitz
Glogau (Głogów) 54 C/D 3
Glonn (Ö. u. Fl.) 33 E 3
Gloversville 121 F 2
Gloucester 39 E 5
Glücksburg 22 C 1
Glückstadt 22 C 2
Gmünd 53 E/F 1
Gmunden 53 D/E 2 .
Gnesen (Gniezno) 54 D 2
Gniben 43 E 2
Gniezno = Gnesen
Gnoien 34 C 2
Goa = Panjim
Gobabis 78 A/B 3
Gobi (Schamo)
  96/97 C–E 2
Gobi-Altai 96/97 C/D 2
Goce Delčev 66 C 3
Goch 26 B 2
Godavari 88 B 3
Goderich 120 C 2
Godhavn 116 F 3
Godthåb 116 F 3
Goes 45 B 3
Göhrde 25 F 2
Goiandira 129 D 3
Goiânia 129 C/D 3
Goiás (O. u. Bundesstaat)
  129 C/D 3
Gojam 75 D 3
Golanhöhen 84 B 1/2
Goldberg 34 B/C 2
Goldene Aue 36 C 2
Golden Vale (Irland)
  39 B/C 4
Goldküste 72 B/C 4
Golela 78 C 3
Goleniów = Gollnow
Golfe du Lion 49 E/F 4
Golfo Aranci 58 C/D 4
Golf von Aden 86 C/D 7
Golf von Akaba 85 B 4
Golf von Alaska 114 E 4
Golf von Amatique 123 D 3
Golf von Antalya 85 B 2
Golf von Bengalen
  88/89 C/D 3
Golf von Biscaya 46 A/B 4
Golf von Bo-hai 99 C 2
Golf von Burgas 66 E/F 2
Golf von Cádiz 56 A/B 4
Golf von Cambay 88 B 2/3
Golf von Darién 123 E 3/4
Golf von Gaeta 59 E 4
Golf von Genua 58 C 2/3
Golf von Hammamet
  60 C 4
Golf von Honduras
  123 D 3
Golf von Irian 108 B 2
Golf von Kalifornien
  122 A 1/2
Golf von Korinth 67 C 4
Golf von Kutch 88 A 2
Golf von Liao-dong
  99 D 1/2
Golf von Manfredonia
  59 G 4
Golf von Mannar 88 B 4
Golf von Martaban 89 C 3
Golf von Mesaras 67 D 6
Golf von Mexiko
  122/123 C/D 2
Golf von Neapel 59 E/F 4
Golf von Oman 87 D/E 5
Golf von Panamá 123 E 4
Golf von Paria 126 C 1
Golf von Petras 67 B 4
Golf von Penas 131 B 4
Golf von Policastro 59 F 5
Golf von Rosas 57 G 1
Golf von Saint-Malo 46 B 2
Golf von Sant' Eufemia
  61 E 3

Golf von Salerno 59 F 4
Golf von Saros 66 E 3
Golf von Siam 102 B 2/3
Golf von Squillace 61 F 3
Golf von Suez 85 B 4
Golf von Tarent 59 G 4
Golf von Tehuatepec
Golf von Tolo 103 D 4
Golf von Tomini
  103 D 3/4
Golf von Tongking
  102 B 1/2
Golf von Triest 59 E 2
Golf von Tunis 60 C 4
Golf von Valencia 57 F 3
Golf von Venezuela
  126 B 1
Golling 52 D 2
Gollnow (Goleniów)
  35 E/F 2
Golmo = Ge-er-mu
Golo 49 H 4
Golspie 38 E 2
Gombe 73 D 3
Gomel 90 B 3
Gomera 72 A 2
Goms 50 C 3
Gonam 95 D 4
Gondar 75 D 3
Gong-ga-shan = Minya
  Konka
Goose Bay (O.) 117 E/F 4
Göppingen 32 C 2
Gorakhpur 88 C 2
Gore 75 D 4
Gorgan 86 D 2
Gorgona 58 C 3
Gorinchem 44 C/D 3
Gorizia 52 D 4
Gorkij 90 C 3
Gorleben 25 G 2
Görlitz 37 F 2
Gorno-Altaisk 93 F 4
Goroka 108 C 2
Gorontalo 103 D 3
Gorzow Wielkopolski =
  Landsberg
Goschen-Straße
  108 D 2/3
Goseong 100 B 2
Goslar 25 F 4
Götaälv 41 C 4
Götakanal 41 C 4
Götaland 41 C/D 4
Göteborg 43 E 1
Gotha 36 B 3
Gotland 41 D 4
Gotska Sandön 41 D 4
Göttingen 25 E/F 4
Gouda 44 C 2/3
Goulburn 109 C 5
Governador Valadares
  129 D 3
Gowerla 55 H 4
Goya 130 D 3
Gozo 60 D 4
Graaf-Reinet 78 B 4
Graal/Müritz 34 B/C 1
Grabfeld 30 C 1
Grabow 34 B 2
Gradiška 62 C 2
Græsted-Gilleleje
  43 D/E 2
Gräfelfing 33 E 2
Grafenau 31 F 3
Gräfenhainichen 36 D 2
Grafenwöhr 31 D 2
Grafing 33 E/F 2
Grafton 109 D 4
Graham-Bell-Insel
  92 D/E 1
Grahamstown 78 B 4
Grahovo 53 D 3
Grajische Alpen 50 A/B 4
Gram 42 B/C 3
Grammos 66 B 3
Grampian Mountains
  38 D/E 2
Gramzow 35 D/E 1

Granada (Nicaragua)
  123 D 3
– (Spanien) 56 C/D 4
Gran Canaria 72 A 2
Gran Chaco 130 C 2
Grand Bahama 123 E 2
Grand Bassam 72 B 4
Grand Canyon 118 B 3
Grand Combin 50 B 4
Grande Comore 79 D 2
Grand Forks 118 D 2
Grand Rapids 119 E 2
Gran Paradiso 50 B 4
Gran Sasso d'Italia 59 E 3
Gransee (O.) 34 C/D 2
Grantland 116 C 1
Granville 46 C 2
Graslitz (Kraslice) 31 E 1
Grasse 49 G 4
Gråsten (Schl.) 42 C 4
Gratkorn 53 F 2
Graubündner Alpen 51 D 3
Graudenz (Grudziadz)
  54 E 2
Graz 53 F 2
Great Abaco 123 E 2
Great Dividing Range
  108/109 C/D 3/4
Great Falls 118 B 2
Great Plains 118 C 1–3
Great Whale 117 D 4
Great Yarmouth 39 G/H 4
Greenock 38 D 3
Greenville (Liberia) 72 B 4
-(Maine,USA) 121 I 1
-(Süd-Carolina, USA)
  119 E 3
Gregory-Gebirge 108 C 3
Greifenberg (Gryfice)
  35 E/F 2
Greifenburg 52 D 3
Greiffenberg (Gryfow)
  37 G 2/3
Greifenhagen (Gryfino)
  35 E 2
Greifswald 34 D 1
Greiz 36 D 3
Grenå 42 D/E 2
Grenada 125 E 3
Grenchen 50 B 2
Grenoble 49 F/G 3
Greven 26 C 1
Grevenbroich 26 B 2
Grevenmacher 28 B 3
Grevesmühlen 34 B 2
Grey-Gebirge 109 C 4
Greymouth 109, I B 2
Griechenland 17, III F 5
Griesbach 31 F 3
Grieskirchen 53 D/E 1
Grijpskerk 24 B 2
Grimma 36 / 37 D 2
Grimmen 34 D 1
Grimsby 39 F 4
Grimsey 40, I C 1
Grindavik 40, I B 2
Grindelwald 50 C 3
Grindsted 42 B/C 3
Grintavec 53 E 3
Gröbenzell 33 E 2
Grödnertal 51 F 3
Grodno 55 G/H 2
Groenlo 26 B 1
Groitzsch 36 D 2
Groix 46 B 3
Grömitz 23 D/E 1
Gronau 26 C 1
Grong 40 C 2
Groningen 44 E 1
Grönland 116 H 2
Grönlandsee 132 K 2/3
Groote Eylandt 108 B 3
Grootfontein 78 A 2
Grosseto 58 D 3
Große Ache 33 F 3
Große Antillen
  123 D/E 2/3
Große Arabische Wüste
  (Rub el-Khali) 86 C/D 5

Große Bahamabank
  123 E 2
Große Barrier-Insel
  109, I B 1
Große Karasberge 78 A 3
Große Karroo 78 B 4
Große Laber 31 E 3
Großenbrode 23 E 1
Großenhain 37 E 2
Großenkneten 24 D 3
Großenzersdorf 53 G 1
Großer Alpkogel 53 E 2
Großer Arber 31 E/F 2
Großer Balkan
  (B., UdSSR) 91 D 5
Großer Bärensee
  114 G/H 3
Großer Beerberg 36 B 3
Großer Belchen 50 A/B 2
Großer Belt (Store Bælt)
  42 D/E 3
Großer Chingan
  97 E/F 1/2
Großer Feldberg 28 D 2
Großer Inselsberg 36 B 3
Großer Jenissej 93 G 4
Großer Knechtsand 24 D 1
Großer Löffler 51 F 2
Große Röder 37 E 2
Großer Priel 53 E/F 2
Großer Rachel 31 F 2/3
Großer Sankt Bernhard
  58 B 2
Großer Salzsee (USA)
  118 B 2
Großer Sklavensee
  115 H/I 3
Großer Winterhoek
  78 A/B 4
Große Salzwüste
  (Desht-i-Kevir, Iran)
  86/87 D 3
Große Sandwüste
  (Australien) 108 B 4
Großes Artesisches
  Becken (Australien)
  109 B/C 4
Großes Barrier-Riff
  108 C/D 3/4
Großes Becken (USA)
  118 B 2/3
Großes Ungarisches
  Tiefland (Alföld)
  64 C/D 3
Große Syrte 74 B 1
Große Victoria-Wüste
  109 A/B 4
Groß-Gerau 28 D 3
Großgerungs 53 E/F 1
Großglockner 52 C 2
Groß-Namaland 78 A 3
Großräschen 37 E/F 2
Großröhrsdorf 37 E/F 2
Großsölk 53 E 2
Großvenediger 52 C 2
Grostenquin 28 B 3/4
Grudziadz = Graudenz
Gruissan 49 E 4
Grünberg (Hessen) 29 E 2
– (Zielona Gora) 37 G 2
Grünburg 53 E 2
Grünstadt 28 D 3
Grünten 32/33 D 3
Grünwald 33 E 2
Grusinien 91 C 4
Gryfice =Greifenberg
Gryfino = Greifenhagen
Gryfow = Greiffenberg
Gstaad 50 B 3
Guadalajara (Mexiko)
  122 B 2
– (Spanien) 56 D 2
Guadalcanal 104 C/D 3
Guadalquivir 56 C 4
Guadeloupe (I.) 125 E 3
Guadiana 56 B 3
Guadix 56 D 4
Guaíra 128 C 3
Guajará-Mirim 128 B 3

Guajira, Halbinsel – 126 B 1
Guam 104 C 2
Guanahani = San Salvador
Guang-zhou = Kanton
Guantánamo 123 E 2
Guaporé 128 B 3
Guarda 56 B 2
Guatemala (St. u. O.) 122/123 C 3
Guaviare 126 B 2
Guayaquil 126 B 3
Guaymas 122 A 2
Guben 37 F 2
Gubin 37 F 2
Gudbrandsdal 41 B 3

Gudenå 42 C 2
Gudhjem 43 G 4
Guelph 120 C/D 2
Guéret 46 D 3
Guerrero 122 B/C 3
Gui-lin = Kweilin
Guimarães 56 A/B 2
Guinea 71 u. 72 A/B 3/4
Guinea-Bissau 71 u. 72 A 3
Güiria 126 C 1
Guise 45 B 5
Gui-yang 97 D 4
Gujarat 88 A/B 2
Gurktaler Alpen 52/53 D/E 3
Gulburga 88 B 3

Guldborg 34 B 1
Gulu 77 D 1
Guma (Pi-shan) 96 A 3
Gummersbach 26 C 2
Gundelfingen 30 C 3
Gunsan 100 A 3
Guntakal 88 B 3
Guntur 88 B/C 3
Gunungsitoli 102 A 3
Günz 32 D 2
Günzburg 30 C 3
Gunzenhausen 30 C 2
Gurguela 129 D 2
Gurjew 91 D 4
Gurk (O. u. Fl.) 53 E 3
Gurnigelbad 50 B 3
Gurupá 129 C 2

Gurupi 129 D 2
Güstrow 34 B/C 2
Gütersloh 26 D 2
Gützkow 34 D 2
Guyana 113 u. 127 D 2
Guyenne 48 C/D 3
Gwalior 88 B 2
Gwangju 100 A 3
Gwelo 78 B/C 2
Gyda 92 E 2
Gydangebirge = Kolymagebirge
Gydan-Halbinsel 92 E 2
Gyeongju 100 B 3
Gympie 109 D 4
Gyöngyös 64 C/D 2
Györ = Raab
Gypsumville 115 K 4

H

Haag (Niederösterreich) 53 E 1
– (Oberösterreich) 52 D 1
Haaksbergen 44 E 2
Haapsalu 41 E/F 4
Haar (G.) 26 C/D 2
– (O.) 33 E 2
Haardt 28 C/D 3
Haarlem 44 C 2
Habana 123 D 2
Habcheon 100 A/B 3
Haboro 101 E 1
Habsburg (Schl.) 50 B/C 2
Hachijo 101 D 3
Hachinohe 101 E 1
Haddington 38 E 3
Hadeln 24 D 2
Hadera 84 B 2
Haderslev 42 C 3
Haditha 85 D 3
Hadsten 42 C/D 2
Hadsund 42 D 2
Haeju 100 A 2
Haff, Großes – u. Kleines – 35 E 2
Haffkrug-Scharbeutz 23 D 1
Hafnarfjördur 40, I B 1
Hafun 75 F 3
Hagen 26 C 2
Hagenau (Haguenau) 32 A/B 2
Hagenow 34 A/B 2
Hagerstown 120 E 4
Hagion Oros 66 D 3
Haid (Bor) 31 E 2
Haidenaab 31 D 2
Haifa 84 A/B 2
Hai-kang 97 D 4
Hai-kou 102 C 2
Haïl 85 D 4
Hai-la-er (O. u. Fl.) 97 E/F 2
Hai-long 100 A 1
Hai-lun 97 F 2
Hailuoto (Karlö) 40 E/F 2
Hai-men 99 D 3
Haimhausen 33 E 2
Hai-nan 102 C 2
Hainburg 53 G 1
Hainich 36 B 2
Hainichen 37 E 3
Hainleite 36 B 2
Haiphong 102 B 1
Haithabu 22 C 1
Haïti 123 E 3
Haiya 75 D 3
Hai-yan 96 D 3
Hakkensan 100 C 3
Hakl 85 B/C 3
Hakodate 101 E 1
Hakusan 101 D 2
Halaib 75 D 2
Halberstadt 36 B/C 2
Halbinsel Gaspé 117 E 5
Halbinsel York 108 C 3

Halden 41 B 4
Haldensleben 34 B 3
Haleb (Aleppo) 85 C 2
Halifax (England) 39 E/F 4
– (Kanada) 117 E 5
Halikarnassos 67 E 5
Halland 43 F 1/2
Hall Beach 116 C 3
Halle (Belgien) 45 C 4
– (Nordrhein-Westfalen) 26 D 1
– /Saale (DDR) 36 C/D 2
Hallein 52 D 2
Hallertau 31 D 3
Halligen 22 B 1
Halq el-Oued 60 C 4
Hallsberg 41 C 4
Halls Creek 108 A 3
Hallstatt 52 D 2
Halmahera (Djailolo) 103 D/E 3
Halmstad 43 F 2
Hals 42 D 1
Halse 43 G 4
Haltern 26 B/C 2
Haltiatunturi (Halditsjåkko) 40 E 1
Haluza 84 A 3
Ham 45 B 5
Hama 85 C 2/3
Hamada el-Hamra 74 B 1/2
Hamadan 86 C 2/3
Hamada von Tinghert 73 C/D 2
Hamamatsu 101 D 3
Hamar 41 B 3
Hamburg 22 C/D 2
Hämeenlinna 41 E/F 3
Hameln 25 E 3
Hamheung 100 A 2
Ha-mi 96 C 2
Hamilton (Kanada) 117 C/D 5
– (Neuseeland) 109, I B 1
Hamilton Inlet 117 F 4
Hamm 26 C 2
Hammelburg 30 B 1
Hammerfest 40 E 1
Hammershus 43 G 4
Hanamaki 101 E 2
Hanau 29 D 2
Han-cheng 98 A/B 2
Hangang 100 A 2
Hang-zhou 99 C 3
Hankensbüttel 25 F 3
Hanko (Hangö) 41 E 4
Hannover 25 E 3
Hannut 45 D 4
Hanoi 102 B 1
Han-shui 98 B 3
Hanstholm 42 B 1
Han-zhong 97 D 3
Haparanda 40 E 2
Haradh 86 C/D 5
Harar (O. u. L.) 75 E 4

Harbin (Ha-er-bin) 97 F 2
Harburg (Bayern) 30 C 3
Hardangerfjord 41 A 3
Hardangervidda 41 A/B 3
Hardenberg 44 E 2
Harderwijk 44 D 2
Hargeisa 75 E 4
Hari 102 B 4
Haringvliet 44 B/C 3
Harlesiel 24 C 2
Harlingen 44 D 1
Härnösand 41 D 3
Harris 38 C 2
Harrisburg 120 E 3
Harrisonburg 120 D 4
Harsewinkel 26 C/D 2
Harsprånget 40 D 2
Harstad 40 D 1
Hartberg 53 F 2
Hartford 121 G 3
Harudj el-Asuad 74 B 2
Harwich 39 G 5
Harz 25 F 4
Harzgerode 36 C 2
Har Zin 84 B 4
Hasakah 85 C/D 2
Hase 24 C 3
Haskovo 66 D 3
Haslach 32 A/B 2
Haßberg 30 C 1
Hasselt 45 D 4
Haßfurt 30 C 1
Hassi Messaoud 73 C 1
Hassi R'Mel 73 C 1
Hässleholm 43 G 2
Hastings (England) 39 G 5
– (Neuseeland) 109, I B 1/2
Hatchers Creek 108 B 4
Ha-Tien 102 B 2/3
Hattingen 26 C 2
Hattusa 85 B/C 1
Haubourdin 45 A 4
Haugesund 41 A 4
Haugsdorf 53 G 1
Haukisee 41 G 3
Haura 86 C 7
Hausruck 52 D 1
Haut du Roc 50 A 1/2
Hauteurs de Gâtine 46 C 3
Havel 34 C 3
Havelberg 34 C 3
Havelland 34 C 3
Havre-Saint-Pierre 117 E 4
Hawaii (I.) 105 F 2
Hawaii-Inseln 105 E/F 1
Hawke-Bai 109, I B 1
Hawkesbury 121 F 1
Hay 109 B 4 u. C 5
Hayes-Halbinsel 116 E 2
Hay River (O.) 111 F 3
Heard-Insel 135 D 4/5
Hearst 117 C 4/5
Hebridensee 38 C 2
Hebron (El-Khalil) 84 B 3
– (Kanada) 117 E 4

Hecatestraße 115 F 4
Hechingen 32 B 2
Hechthausen 25 E 2
Hede 41 C 3
Hedensted 42 C/D 3
Hedjas 85 C 3
Heerenveen 44 D/E 2
Heerhugowaard 44 C 2
Heerlen 45 D/E 4
He-gang 97 F/G 2
Heidberg-Insel 116 B 1/2
Heide (Ö.) 22 C 1
Heidelberg 32 B 1
Heidenau 37 E 3
Heidenheim 32 C/D 2
Heilbronn 32 C 1
Heiligenblut 52 C 2
Heiligenhafen 23 D 1
Heiligenstadt 36 B 2
Heilig-Iong-jiang = Ar.
Heilsbronn 30 C 2
Heinig 31 F 3
Heinsberg 26 A/B 2
Heist-op-den-Berg 45 C 3
Hekla 40, I C 1
Hekura 101 D 2
Helbe 36 B/C 2
Helena 118 B 2
Helgaå 43 H 2
Helgeland 40 C 2
Helgoland 22 A 1
Helgoländer Bucht 22 A/B 1
Hellendoorn 26 B 1
Hellenthal 26 B 3
Hellin 57 E 3
Hellville 79 D 2
Helmbrechts 31 D 1
Helme 36 C 2
Helmond 45 D 3
Helmstedt 25 F/G 3
He-long 100 B 1
Helpter Berge 34 D 2
Helsingborg 43 F/G 3
Helsinger 43 F 2
Helsinki (Helsingfors) 41 F 3
Helston 39 D 5
Hemsedalsfjella 41 A/B 3
He-nan 98 B/C 3
Henares 56 D 2
Hendaye 48 B/C 4
Hengelo 44 E 2
Heng-yang 97 E 4
Hennef 26 C 3
Hennigsdorf 34 C/D 3
Henzada 89 C 3
Heppenheim 28/29 D 3
He-pu 97 D 4
Herat 88 A 1
Hérault 49 E 4
Herbolzheim 32 A/B 2
Herborn 28 D 2
Hercegnovi 62 D 3
Herdubreid 40, I C 1

Hereford 39 E 4
Herentals 45 C/D 3
Herford 26/27 D 1
Heri-Rud 88 A 1
Herisau 50 D 2
Herleshausen 29 E/F 1
Hermagor 52 D 3
Hermannsburg (Nieder-
  sachsen) 25 E/F 3
– (Australien) 109 B 4
Hermannstadt = Sibiu
Hermeskeil 28 B/C 3
Hermitt-Inseln 108 C 2
Hermon 84 B 1
Hermosillo 122 A 2
Hermupolis 67 D 5
Herne 26 C 2
Herning 42 B 2
Heroldsberg 31 D 2
Herrenberg 32 B/C 2
Herrenchiemsee (Schl.)
  33 F 3
Herrnburg 34 A 2
Herrsching 33 E 3
Hersbruck 31 D 2
Herstal 45 D 4
Herten 26 C 2
Herzberg (Niedersachsen)
  25 F 4
– (DDR) 37 E 2
Herzliyya 84 A 2
Herzogenaurach 30 C 2
Herzogenburg 53 F 1
Hesel 24 C 2
Hessen 20 C 3 u. 28/29
  D/E 2
Hesselberg 30 C 2
Hesselø 43 D 2
He-tian = Khotan
Hettstedt 36 C 2
Heubach 32 C/D 2
Heuberg 32 B 2
Heuchelberg 32 B/C 1
Heungnam 100 A/B 2
He-ze 98 C 2
Hidalgo 122 C 2
Hiddensee (I.) 34 C/D 1
Hieflau 53 E 2
Hilchenbach 26 D 2/3
Hildburghausen 36 B 3
Hilden 26 B 2
Hildesheim 25 E/F 3
Hilla 86 C 3
Hillerød 43 F 3
Hilmend (Fl. u. -see)
  88 A 1
Hilpoltstein 31 D 2
Hils 25 E 4
Hilversum 44 D 2
Himalaya 88/89 B/C 1/2
Himeji 100 C 3
Himmelbjerget 42 C 2
Himmerland 42 C/D 2
Hindelang 32/33 D 3
Hindukusch 88 A/B 1
Hines Creek (O.)
  115 G/H 4
Hinnøy 40 C/D 1
Hinterrhein 51 D 3
Hionosen 100 C 3
Hirado 100 B 3
Hiroo 101 E 1
Hiroshima 100 B/C 3
Hiroski 101 D/E 1

Hirschau 31 D/E 2
Hirschberg 36 C 3
Hirson 45 C 5
Hirtshals 42 C 1
Hisau 123 E 2/3
Histria 65 H 3
Hita 100 B 3
Hitachi 101 E 2
Hitra 40 B 2
Hitzacker 25 F/G 2
Hjälmarsee 41 C 4
Hjørring 42 C/D 1
Hoa Binh 102 B 1
Hobart 109 C 6
Hobro 42 C 2
Hochalmspitze 52 D 3
Hochfeiler 51 F 3
Hochgolling 52 D 2
Hochgrat 32 D 3
Hochkönig 52 C/D 2
Hochland der Schotts
  72/73 B/C 1
Hochlande (Schottland)
  38 D 1/2
Hochland von Arkadien
  67 B/C 5
Hochschober 52 C 3
Hochschwab 53 E/F 2
Höchstadt 30 C 2
Hochweißtein 52 C 3
Hockenheim 32 B 1
Hodeida 86 C 7
Hodmezóvásárhely 64 D 2
Hodoš 53 G 3
Hoek van Holland
  44 B/C 2
Hof 31 D/E 1
Hofgeismar 29 E 1
Hofheim 30 C 1
Höfn 40, I D 1
Hofsjökull 40, I C 1
Hofuf 86 C 4/5
Hohe Acht 28 C 2
Hohenau 53 G 1
Hohenelbe (Vrchlabi)
  37 G 3
Hohenems 51 D 2
Hohenloher Ebene
  32 C/D 1
Hohenmölsen 36 D 2
Hohensalza (Inowroclaw)
  54 E 2
Hohenschwangau 33 D 3
Hohenstein-Ernstthal
  36/37 D 3
Hohentwiel (R.) 32 B 3
Hohenwarthetalsperre
  36 C 3
Hohenwestedt 22 C 1
Hohenzollern (Schl.)
  32 B/C 2
Hoher Atlas 72 B 1
Hoher Balkan 66 D 2
Hoher Peißenberg
  33 D/E 3
Hoher Randen 32 B 3
Hohes Venn 45 D/E 4
Hohneck 50 A/B 1
Hohwacht 23 D 1
Højer 42 B 4
Hokitika 109, I A/B 2
Hokkaido 101 E/F 1
Holbæk 43 E 3
Holguín 123 E 2

Hollabrunn 53 G 1
Höllengebirge 52 D 2
Hollenstedt 25 E 2
Höllenstein 53 E 2
Höllental (Schwarzwald)
  32 A/B 3
Hollfeld 31 D 2
Hollywood 121 E 4
Holmsund 40 E 3
Holon 84 A 2/3
Holstebro 42 B 2
Holsteinsborg 116 F 3
Holtenau 22 C/D 1
Holyhead 39 D 4
Holy Island (Lindisfarne)
  38 F 3
Holzminden 25 E 4
Homberg (Efze) 29 E 1
– (Ohm) 29 D 2
Homburg (Saar) 28 C 3
Homer 114 D 4
Homs 85 C 3
Honaz dağı 85 A 2
Hondeklipbaai 78 A 4
Honduras 123 D 3
Hönefoss 41 B 3
Honfleur 46 D 2
Hong Kong (Xiang Gang)
  97 E 4
Hongseong 100 A 2
Honiara 104 D 3
Honningsvåg 40 F 1
Honolulu 105 E/F 1
Honshu 100/101 C/D 2
Hoofddorp 44 C 2
Hooge 22 B 1
Hoogeveen 44 E 2
Hoogezand-Sappemeer
  44 E/F 1
Hoorn 44 D 2
Hopa 85 D 1
Hopedale 117 E/F 4
Horaždovice 31 F 2
Horb 32 B 2
Horgen 50 C 2
Horn (Nordkap Island)
  40, I B 1
Hornavan 40 D 2
Horn-Bad Meinberg
  27 D/E 2
Horneburg 25 E 2
Hornell 120 D 2
Hornisgrinde 32 B 2
Hörnum 22 B 1
Horsens 42 C 3
Horsham 109 C 5
Horst (DDR) 34 A 2
– (Niederlande) 26 A/B 1
Hospitalet 57 G 2
Hotazel 78 B 3
Ho-Tschi-Minh-Stadt
  (Saigon) 102 B/C 2
Houffalize 28 A 2
Houston 119 D 3/4
Howland-Insel 105 E 2
Höxter 27 E 2
Hoya 25 E 3
Hoyerswerda 37 F 2
Huai-an 99 C 3
Huai-he 98 C 3
Huai-nan 98 C 3
Hua-lian 97 F 4
Huallaga 126 B 3
Huambo 76 B 3
Huancavelico 126 B 4

Huancayo 126 B 4
Huang-he (Gelber Fluß)
  96/97 D/E 3
Huang-xian 99 D 2
Huánuco 126 B 3/4
Huaraz 126 B 3
Huascaran 126 B 3
Hua-xian 98 B 2
Hubli 88 B 3
Hückelhoven 26 A/B 2
Huddersfield 39 F 4
Hude 24 D 2
Hudiksvall 41 D 3
Hudson (O. u. Fl.)
  121 G 1–3
Hudsonbai 117 B/C 3/4
Hudsonstraße 116 D 3
Hüe 102 B 2
Huebra 56 B 2
Huelva 56 B 4
Huesca 57 E 1
Huéscar 57 D 4
Hughenden 108 C 4
Hu-he-hao-te (Huhehof)
  98 B 1
Hui-ze 96 D 4
Hujir-Paß 100 B 1
Hu-kou 98 C 4
Hull (Kingston-upon-Hull,
  England) 39 F/G 4
– (Ontario, Kanada)
  121 F 1
Humaitá 128 B 2
Humber 39 G 4
Hümmling 24 C 3
Humphreys Peak
  118 B/C 3
Hún 74 B 2
Hünabucht 40, I B 1
Hundested 43 E 3
Hunedoara 64 E 3
Hünfeld 29 E 2
Hungerford 109 C 4
Hungersteppe = Betpak-
  Dala
Hunsrück 28 C 3
Hunte 24 D 2
Hunter-Inseln 109 C 6
Huntington 120 B 4
Huntsville 119 E 3
Huon-Golf 108 C 2
Hurghada 85 B 4
Huronsee 120 B/C 1
Hürth 26 B 3
Husum 22 C 1
Hutchinson 118 C/D 3
Hu-tou 97 G 2
Hüttenthal 26 D 3
Huy 36 B/C 2
Hu-zhou 99 C/D 3
Hvalpsund 42 C 2
Hvar 62 C 3
Hveragerði 40, I B 2
Hvidesande 42 A/B 3
Hwaaksan 100 A 2
Hyderabad (Indien)
  88 B/C 3
– (Pakistan) 88 A/B 2
Hydra (Idra) 67 C 5
Hyères 49 G 4
Hyesan 100 B 1
Hyltebruck 43 G 1/2
Hyunnis 121 H 3
Hyvinkää 41 E/F 3

I

Iaco 128 B 3
Iaçu 129 D 3
Ialomiţa 65 G 3
Iaşi 65 G 2
Ibadan 72 C 4
Ibagué 126 B 2
Ibar 63 E 3
Ibbenbüren 26 C 1

Iberisches Randgebirge
  57 D/E 1/2
Ibicuy 131 D 3
Ibiza (I. u. O.) 57 F 3
Iça (Fl., Brasilien) 128 B 2
Ica (O., Peru) 126 B 4
Içana 128 B 1
Ichenhausen 30 C 3
Icheon 100 A 2

Ichuru Alin 97 F 1
Ida 67 D 6
Idaho 118 B 2
Idaho Falls 118 B 2
Idar-Oberstein 28 C 3
Idfu 85 B 5
Idi 102 A 3
Idlib 85 C 2
Idrija 53 D/E 3

Idrijca 53 D 3
Idstein 28 D 2
Ieper 45 A 4
Iférouane 73 C 3
Igarka 92 F 3
Ighil-Izane 57 E/F 5
Iglesias 58 C 5
Igoumenitsa 67 B 4

Iguaçu (Fl. u. -fälle)
  128 C 4
Igualada 57 F 2
Iguatu 129 D/E 2
Iguidi 72 B 2
Ihosy 79 D 3
Ihtiman 66 C 2
Iijoki 40 F 2
Iisalmi 40 F/G 3
IJssel (Fl.) 44 E 2
IJsselmeer 44 D 2
Ikaria 67 E 5
Ikast 42 C 2
Iki 100 B 3
Ilanz 50 D 3
Ilebo 76 B/C 2
Ile de France 46/47 D/E 2
Iles d'Hyères 49 G 4
Iles Glorieuses 79 D 2
Ilhéus 129 E 3
Ili 93 E/F 5
Iliamna (I. u. B.) 114 D 3/4
Iligan 103 D 3
Ilimsker Stausee 93 H 4
Illampu 128 B 3
Illapel 130 B 3
Iller 32 D 2
Illertissen 32 D 2
Illimani 128 B 3
Illinois (St. u. Fl.) 119 E 2/3
Illkirch-Graffenstaden
  32 A 2
Ilm 31 D 3
Ilm 36 C 3
Ilmenau (Fl. zur Elbe)
  25 F 2
– (O., DDR) 36 B/C 3
Ilo 126 B 4
Iloilo 103 D 2
Ilorin 72 C 4
Ilsede 25 F 3
Ilz 31 F 3
Imandrasee 40 G/H 2
Imatra 41 G 3
Imja 100 A 3
Immenstadt 32 D 3
Imotski 62 C 3
Imperia 58 B 3
Impfondo 76 B 1
Imphal 89 D 2
Imros (Imbros) 66 D/E 3
Imst 51 E 2
Inagua-Inseln 123 E 2
In Amenas 73 C 2
Inari 40 F 1
In Asamoua 73 C 2
Inca 57 G 3

Incheon 100 A 2
Indalsälv 41 D 3
Inderagiri 102 B 4
Inderborskij 91 D 4
Indiana 119 E 3/4
Indianapolis 119 E 2
Indien 83 u. 88 B/C 2
Indiga 90 C 2
Indigirka 94 F 2/3
Indischer Ozean
  11 K–M 5/6
Indonesien
  83 u. 102/103 B–E 4
Indre 46 D 3
Indur 88 B 2
Indus 88 A/B 1/2
Ingelheim 28 D 3
Ingoda 93 H 4
Ingolstadt 31 D 3
Ingrisee 40 F/G 1
Inhambane 79 C 3
Inharrime 79 C 3
Injune 109 C 4
Inlandsee (Japan)
  100 A/B 3
Inn 33 D–F 2/3
Innamincka 109 B/C 4
Innere Hebriden 38 C 2
Innere Mongolei 97 E 2
Innerer Taurus 85 C/D 2
Innerste 25 F 3
Innertkirchen 50 C 3
Innisfail 108 D 3
Innsbruck 51 F 2
Innviertel 52 C/D 1
Inongo 76 B 2
Inoucdjouac (Port
  Harrison) 117 C/D 4
Inowroclaw = Hohensalza
In Salah 72 C 2
Inseln über dem Winde
  125 E 3
Inseln unter dem Winde
  125 E 3
Insterburg
  (Tschernjachowsk)
  55 F/G 1
Inta 90 D/E 2
Interlaken 50 B/C 3
Intracoastal Waterway
  119 D-F 3
Inuvik 114 F 3
Invercargill 109, I A/B 2
Inverell 109 D 4
Inverness 38 D/E 2
Inyangani 78 C 2
Inzell 33 F 3

Ioannina 67 B 4
Ionische Inseln 67 A/B 4/5
Ionisches Meer 61 F/G 3
Ios 67 D 5
Iowa 119 D 2
Ipoh 102 B 3
Ipswich (Australien)
  109 D 4
– (England) 39 G 4
Iquique 130 B/C 2
Irak 83 u. 86 C 3
Iraklion (Herakleion,
  Candia) 67 D 6
Iran (Persien)
  83 u. 86/87 C/D 2/3
Irapuato 122 B 2
Irawadi 89 D 2/3
Irazú, Vulkan – 123 D 3
Irbid 84 B 2
Irbit 90 E 3
Irdning 53 E 2
Irgalem 75 D 4
Irgis 91 E 4
Iringa 77 D 2
Iriri 128 C 2
Irische See 39 D 4
Irkutsk 93 H 4
Irland (Eire)
  17, III C 3 u. 39 B/C 4
Iroise 46 A 2
Iron Knob 109 B 5
Ironton 120 B 4
Irtysch 93 E/F 4/5
Irún 57 E 1
Isafjördur 40, I B 1
Isar 33 E 2/3
Ischewsk 90 D 3
Ischia 59 E 4
Ischim (O. u. Fl.) 91 E/F 3
Ise 101 D 3
Isefjord 43 E 3
Isel (Fl.) 52 C 2
Iseo 51 E 4
Iseosee 51 E 4
Iser (Jizera) 37 F 3
Isère 50 A 4
Iserlohn 26 C 2
Isernia 59 F 4
Isfahan 86 D 3
Isha Baidoa 75 E 4
Ishikari 101 E 1
Ishinomaki 101 E 2
Isiro 77 C 1
Isjaslaw 55 I 3
Iskår 66 D 2
Iskenderun 85 B/C 2
Islamabad 88 B 1

Island 17, III A/B 2 u. 40, I
Islay 38 C 3
Isle (Fl.) 48 D 3
Ismailia 85 B 3
Ismaning 33 E 2
Isna 85 B 4
Isny 32 C/D 3
Isonzo 52 D 3/4
Isparta 85 B 2
Israel 83 u. 84 A 3
Issoudun 46 D 3
Issyk-kul 93 E 5
Istanbul (Üsküdar) 66 F 3
Isthmus von Darién
  123 E 4
Isthmus von Kra 102 A 2
Isthmus von Panamá
  123 D/E 4
Isthmus von Tehuantepec
  122 C 3
Istrandshagebirge 66 E 3
Istrien 62 A/B 2
Itabuna 129 E 3
Itacoatiara 128 C 2
Itaituba 128 C 2
Italica 56 B 4
Italien 17, III E 4 u. 58/59
Itambé 129 D 3
Itapemirim 129 D 4
Ith 25 E 3/4
Ithaca (O., USA) 121 E 2
Ithaka (I., Griechenland)
  67 B 4
Itschinsk 94 G 4
Itumbiara 129 C/D 3
Ituri 77 C 1
Iturup 95 F 5
Ituxi 128 B 2
Itz 30 C 1
Itzehoe 22 C 2
Ivalo 40 F/G 1
Ivalojoki 40 F 1
Ivanhoe 109 C 5
Ivigtut 116 D 3
Ivrea 50 B/C 4
Ivugivik 116 D 3
Iwaki 101 E 2
Iwano-Frankowsk 55 H 4
Iwanowo 55 H 2
Iwatesan 101 E 2
Iwazewitschi 55 H 2
Iwdel 90 E 2
Iwo 72 C 4
Izmir (Smyrna) 67 E 4
Izmit 85 A 1
Izra 84 C 2
Izu-Inseln 101 D/E 3

J

Jabalpur 88 C 2
Jablanica 62 C 3
Jablonec = Gablonz
Jablonitzki-Paß 55 H 4
Jablonowyjgebirge 93 H 4
Jaca 57 E 1
Jacareacanga 128 C 2
Jáchal 130 C 3
Jackson 120 B 4
Jacksonville 119 E/F 3
Jade 24 D 2
Jadebusen 24 D 2
Jaén 56 D 4
Jaffna 88 C 4
Jagdalpur 88 C 2
Jagodnoje 94 F/G 3
Jagst 32 C 1
Jaipur 88 B 2
Jajce 62 C 2
Jakarta 102 B 4
Jakobshavn 116 F 3
Jakutien 94 C–G 3
Jakutsk 94 D 3
Jalalabad 88 A/B 1
Jalisco 122 B 2
Jalta 91 B 4

Jalu 99 E 1
Jalunkiang 96 D 3
Jamaika 123 E 3
Jamalhalbinsel
  (Samojedenhalbinsel)
  90 E/F 1/2
Jamantau 91 D 3
Jamanxim 128 C 2
Jambi = Telanaipura
Jambol 66 E 2
Jamesbai 117 C/D 4
Jamestown 120 D 2
Jammerbucht 42 C 1
Jammu 88 B 1
Jämsä 41 F 3
Jamshedpur 88/89 C 2
Jamsk 94 G 4
Jämtland 41 C/D 3
Jana 94 E 3
Janbo 85 C 5
Jangtsekiang
  96/97 C–E 3/4
Janiskoski 40 G 1
Jan Mayen 132 K 2
Janskij 94 E 3
Janstra 66 D 2

Japan 83 u. 100/101
Japanisches Meer
  100 C/D 2
Japen 108 B 2
Jap-Inseln 103 E 3
Japura 128 B 2
Jarama 56 D 2
Jarash 84 B/C 2
Jari 128 C 1
Jarmen 34 D 2
Jaroslaw 55 G 3/4
Jaroslawl 90 B/C 2
Jarvis-Insel 105 E/F 3
Jarzewo 93 F/G 3/4
Jasselda 55 H 2
Jataí 129 C 3
Játiva 57 E 3
Jaufenpaß 51 F 3
Java 102 B/C 4
Javalambre 57 E 2
Java-See 102 B/C 4
Jayapura 108 B/C 2
Jebel ed Dabab 84 B 3
Jebel Umm ed Daraj
  84 B 2
Jeetzel 25 G 2

Jefferson City 119 D 3
Jefira 66 C 3
Jeipur 88 C 3
Jeju (O. u. I.) 100 A 3
Jelling 42 C 3
Jemen, Arabische
  Republik –
  83 u. 86 C 6/7
– , Demokratische
  Volksrepublik
  83 u. 86 C/D 6/7
Jena 36 C 3
Jenaschinskij-Polkan
  93 G 4
Jenbach 51 F 2
Jenin 84 B 2
Jenissej 92/93 F/G 2–4
Jenissejberge 93 G 3/4
Jenissejsk 93 F/G 4
Jenissejsker Stausee
  93 G 4
Jennersdorf 53 F/G 3
Jeongju 99 E 2
Jeonju 100 A 3
Jequié 129 D/E 3
Jequitinhonha 129 D 3

Jerbogatschen 93 H 3
Jerewan 91 C 4
Jerez de la Frontera
  56 B/C 4
Jericho (Eriha) 84 B 3
Jersey City 121 F 3
Jerusalem (El-Kúds)
  84 A/B 3
Jervis-Bai 109 D 5
Jesd 86 D 3
Jesenice = Aßling
Jesreel 84 B 2
Jessen 37 D/E 2
Jever 24 C 2
Jhansi 88 B 2
Jhelum 88 B 1
Ji-an 100 A 1
Jiang-su 99 D 3
Jiang-zi 96 B 4
Jiao-xian 99 C/D 2
Jiao-zuo 98 B 2
Jia-xian 98 B 2
Jia-xing 99 D 3
Jibgalanta (Uljassutai)
  96 C 2
Jičin 37 G 3
Ji-lin 97 F 2
Ji-long = Keelung
Jiménez 122 B 2
Jimma 75 D 4

Jin-cheng 98 B 2
Jindo 100 A 3
Jing-men 98 B 3
Jing-shu 98 A 3
Jining 98 B 1
Jinja 77 D 1
Jinju 100 A 3
Jin-men = Quemoi
Jinotega 123 D 3
Jin-sha-jiang 96 C 3
Jin-shi 98 B 4
Jin-xi 99 D 1
Jin-xian 99 D 2
Jin-zhou 99 D 1
Jiparana 128 B 2/3
Jirgalanta (Kobdo) 96 C 2
Jirisan 100 A 3
Jithion (Gytheion) 67 C 5
Jiu 64 E 3/4
Jiu-quan 96 C/D 2/3
Ji-xi 97 G 2
Jizera = Iser
João Pessoa 129 E 2
Jodhpur 88 B 2
Joensuu 41 G 3
Jogyakarta 102 B/C 4
Johannesburg 78 B/C 3
Johanngeorgenstadt
  36/37 D 3

Johnston-Insel 105 E 2
Johnstown 120 D 3
Johore Baru 102 B 3
Joigny 47 E 2
Joinville 129 D 4
Jokkamokk 40 D 2
Jökulsá á Fjöllum 40, I C 1
Jolo 103 D 3
Jönköping 41 C 4
Jonquière 117 D 5
Jordan 84 B 1−3
Jordanien 83 u. 85 C 3
Joschkar-Ola 90 C 3
Joseph-Bonaparte-Golf
  108 A 3
Josselin 46 B 3
Jostedalsbre 41 A 3
Jotunheimen 41 B 3
Juan de Nova 79 D 2
Juan-Fernandez-Inseln
  131 A/B 3
Juázeiro 129 D 2
Juba 75 D 4
Jucar 57 D 3
Judenburg 53 E 2
Juelsminde 42 C/D 3
Jugorstraße 90 E 1
Jugoslawien
  17, III E/F 4 u. 62/63
  B−F 2/3

Juist 24 B 2
Juiz da Fora 129 D 4
Jujuy 130 C 2
Jukagirenplateau 94 G 3
Julianehåb 116 G 3
Jülich 26 B 3
Julische Alpen
  52/53 D/E 3
Jullundur 88 B 1
Jumilla 57 E 3
Jungbunzlau (Mladá
  Boleslav) 37 F 3
Juneau 114 F 4
Jungfern-Inseln 125 E 3
Jungfrau 50 B/C 3
Jur 75 C 4
Jura (I., Hebriden)
  38 C/D 2
Jurbakas 55 G 1
Juruá (O. u. Fl.) 128 B 2
Juruena 128 C 3
Juschkosero 40 G/H 2
Jushno-Jenissejskij
  93 G 4
Jushno-Sachalinsk 95 F 5
Jutai 128 B 2
Jüterbog 37 E 2
Jütland (Jylland) 42 C 1−3
Jyvaskylä 41 F 3

K

Kaaden (Kadaň) 31 F 1
Kabala 72 A 4
Kabale 77 D 2
Kabalo 77 C 2
Kabinda 76 C 2
Kabul 88 A/B 1
Kabwe 77 C 3
Kachin 89 D 2
Kachowkaer Stausee
  91 B 4
Kaçkar 85 D 1
Kadaň = Kaaden
Kaduna 73 C 3
Kaédi 72 A 3
Kaffa 75 D 4
Kafue (O. u. Fl.) 77 C 3
Kaga Bandoro 74 B/C 4
Kagera 77 D 2
Kagoshima 100 B 4
Kahla 36 C 3
Kahler Asten 26 D 2
Kai-Inseln 108 B 2
Kai-Iu 97 F 2
Kaimana 108 B 2
Kainach (O. u. Fl.)
  53 F 2/3
Kainji 73 C 3
Kaipara-Hafen 109, I B 1
Kairo (El-Qahira) 85 B 4
Kairuan 60 B/C 5
Kaisergebirge 52 C 2
Kaiserslautern 28 C 3
Kaiserstuhl 32 A 2
Kaiserwald 31 E 1
Kajaani 40 F/G 2
Kajan 102 C 3
Kaka 75 D 3
Kakinda 88 C 3
Kaktovik 114 E 2
Kalabo 76 C 3
Kalabrien 61 F 3
Kalahari 78 B 3
Kalamá 67 B/C 5
Kalansho-Serir 74 C 2
Kalat 88 A 2
Kalatgebirge 87 D/E 3
Kalbe 34 B 3
Kaledonischer Kanal
  38 D 2
Kalemi 77 C 2
Kalewald (Uchta) 40 G 2
Kalgoorlie 104 B 4
Kali 88 C 2

Kalifornien 118 A/B 3
Kalimantan = Borneo
  102 C 3
Kalinin 90 B 3
Kaliningrad = Königsberg
Kalinkowitschi 55 K 2
Kalisch (Kalisz) 54 D/E 3
Kalixälv 40 E 2
Kalkar 26 B 2
Kalkutta (Calcutta) 89 C 2
Kallasee 41 F/G 3
Kallsee 40 B 2
Kalmar 41 C/D 4
Kals 52 C 3
Kaltenkirchen 22 C/D 2
Kaltennordheim 36 B 3
Kaltern (Caldaro) 51 F 3
Kaluga 90 B 3
Kalundborg 42 D/E 3
Kalwarija 55 G 1
Kama 90 D 2
Kamaduga 73 D 3
Kamaishi 101 E 2
Kamaran 86 C 6
Kamastausee 90 D 3
Kambodscha
  (Kamputschea)
  83 u. 102 B 2
Kamčija 66 E 2
Kamen (B., UdSSR)
  92 G 3
  − (O., Nordrhein-West-
  falen) 26 C 2
Kamen-na-Obi 93 E/F 4
Kamenez-Podolskij 55 I 4
Kamenskoje 94 H 3
Kamensk-Úralskij
  91 D/E 3
Kamenz 37 E/F 2
Kamerun 71 u. 74 B 4
Kamerunberg 74 A 4
Kamień Pomorski =
  Cammin
Kamina 76 C 2
Kamloops 115 G/H 4
Kamp 53 F 1
Kampala 77 D 1
Kampampien 59 F 4
Kampar 102 B 3
Kampen (Niederlande)
  44 D 2
  −/Sylt 22 B 1
Kamp-Lintfort 26 B 2

Kampot 102 B 2
Kamputschea =
  Kambodscha
Kamschatka 94/95 G/H 4
Kanada 112; 114/115 u.
  116/117
Kanal, Der − (English
  Channel) 39 D/E 5/6
Kanal von Burgund 47 F 3
Kananga 76 C 2
Kanarische Inseln 72 A 2
Kanchipuram 88 C 3
Kandahar 88 A 1
Kandalakscha 40 G/H 2
Kandel (B.) 32 A/B 2
  − (O.) 28 D 3
Kandi 72 C 3
Kandla 88 B 2
Kandy 88 C 4
Kanem 74 B 3
Kanggye 99 E 1
Känguruh-Insel 109 B 5
Kanin-Halbinsel 90 C 2
Kankan 72 B 3
Kano 73 C 3
Kanoja 100 B 4
Kanpur 88 B/C 2
Kansas 118 C/D 3
Kansas City 119 D 2
Kansk 93 G 4
Kant 93 E 5
Kantabrisches Gebirge
  56 B−D 1
Kanton (Guang-zhou)
  97 E 4
Kanuma 101 D 2
Kanye 78 B 3
Kaohsiung (Gao-xiung)
  97 E/F 4
Kaokoveld 78 A 2/3
Kaolack 72 A 3
Kaouar 73 D 3
Kap Adare 135 I/K 2
Kap Agulhas (Nadelkap)
  78 A/B 4
Kap Akritas 67 B 5
Kap Alewin 94 G 4
Kap Ann (Antarktis)
  135 C 3
  − (USA) 121 H 2
Kap Arnhem 108 B 3
Kap Baba 67 D 4
Kap Bathurst 114 G 2

Kap Blanc 60 B 4
Kap Blanco (Costa Rica)
  123 D 4
  − (Mauretanien) 72 A 2
Kap Bojador 72 A 2
Kap Bon 60 C 4
Kap Branco 129 E 2
Kap Breton 117 F 5
Kap-Breton-Insel 117 F 5
Kap Bugel 102 C 4
Kap Bulliyan 102/103 C 3
Kap Buor-Chaja 94 E 2
Kap Burica 123 D 4
Kap Byron 109 D 4
Kap Ca Mau 102 B 3
Kap Canaveral 119 E/F 4
Kap Carbonara 58 C 5
Kap Carvoeiro 56 A 3
Kap Catoche 123 D 2
Kap Chidley 116 E 3
Kap Cod 121 J 3
Kap Comorin 88 B 4
Kap Conception 118 A 3
Kap Corrientes (Mexiko)
  122 B 2
  − (Mauretanien) 79 C 3
Kap Corse 49 H 4
Kap Creus 57 G 1
Kap Cruz 123 E 3
Kap d'Ambre 79 D/E 2
Kap Datu 102 B/C 3
Kap Delgado 79 D 2
Kap der 3 Spitzen 72 B 4
Kap der Guten Hoffnung 78 A 4
Kap Domesnes 41 E 4
Kap Dondra 88 C 4
Kap Dungeness 131 C 5
Kap d'Urville 108 B 2
Kapela 62 B 2
Kap Elisabeth (Sachalin)
  95 F 4
Kap Elizabeth (Tasmanien)
  109 C 6
Kap Emine 66 F 2
Kap Erimo 101 E 1
Kap Espichel 56 A/B 3
Kap Falso 122 A 2
Kap Farvel 116 G 4
Kap Farewell 109, I B 2
Kapfenberg 53 E/F 2
Kapfenburg 32 D 2
Kap Finisterre 56 A 1
Kap Flattery 108 C 3

Kap Formentor 57 G 3
Kap Frio 129 D 4
Kap Gallinas 126 B 1
Kap Gallo 60 D 3
Kap Gata 56 D 4
Kap Ghir 72 A/B 1
Kap Glossa 62 D 4
Kap Gracias a Dios 123 D 3
Kap Guardafui 86 D 7
Kap Hague 46 C 2
Kap Halkett 114 D/E 2
Kap Hatteras 119 F 3
Kap Hawke 109 D 5
Kap Henlopen 121 F 4
Kap Horn 131 C 5
Kap Howe 109 C/D 5
Kapidaği 66 E/F 3
Kap Kamenjak 62 A 2
Kap Kanin 90 C 2
Kap Karmel 84 A/B 2
Kapkot 88 B 2
Kapland 78 A/B 4
Kap Leeuwin 104 A 4
Kap Lopatka 95 G 4
Kap Lopez 76 A 2
Kap Mala 123 E 4
Kap Maleas 67 C 5
Kap May 121 F 4
Kap Melville 108 C 3
Kap Mendocino 118 A 2
Kap Mondego 56 A 2
Kap Nao 57 F 3
Kap Negraïs 89 C 3
Kap Nelson 109 C 5
Kap Norvegia 135 R/S 2
Kap Ortegal 56 A/B 1
Kapos 64 C 2
Kaposvár 64 B 2
Kap Otway 109 C 5
Kap Palliser 109, I B 2
Kap Palmas 72 B 4
Kap Palos 57 E 4
Kap Passero 61 E 4
Kappeln 22 C/D 1
Kap Prince Alfred 114 G 2
Kap Prince of Wales
  114 C 3
Kap Puting 102 C 4
Kap Race 117 F 5
Kap Ray 117 E/F 5
Kap Roca 56 A 3
Kaprun 52 C 2
Kap Sable (Florida) 119 E 4
-(Neuschottland) 117 E 5
Kap Saint André 79 D 2
Kap Saint Charles 117 F 4
Kap Sainte Marie 79 D 3
Kap Saint George 108 C 2
Kap Saint Marie di Leuca
  59 H 5
Kap Salinas 57 G 3
Kap Sambar 102 B/C 4
Kap San Antonio
  (Argentinien) 131 D 3
- (Kuba) 123 D 2
Kap San Augustin 103 D 3
Kap San Diego 131 C 5
Kap São Roque 129 E 2
Kap São Vicente 56 A 4
Kap Schalaurow 94 F 2
Kap Schelagskij 94 H 2
Kap Selatan 102 C 4
Kap Shelanija (Eiskap)
  90 E/F 1
Kap Shio 100 C 3
Kap Sideros 67 E 6
Kap Spartel 56 B 5
Kap Spartivento 61 F 4
Kap Spatha 67 C 6
Kap Spencer 109 B 5
Kapstadt (Cape Town,
  Kaapstad) 78 A 4
Kapsukas 55 G 1
Kap Sunion 67 C/D 5
Kap Suzu 101 D 2
Kap Tänaron (Kap
  Matapan) 67 C 5
Kap Tolstoi 94 G 4
Kap Townshend 109 D 4

Kap Trafalgar 56 B 4
Kap Tres Puntas
  131 C 4
Kap Tscheljuskin
  92 H/I 2
Kapuas (Fl. u. -gebirge)
  102 C 3/4
Kap Vals 108 B 2
Kap Verde 72 A 3
Kapverden (St.) 71
Kapverdische Inseln
  68 A 2
Kap Ward Hunt 108 C 2
Kap Wessel 108 B 3
Kap Wilson 109 C 5
Kap Wrath 38 D 1
Kap York 108 C 3
Kara-Bogas-Gol 91 D 4
Karabük 85 B 1
Karachi 88 A 2
Karagaily 93 E 5
Karaganda 91 F 3/4
Karaj 86 D 2
Karak (O.) 84 B 3
- (Fl.) 88 A 2
Karakorum (G.) 88 B 1
- (Ruinen) 97 D 2
Karakorumpaß 88 B 1
Karaköse 85 D 2
Karakul 91 E 5
Karakum, Wüste -
  91 D/E 4/5
Karakumkanal 91 E 5
Karaman 85 B 2
Karasburg 78 A 3
Karasee 90 E/F 1
Karasjok 40 F 1
Karassuk 93 E 4
Karastraße 90 D 1
Karatal 93 E 5
Kara-ussu-Nur 96 C 2
Karawanken 53 E 3
Karazawa 100/101 D 2
Karditsa 67 B/C 4
Kârdzâli 66 D 3
Kareeberge 78 B 4
Karelien 40/41 G 3
Karema 77 D 2
Karen 89 C 3
Karerpaß 51 F 3
Karesuando 40 E 1
Karhula 41 F 3
Kariba-Damm u. -See
  78 B 2
Karibib 78 A 3
Karibisches Meer 125 D 3
Karikal 88 B/C 3
Karima 75 D 3
Karimata-Inseln 102 B 4
Karimundjawa 102 C 4
Karisimbi 77 C 2
Karkaralinsk 93 E 5
Karl-Marx-Stadt
  (Chemnitz) 37 D/E 3
Karlovac 62 B 2
Karlovo 66 D 2
Karlsbad (Karlovy Vary)
  31 E 1
Karlsfeld 33 E 2
Karlskoga 41 C 4
Karlskrona 41 C 4
Karlsruhe 32 B 2
Karlstad 41 C 4
Karlstadt 30 B 2
Karmelgebirge 84 B 2
Karnataka 88 B 3
Karnische Alpen 52 C/D 3
Kärnten 52/53 D/E 3
Karnul 88 B 3
Karonga 78 C 2
Karpathos 67 E 6
Kars 85 D 1
Karsakpai 91 E 4
Karschi 91 E 5
Karst 62 B 2
Karstädt 34 B 2
Kartaly 91 D/E 3
Karthago 67 B 5

Karufa 108 B 2
Karup 42 C 2
Karwendel 51 F 2
Karymskoje 93 H 4
Kasachensteppe
  91 D-F 4
Kasachstan 91 D-F 4
Kasama 77 D 2/3
Kasan 90 C/D 3
Kasanga 77 D 2
Kasatin 55 K 4
Kasbek 91 C 4
Kaschan 86 D 3
Kaschmir 88 B 1
Kasempa 76 C 3
Kashghar (Ke-shi)
  96 A 2/3
Kashghar Darya 96 A 3
Kashima 100 B 3
Kaskadenkette 118 A 2
Kaskinen (Kaskö) 41 E 3
Kasongo 77 C 2
Kasos 67 E 6
Kaspische Senke 91 C/D 4
Kaspisches Meer
  91 C/D 4/5
Kassai (Fl. u. Provinz)
  76 B/C 2
Kassala 75 D 3
Kassandra 66/67 C 3/4
Kassel 29 E 1
Kastamonu 85 B 1
Kastilisches Scheide-
  gebirge 56 B-D 2
Kastl 31 D 2
Kastonia 66 B 3
Kastrup 43 F 3
Kaswin 86 C/D 2
Kataba 76 C 3
Katalonien 57 F/G 1/2
Katanga = Shaba
Katar 83 u. 86 D 4
Katarapaß 67 B 4
Katerini 66 C 3
Katha 89 D 2
Katherine (O. u. Fl.)
  108 B 3
Kathiawar-Halbinsel
  88 A/B 2
Katmandu 88/89 C 2
Katowice = Kattowitz
Katschberg (Paß) 52 D 2
Katschug 93 H 4
Katsina 73 C 3
Katsuura 101 E 3
Kattakurgan 91 E 4/5
Kattarasenke 74 C 1/2
Kattegat 42/43 D-F 2
Kattowitz (Katowice)
  54 E/F 3
Katun 93 F 4
Katwijk 44 C 2
Katzenbuckel 32 C 1
Kauai 105 E/F 1
Kaub 28 C 2
Kaufbeuren 33 D 3
Kaukasus 91 B/C 4
Kaunas 55 G 1
Kaura Namoda 73 C 3
Kaveri 88 B 3
Kawakawa 109, I B 1
Kawala 66 D 3
Käwieng 108 D 2
Kayes 72 A 3
Kayseri 85 C 2
Kazanlak 66 D 2
Kea 67 D 5
Keban-Stausee 85 C/D 2
Kebirgebirge 86 C 3
Kebnekajse 40 D 2
Kecskemét 64 C 2
Kédange 28 B 3
Keelung (Ji-long) 97 F 4
Keene 121 G 2
Keeper Hill 39 B 4
Keetmanshoop 78 A 3
Keewatin 116/117 B 3
Kefallinia 67 B 4
Keflavik 40, I B 2

Kehdingen 25 E 2
Kehl 32 A 2
Keilberg 31 E/F 1
Keitelsee 41 F 3
Ke-la-mai = Qara-Mai
Kelan 98 B 2
Kelheim 31 D 3
Kellenhusen 23 E 1
Keller 29 E 1/2
Kellinghusen 22 C 2
Kelloselka 40 F/G 2
Kemano 115 G 4
Kemer-Stausee 67 F 5
Kemerowo 93 F 4
Kemi 40 F 2
Kemijarvi 40 F/G 2
Kemijoki 40 F 2
Kemnath 31 D 2
Kempen (L.) 45 C/D 3
- (O.) 26 B 2
Kempsey 109 D 5
Kempten/Allgäu 32/33 D 3
Kenai-Halbinsel
  114 D/E 3
Kendari 103 D 4
Keng Twang 102 A 1
Kenia (B.) 77 D 2
- (St.) 71 u. 77 D 1
Kenmore 120 D 2
Kennedy-Kanal 116 E 1
Kenora 117 B 5
Kent 39 G 5
Kenti 91 E 4
Kent-Halbinsel 114 I 3
Kentucky 121 B 5
Kerala 88 B 3/4
Kerbela 85 D 3
Kercha 86 C 3
Keren 75 D 3
Kerem Shalom 84 A 3
Kerguelen-Inseln
  135 D 4/5
Kerintji 102 B 4
Keriya (Yu-tian) 96 B 3
Kerkira 67 A/B 4
Kerkrade 45 E 4
Kerma 75 D 3
Kermadec-Inseln
  105 D/E 4
Kerman (O. u. L.) 87 D 3/4
Kermanschah 86 C 3
Kerteminde 42 D 3
Kertsch 91 B 4
Kerulen 97 E 2
Ke-shi = Kashghar
Keshma 93 G/H 4
Kestenga 40 G 2
Keszthely 64 B 2
Keta 72 C 4
Ketapang 102 B/C 4
Ketchikan 115 F 4
Key West 119 E 4
Keziv 84 B 1
Khaiberpaß 88 B 1
Khaliq Tau 96 B 2
Khan Yunis 84 A 3
Kharagpur 88/89 C 2
Kharg 86 C/D 4
Kharga 85 B 4
Khartoum 75 D 3
Khartoum Bahri 75 D 3
Khasigebirge 89 D 2
Khaybar 85 C 3
Khonkaen 102 B 2
Khorasan 87 D 2/3
Khorramschar 86 C 3
Khotan (He-tian) 96 B 3
Khotan Darya 96 B 3
Khouribga 72 B 1
Khulna 89 C/D 2
Khusistan 86 C 3
Kiamba 103 D 3
Kiantasee 40 G 2
Kichtschik 95 G 4
Kidal 72 C 3
Kiefersfelden 33 F 3
Kiel 22 C/D 1
Kielce 54/55 F 3
Kieler Bucht 22/23 D 1

Kielkanal = Nord-Ostsee-
Kanal
Kierspe 26 C 2
Kieta 108 C 2
Kiew 90 B 3
Kigali 77 D 2
Kigoma 77 C/D 2
Kiigebirge 100 / 101 C/D 3
Kikinda 63 E 2
Kikori 108 C 2
Kildare 39 C 4
Kilija 65 H 3
Kilimanjaro 77 D 2
Kilinailau-Inseln 108 C 2
Kilkenny 39 C 4
Killarney 39 B 4
Killiecrankie-Paß 38 E 2
Killini 67 C 4/5
Kilosa 77 D 2
Kilwa Kivinje 77 D/E 2
Kimberley (Australien)
115 H 5
— (Südafrika) 78 B 3
Kimberley-Plateau
104 B 3
Kimchaek = Seongjin
Kimolos 67 D 5
Kinabalu 102 C 3
Kincardine 120 C 1
Kindberg 53 F 2
Kindia 72 A 3
Kindu 76 C 2
King-Insel 109 C 6
Kingissepp 41 E 4
King's Lynn 39 G 4
Kingston (Australien)
109 B 5
— (Jamaika) 123 E 3
— (Kanada) 121 E 1
— (Neuseeland) 109, I A 2
— (Saint Vincent) 125 E 3
— (USA, New York)
121 G 3
Kingston-upon-Hull = Hull
Kingsund 104 B 3
King-William-Insel 116 B 3
Kinnards Head 38 E/F 2
Kinsale 39 B 5
Kinshasa (Leopoldville)
76 B 2
Kintyre 38 D 3
Kinzig (Fl. zum Main)
29 E 2
— (Fl. zum Rhein) 32 A 2
Kiparissia 67 B 5
Kirchdorf 53 E 2
Kirchheim unter Teck
32 C 2
Kirchheimbolanden 28 D 3
Kirchhundem 26 D 2
Kirchzarten 32 A/B 3
Kirensk 93 H 4
Kirgisistan 93 E 5
Kirgis-Nur 96 C 2
Kiribati 105 E 3
Kirikkale 85 B 2
Kirkcaldy 38 E 2
Kirkenes 40 G 1
Kirklareli 66 E 3
Kirkuk 85 D 2/3
Kirkwall 38 E 1
Kirn 28 C 3
Kirow 90 C 3
Kirowabad 91 C 4
Kirow-Insel 92 F/G 2
Kirowskij 94 G 4
Kirrlach 32 B 1
Kirşehir 85 B/C 2
Kiruna 40 E 2
Kisangani (Stanleyville)
76/77 C 1/2
Kisel 90 D 3
Kisilrai 93 E 5
Kisil Usen 86 C 2
Kisimayu 75 E 5
Kiskunhalas 64 C/D 2
Kissidougou 72 B 4
Kisumu 77 D 1
Kisyl-Arwat 91 D 5

Kita 72 B 3
Kitakami 101 E 2
Kitakata 101 D/E 2
Kitakyushu 100 B 3
Kitale 77 D 1
Kitami 101 E/F 1
Kitchener 120 C 2
Kithira 67 C 5
Kithos 67 D 5
Kitimat 115 G 4
Kitui 77 D 2
Kitwe 77 C 3
Kitzbühel 52 C 2
Kitzbüheler Alpen 52 C 2
Kitzingen 30 C 2
Kitzsteinhorn 52 C 2
Kivalo 40 F 2
Kivu 77 C 2
Kivu-See 77 C 2
Kizilirmak 85 B 1
Kjachta 93 H 4
Kjustendil 66 C 2
Klabat 103 D 3
Kladanj 62 D 2
Kladno 37 F 3
Klagenfurt 53 E 3
Klang 102 B 3
Klaralv 41 C 3
Klattau (Klatovy) 31 F 2
Klaus 53 E 2
Klausenburg = Cluj
Klausenpaß 50 C 3
Kleine Antillen 125 E 3
Kleiner Belt (Lille Bælt)
42 C/D 3
Kleiner Chingan 97 F 2
Kleiner Jenissej 93 G 4
Kleiner Minch 38 C 2
Kleiner Sklavensee
115 H 4
Kleine Sunda-Inseln
103 C/D 4
Kleines Ungarisches
Tiefland 64 B 2
Kleine Syrte 73 D 1
Klessow 55 I 3
Kleve 26 B 2
Klitmøller 42 B 1
Klingenthal 36 D 3
Kljutschew, Vulkan —
94 H 4
Klay 72 A 4
Klodzko = Glatz 54 D 3
Klondike 114 E/F 3
Klosterneuburg 53 G 1
Klosters 51 D 3
Kloten 50 C 2
Klötze 34 B 3
Knetzberg 30 C 2
Knidos 67 E 5
Knin 62 B/C 2
Knitra 72 B 1
Knittelfeld 53 E 2
Knokke-Heist 45 A/B 3
Knøsen 42 D 1
Knossos 67 D 6
Knoten 28 D 2
Knoxville 119 E 3
Knud-Rasmussen-Land
116 F 2
Knüll 29 E 2
Knysna 78 B 4
Koartak 117 D/E 3
Kobanke 43 E/F 3
Kobdo = Jirgalanta
Kobe 100 C 3
København = Kopen-
hagen
Koblenz 28 C 2
Kobrin 55 H 2
Kocabaş (Granikos) 66 E 3
Kočani 63 F 4
Kochel (O. u. -see) 33 E 3
Kocher 32 C 1
Kochi 100 C 3
Kodiak (O. u. I.) 114 D 4
Kodok (Fashoda) 75 D 3
Kofo 101 D 3
Køge 43 E/F 3

Kohtla-Järve 41 F 4
Kokand 91 E/F 4
Kokemäenjoki 41 E 3
Kokkola 40 E 3
Kokoda 108 C 2
Kokonau 108 B 2
Koktschetaw 91 E 3
Kola, Halbinsel — 90 B 2
Kolaka 103 D 4
Kolari 40 F 2
Kolberg (Kolobrzeg) 35 F 1
Kolding 42 C 3
Kolgujew 90 C 2
Koli 40 G 3
Kolín 37 G 3
Kölleda 36 C 2
Köln 26 B 3
Kolq 54 E 2
Kolobrzeg = Kolberg
Kolomyja 55 H 4
Kolophon 67 E 4
Kolpaschewo 93 F 4
Kolumbien
113 u. 126 B/C 2
Kolwezi 76 C 3
Kolyma 94 G 3
Kolymagebirge
(Gydangebirge)
94 G/H 3
Komáron 64 C 2
Kommandeurinseln 94 H 4
Komogo 72 B 4
Komoren 71 u. 79 D 2
Komotau (Chomutov)
31 F 1
Komotini 66 D 3
Komovi 62/63 D 3
Kompaßberg 78 B 4
Kompong Som 102 B 2
Komsomolez-Insel
92 G/H 1
Komsomolsk 95 E 4
Kongkemul 102 C 3
Kotelnyyj-Insel 94 E 2
—, Volksrepublik (St.)
71 u. 76 B/C 1/2
Kongolo 76/77 C 2
Kongsberg 41 B 4
Kongsvinger 41 B 3
König-Christian-X.-Land
116 I 2
König-Christian-IX.-Land
116 K/L 4
Königin-Charlotte-Inseln
115 F 4
Königin-Charlotte-Straße
115 F/G 4
Königin-Elisabeth-Inseln
114 G—I 1/2
Königin-Maud-Land
135 A/B 2
Königsberg (Chojna,
Neumark) 35 E 3
— (Kaliningrad, Ost-
preußen) 54 E/F 1
Königsbrunn 33 D 2
Königslutter 25 F 3
Königssee 33 F/G 3
Königsspitze 51 E 3
Königstein (Hessen)
28 D 2
— (Sachsen, DDR)
37 E/F 3
Königstuhl 52 D 3
Köniz 50 B 3
Konoscha 90 C 2
Konshankowskij Kamen
90 D/E 2/3
Konstanz 32 B/C 3
Konstanza (Constanța)
65 H 3
Kontagora 73 C 3
Konya 85 B 2
Konz 28 B 3
Kopenhagen (København)
43 F 3
Kopervik 41 A 4
Kopetdag 91 D 5
Korallen-See 108 C/D 3

Koralpe 53 E/F 3
Koratplateau 102 B 2
Korbach 29 D/E 1
Korçё 63 E 4
Korčula 62 C 3
Kordofan 75 C/D 3
Koreastraße 100 B 3
Korfu (Kerkira) 67 A 4
Koriakengebirge 94 H/I 3
Korinth 67 C 5
Köris-hegy 64 B 2
Korjaks 94 G 4
Korla 96 B 2
Körmend 53 G 2/3
Kornelimünster 26 B 3
Korneuburg 53 G 1
Kornwestheim 32 B/C 2
Köroğlu dağlari 85 B 1
Korogwe 77 D 2
Koromandelküste 88 B 3/4
Körös 64 D 2
Korosten 55 K 3
Korsakow 95 F 5
Korsika 49 G/H 4/5
Korsør 42/43 E 3
Kos 67 E 5
Kosani 66 B 3
Koslan 90 C/D 2
Köslin (Koszalin) 54 D 1
Kosovo 63 E 3
Kosovska Mitrovica 63 E 3
Kostrzyn = Küstrin
Kosti 75 D 3
Kostroma 90 C 3
Koszalin = Köslin
Köszeg 53 G 2
Kota 88 B 2
Kotabaru (Indonesien)
102 C 4
Kota Baru (Malaysia)
102 B 3
Kotabumi 102 B 4
Kota Kinabalu 102 C 3
Köthen 36 C 2
Kotka 41 F 3
Kotlas 90 C 2
Kotor 62 D 3
Kötschach-Mauthen
52 C/D 3
Kotto 74 C 4
Kotui 92 G 3
Kotzebue (O. u. -sund)
114 C/D 3
Kötzting 31 E/F 2
Kouango 74 C 4
Koumba 74 A/B 4
Kounradskij 93 E 5
Kouvola 41 F 3
Kowel 55 H 3
Kowdor 40 G 2
Kowdsee 40 G/H 2
Koyukuk 114 D 3
Kozhikode 88 B 3
Kożuchów = Freystadt
Kragujevac 63 E 2
Krainburg (Kranj) 53 E 3
Kraichgau 32 B 1
Krakatau, Vulkan —
102 B 4
Krakau (Kraków) 54 E 3
Krakow (DDR) 34 C 2
Kraslice = Graslitz
Kralovice 31 F 2
Kralupy 37 F 3
Kranj = Krainburg
Krasnodar 91 B 4
Krasnojarsk 93 G 4
Krasnoselkup 92 E/F 3
Krasnosnamenskij 91 E 3
Krasnowodsk 91 D 4
Kratie 102 B 2
Krefeld 26 B 2
Kreiensen 25 E 4
Kremenez 55 H/I 3
Kremmen 34 C 3
Krems an der Donau
53 F 1
Kremsmünster 53 D/E 1

Kreta 67 D 6
Kreuzberg (Rhön)
  30 B/C 1
Kreuzeckgruppe 52 C/D
Kreuztal 26 C/D 3
Kribi 74 B 4
Krim 91 B 4
Krimml 52 C 2
Krishna 88 B 3
Kristiansand 41 A/B 4
Kristianstad 43 G 2/3
Kristiansund 40 A 2
Kristiiankaupunki 41 E 3
Kriwoi Rog 91 B 4
Krk 62 B 2
Krka 53 F 4
Kroatien 62 B/C 2
Kronach 31 D 1
Kronstadt = Braşov
  – (UdSSR) 41 G 3
Kroonstad 78 B 3
Krosno Odrzanskie =
  Crossen
Krüger-Nationalpark
  78 C 3
Krugersdorp 78 B 3
Krumau (Česky Krumlov)
  53 E 1
Krumbach 33 D 2
Krummhörn-Greetsiel
  24 B/C 2
Krün 33 E 3
Krung-Thep = Bangkok
Krupki 55 K 1
Krusau 22 C 1
Krusevac 63 E 3

Ksar el-Boukhari 57 G 5
Ksyl-Orda 91 E 4
Kuala Dungun 102 B 3
Kuala Lumpur 102 B 3
Kuala Trengganu 102 B 3
Kuando 76 C 3
Kuango 76 B 2
Kuanza 76 B 2/3
Kuba 123 D/E 2
Kuban 91 B/C 4
Kubango 76 B 3
Kucha (Ku-che) 96 B 2
Kuching 102 C 3
Kudat 102 C 3
Kuddalur 88 B/C 3
Kufra-Oasen 74 C 2
Kufstein 52 C 2
Kuhak 87 E 4
Kühlungsborn 34 B 1
Kuh-i-Baba 88 A 1
Kuh-i-Dinar 86 D 3
Kuhrudgebirge 86/87 D 3
Kuibyschew 91 D 3
Kuito 76 B/C 3
Kujusan 100 B 3
Kujtoseen 40 G 2
Kukawa 73 D 3
Kulja (Yi-ning) 96 B 2
Kuljab 91 E/F 5
Kullen 43 F 2
Kulmbach 31 D 1
Kulsary 91 D 4
Kulundaebene 93 E/F 4
Kumamoto 100 B 3
Kumanovo 63 E/F 3
Kumasi 72 B 4

Kummerower See
  34 C/D 2
Kumran 84 B 3
Kumroveo 53 F 3
Kunashiri 95 F 5
Kundelunguberge
  77 C 2/3
Kungrad 91 D 4
Kungsbacka 43 E/F 1
Kungur 90 D 3
Kunlong 89 D 2
Kun-ming 96/97 D 4
Kunumurra 108 A 3
Künzelsau 32 C 1
Kuopio 41 F/G 3
Kupang 103 D 4
Kura 91 C 4/5
Kurashiki 100 C 3
Kurdistan 86 C 2
Kure 100 C 3
Kurejka (O. u. Fl.)
  92 F/G 3
Kurgan 91 E 3
Kuria-Muria-Inseln 87 D 6
Kurilen 95 F/G 5
Kurische Nehrung
  54/55 F 1
Kurisches Haff 54/55 F 1
Kurland 41 E/F 4
Kurnub 84 B 4
Kursk 90 B 3
Kuruman 78 B 3
Kurume 100 B 3
Kurunegala 88 B/C 4
Kusadasi 67 E 5
Kuschka 91 E 5

Kusel 28 C 3
Kushikino 100 B 4
Kushiro 101 F 1
Kuskowim (Fl.) 114 D 3
Kuskowimberge 114 D 3
Küsnacht (Zürich) 50 C 2
Küssnacht (Schwyz)
  50 C 2
Kustanai 91 E 3
Küstengebirge (Kanada)
  114/115 F/G 4
Küstrin (Kostrzyn) 35 E 3
Kut 86 C 3
Kütahaya 85 A 2
Kutaissi 91 C 4
Kutch 88 A 2
Kutná Hora 37 G 4
Kutno 54 E 2
Kutschan 87 D 2
Kuusamo 40 G 2
Kuwait 83 u. 86 C 4
Kvänangen 40 E 1
Kvarner 62 B 2
Kwa 76 B 2
Kwei-lin (Gui-lin) 97 D/E 4
Kyffhäuser 36 B/C 2
Kykladen 67 D 5
Kyle 38 D 2
Kyll 28 B 3
Kyllburg 28 B 2
Kymijoki 41 F 3
Kyoga-See 77 D 1
Kyoto 100 C 3
Kyritz 34 C 3
Kysylkum, Wüste –
  91 E 4
Kyushu 100 B/C 3

L

Laa an der Thaya 53 G 1
Laage 34 C 2
La Alcarria 56/57 D 2
Laban 84 B 4
La Baule 46 B 3
Labé 72 A 3
Labes (Lobez) 35 F 2
Laboe 22 D 1
Labrador 117 D/E 4
Labrador City 117 D/E 4
Labradorsee 116 F 4
Lábrea 128 B 2
Labuan 102 C 3
La Carolina 56 D 3
La Ceiba 123 D 3
La Chaux-de-Fonds
  50 A 2
Lachendorf 25 F 3
Lachlan 109 C 5
Lackawanna 120 D 2
Lac Léman = Genfer See
La Clusaz 50 A 4
Laconia 121 H 2
La Coruña 56 A 1
Lacq 48 C 4
La Cumbre-Paß 130 C 3
La Cure 50 A 3
Ladakh 88 B 1
La Dôle 50 A 3
Ladysmith 78 B/C 3
Lae 108 C 2
Læsø 42 E 1
La Estrada 56 A 1
La Fère 47 E 2
Lafia 73 C 4
Laga 43 H 1
Lage 27 D 2
Lågen 41 B 3
Laghouat 73 C 1
Lago Maggiore 50 C 3/4
Lagos (Griechenland)
  66 D 3
– (Nigeria) 72 C 4
– (Portugal) 56 A 4
La Granja (Schl.) 56 D 2
La Gran Sabana 126 C 2
La Guaira 126 C 1

Lahatdatu 103 C 3
Lahn 28 C/D 2
Lahnstein 28 C 2
Laholm 43 G 2
Lahore 88 B 1
Lahr 32 A 2
Lahti 41 F 3
Laibach (Ljubljana) 53 E 3
Laichingen 32 C 2
Laila 86 C 5
Lainsitz 53 E 1
Lajes 129 D 4
Lakehurst 121 F 4
Lake of the Woods
  117 B 5
Lake Placid 121 F/G 1
Lakewood 120 B/C 3
Lakoja 73 C 4
Lakonischer Golf 67 C 5
Lakshadweep
  (Lakkadiven) 88 B 4
Laksefjord 40 F 1
Lakselv 40 F 1
La Línea 56 C 4
La Maddalena 58 C 4
La Maiella 59 E 3
La Mancha 56/57 D 3
Lambaréné 76 B 2
Lamego 56 B 2
Lamezia Terme 61 E/F 3
Lamia 67 C 4
Lamon 51 F 3
Lampang 102 A/B 2
Lampedusa 60 D 5
Lampertheim 28 D 3
Lamu 77 E 2
Lan 55 I 2
Lana 51 F 4
Lancaster (England)
  39 E 3
– (USA) 120 B 4
Lancastersund 116 C 2
Landau (Bayern) 31 E 3
– (Rheinland-Pfalz)
  28 C/D 3
Landeck 51 E 2
Landesbergen 25 E 3

Landsberg/Lech 33 D/E 2
Landsberg (Gorzow
  Wiekopolski) 35 F 3
Land's End 39 C/D 5
Landshut 31 E 3
Landskrona 43 F/G 3
Landstuhl 28 C 3
Langanes 40, I D 1
Langau 53 F 1
Langedoc 48/49 E/F 3/4
Langeland 42 D 3/4
Langelsheim 25 F 4
Langen 28/29 D 3
Langenau 32 D 2
Langenberg 26 D 2
Langeneß 22 B 1
Langenhagen 25 E/F 3
Langenthal (O.) 50 B/C 2
Langeoog 24 C 2
Langjökull 40, I B 1
Langnau 50 B 3
Langöy 40 C 1
Langreo 56 C 1
Langres 47 F 3
Lang Son 102 B 1
Lang-zhong 97 D 3
Lanín 131 B 3
Lansing 119 E 2
Lanslebourg 50 A/B 4
Lanzarote 72 A 2
Lan-zhou 97 D 3
Laoag 103 C/D 2
Lao Kay 102 A 1
Laon 45 B 5
Laos 83 u. 102 B 2
La Palma 72 A 2
La Paz (Bolivien) 128 B 3
– (Mexiko) 122 A 2
La Plata (Fl., Argentinien)
  131 D 3
– (O., USA) 120 E 4
La Quiaca 130 C 2
L'Aquila 59 E 3
Lar 86 D 4
Laramie Peak 118 C 2
Laredo 118 D 4

La Rioja (L., Spanien)
  56/57 D 1
– (O., Argentinien) 130 C 2
Larisa 67 C 4
Laristan 86/87 D 4
Larne 38 C/D 3
La Rochelle 46 C 3
La Roche-sur-Yon 46 C 3
La Ronge 115 I 4
Larvik 41 B 4
La Sagra 57 D 3/4
Lascaux 48 D 3
Las Cruces 118 C 3
La Serena 130 B 2
Las Heras 131 C 4
Lashio 89 D 2
Las Marismas 56 B 4
Las Palmas 72 A 2
La Spezia 58 C/D 2
Las Plumas 131 C 4
Lassan 35 D 1
Las Tórtolas 130 C 2/3
Lastoursville 76 B 2
Lastovo 62 C 3
Las Vegas 118 B 3
Latakia 85 B/C 2
Latina 59 E 4
Latisana 52 C/D 4
Latium 58/59 D/E 3/4
Latorica 55 F/G 4
La Trappe 46 D 2
Lauban (Lubań) 37 G 2
Lauchert 32 C 2
Lauchhammer 37 E 2
Lauda-Königshofen 32 C 1
Lauenburg 22 D 2
Lauf 31 D 2
Laufen 33 E 3
Lauingen (Bayern) 30 C 3
Launceston 109 C 6
La Unión 57 E 4
Laupheim 32 C/D 2
Laura 108 C 3
Lausanne 50 A 3
Lausitzer Neiße = Neiße
Laut 102 C 4
Lauter 28 D 3/4

Lauterach 31 D 2
Lauterbach 29 E 2
Lauterbrunnen 50 B 3
Laval 46 C 2
La Vega 56 D 4
Lavello 108 C 2
Laveno 50 C 4
Laverton 104 B 4
Lawgi 109 D 4
Lawrence 121 H 2
Lawrion 67 C/D 5
Lawton 118 D 3
Leaf 117 D 4
Lebanon 121 E 3
Lebenstedt 25 F 3
Lebomboberge 78 C 3
Le Brassus 50 A 3
Lebrija 56 B/C 4
Lebu 131 B 3
Le Cateau 45 B 4
Lecca 59 H 4
Lecco 51 D 4
Lech (Fl.) 33 D 2/3
— (O.) 51 E 2
Lechfeld 33 D 2
Lechtaler Alpen 51 E 2
Le Creusot 47 E/F 3
Leda 24 C 2
Leer 24 C 2
Leeuwarden 44 D 1
Lefkas (Leukas) 67 B 4
Legaspi 103 D 2
Legau 32 D 3
Legge Peak 109 C 6
Legnago 51 F 4
Legnano 50 C/D 4
Legnica = Liegnitz
Leh 88 B 1
Le Havre 46 C/D 2
Lehrte 25 E/F 3
Leibnitz 53 F 3
Leicester 39 F 4
Leiden 44 C 2
Leie 45 B 4
Leigh Creek 109 B 5
Leikanger 41 A 3
Leine 25 E 3
Leinster 39 C 4
Leipzig 36 D 2
Leiria 56 A 3
Leith 38 E 2
Leitha 53 G 2
Leithagebirge 53 G 2
Leitmeritz (Litoměrice)
  37 F 3
Lek 44 C/D 2/3
Le Madonie 60 D/E 4
Le Maire-Straße 131 C 5
Le Mans 46 D 3
Lemberg (Lwow) 55 H 4
Lemförde 24 D 3
Lemgo 27 D 1
Lemvig 42 B 2
Lena 94/95 B–D 2–4
Lend 52 C/D 2
Lendery 40 G 3
Lengerich 26 C 1
Lenggries 33 E 3
Leninabad 91 E/F 4/5
Leninakan 91 C 4
Leningrad 41 G 3
Leninogorsk 93 F 4
Leninsk 91 E 4
Leninsk-Kusnezkij 93 F 4
Leninskoje 95 E 5
Lenk 50 B 3
Lenkoran 91 C/D 5
Lenna 51 D 4
Lenne 26 C 2
Lennestadt 26 D 2
Lens 45 A 4
Lensk 93 I 3
Lenzen 34 B 2
Lenzerheide 51 D 3
León (Mexiko) 122 B 2
— (Nicaragua) 123 D 3
— (Spanien, O. u. Provinz)
  56 C 1/2
Leonberg 32 B/C 2

Leopold-II.-See = Mai-
  Ndombe-See
Leopoldville = Kinshasa
Lepel 55 K 1
Le Puy 49 E 3
Lérida 57 F 2
Lerma 122 B 2
Lermoos 51 E 2
Les Andelys 46 D 2
Lesbos 67 D/E 4
Les Causses 49 E 3
Les Diablerets 50 B 3
Leskovac 63 E/F 3
Les Landes 48 C 3/4
Lesotho 71 u. 78 B 3
Les Sables-d'Olonne
  46 A/B 3
Leszno = Lissa
Lethbridge 115 H 5
Letiahau 78 B 3
Leticia 126 B/C 3
Letterkenny 38 B/C 3
Lettland 41 E/F 4
Letzlinger Heide 34 B 3
Leucate 49 E 4
Leuk 50 B 3
Leukerbad 50 B 3
Leuna 36 C 2
Leutensdorf (Litvínov)
  31 F 1
Leutkirch 32 D 3
Leuven 45 C 4
Levanger 40 B/C 2
Le Verdon-sur-Mer 48 C 3
Leverkusen 26 B/C 2
Levico 51 F 3/4
Lewadia 67 C 4
Lewes 121 F 4
Lewis 38 C 1
Lewiston 121 H 1
Lezhë 62/63 D 4
Lhasa (La-sa) 96 C 4
Lian-yün-gang 99 C/D 3
Liao-dong 99 D 1/2
Liao-yang 99 D 1
Liao-yuan 100 A 1
Liard 115 G 4
Libanon (G.) 84 B 1
— (St.) 83 u. 85 B/C 3
Libau (Liepeja) 41 E 4
Libenge 76 B 1
Liberec = Reichenberg
Liberia 71 u. 72 A/B 4
Libourne 48 C/D 3
Libreville 76 A/B 1
Libro Point 103 C 2
Libyen 71 u. 74 B/C 2
Libysche Wüste 74 C 2
Licata 60 D 4
Lich 29 D 2
Lichinga 79 C 2
Lichtenau 27 D 2
Lichtenfels 31 D 1
Lida 55 H 2
Liechtenstein 51 D 2
Liège = Lüttich
Liegnitz (Legnica) 54 C/D 3
Lienz 52 C 3
Lier 45 C 3
Lieser (Fl. zur Drau) 52 D 2
— (Fl. zur Mosel) 28 B 2
Liestal (O.) 50 B 2
Liezen 53 E 2
Lifford 38 B/C 3
Ligurien 58 B/C 2
Ligurisches Meer
  58 B/C 3
Lihir 108 C 2
Likasi 76/77 C 3
Lille 45 B 4
Lille Bælt = Kleiner Belt
Lillehammer 41 B 3
Lilongwe 78/79 C 2
Lim 62 D 3
Lima 126 B 4
Limagne 47 E 3/4
Limassol 85 B 3
Limbach-Oberfrohna
  36/37 D 3

Limburg/Lahn 28 D 2
— (Provinz, Niederlande)
  45 D 3
Limerick 39 B 4
Limfjord 42 B–D 2
Limmared 43 G 1
Limmat 50 C 2
Limnos 67 D 4
Limoges 46 D 4
Limón 123 D 3/4
Limousin 46 D 4
Limpelberg 31 D 2
Limpopo 78 B/C 3
Linares (Chile) 131 B 3
— (Spanien) 56 D 3
Lincoln (England) 39 F 4
— (USA) 118 D 2
Lindau 32 C 3
Lindenberg 32 C 3
Linderödsås 43 G/H 3
Lindesnes 41 A 4
Lindi (Fl. zum Kongo)
  77 C 1
— (O., Tansania) 77 D 2
Lindisfarne = Holy Island
Lindlar 26 C 2
Lindos 67 F 6
Lindow 34 D 3
Lindsay 120 D 1
Lin-fen 98 B 2
Lingayen 103 C/D 2
Lingbank 38 H 1
Lingen 24 C 3
Lingga-Inseln 102 B 4
Linguère 72 A 3
Lin-hai 97 F 4
Lin-jiang 100 A 1
Linköping 41 C/D 4
Linosa 60 D 5
Linth 50 D 3
Linthal (O.) 50 C/D 3
Lin-xi 97 E 2
Linyanti 78 B 2
Lin-yi 99 C 2
Linz (Österreich) 53 E 1
— (Rheinland-Pfalz)
  28 C 2
Lin-zhi 96 C 4
Lipari 60 D 3
Liparische Inseln (Äolische
  Inseln) 60 E 3
Lipezk 90 B 3
Lipno 53 E 1
Lippe 26 B/C 2
Lippetal 26 C/D 2
Lippstadt 26 D 2
Liri 59 E 4
Liranga 76 B 2
Lisala 76 C 1
Lisboa = Lissabon
Lisieux 46 D 2
Lismore 109 D 4
Lissa (Leszno) 54 D 3
Lissabon (Lisboa) 56 A 3
List 22 B 1
Litani 84 B 1
Litauen 41 E/F 5
Litija 53 E 3
Litín 55 I/K 4
Litoměrice = Leitmeritz
Litschau 53 F 1
Little Rock 119 D 3
Litvínov = Leutensdorf
Liu-zhou 97 D 4
Liverpool 39 E 4
Liverpoolbai 114 G 2
Liverpool-Gebirge 109 C/D 5
Livigno 51 E 3
Livingston-Berge 77 D 2/3
Livingstone = Maramba
Livingstonia 78/79 C 2
Livland 41 F 4
Livno 62 C 3
Livorno 58 C/D 3
Lizard Point 39 D 6
Ljachow-Inseln 94 F 2
Ljubija 62 C 2
Ljubljana = Laibach
Ljubno 53 E/F 3

Ljuboten 63 E 3
Ljungby 43 G 2
Ljusdal 41 C/D 3
Ljusnan 41 C 3
Llanes 56 C 1
Llano Estacado 118 C 3
Llerena 56 B/C 3
Llullaillaco 130 C 2
Löbau 37 F 2
Lobenstein 36 C 3
Lobez = Labes
Lobito 76 B 3
Lobos-Inseln 126 A 3
Loboye 74 B 4
Locarno 50 C 3
Loccum (Kl.) 25 E 3
Lochem 44 E 2
Loch Lomond 38 D 2
Lodi 51 D 4
Lodz 54 E 3
Lofer 52 C 2
Lofoten 40 C 1/2
Logroño 57 D/E 1
Lagstar 42 C 2
Løgumkloster 42 B/C 3
Lohne 24 D 3
Löhne 27 D 1
Lohr 30 B 1/2
Loibl 53 E 3
Loir 46 D 3
Loire 46 D 3
Loisach 33 E 3
Loitz 34 D 2
Loja (Ecuador) 126 B 3
— (Spanien) 56 C 4
Lokka 40 F/G 2
Løkken 42 C 1
Lol 74 C 4
Lolland 42/43 E 4
Lollar 29 D 2
Lom 66 C 2
Lomaberge 72 A 4
Lomani 76 C 2
Lombardei 50/51 C–E 4
Lomblen 103 D 4
Lombok 102 C 4
Lomé 72 C 4
Lomela 76 C 2
Lomie 74 B 4
Lommel 45 D 3
Lomnitza 55 H 4
Lomonossow 41 G 4
Lomont 50 A 2
Lonza 55 F/G 2
London (England) 39 F/G 5
— (Kanada) 117 C 5
Londonderry 38 C 3
Londrina 129 C 4
Longarone 52 C 3
Long Beach 118 B 3
Long Island 121 G 3
Long-Insel 108 C 2
Longreach 109 C 4
Longs Peak 118 C 2
Longueuil 121 G 1
Longview 118 A 2
Longwy 45 D 5
Long Xujen 102 B 2/3
Löningen 24 C 3
Lönsdal 40 C 2
Lons-le-Saunier 47 F 3
Lønstrup 42 C 1
Loolmalasin 77 D 2
Lorain 120 B 3
Lorca 57 E 4
Lorch (Baden-Württem-
  berg) 32 C 2
— (Hessen) 28 C 2
Lord-Howe-Insel 104 C/D 4
Lorengau 108 C 2
Loreto 59 E 3
Lorian-Sumpf 77 D/E 1
Lorient 46 B 3
Lörrach 32 A 3
Los Alamos 118 C 3
Los Angeles 118 A/B 3
Losinj 62 B 2
Los Pedroches 56 C 3
Lot 48 D 3

Lota 131 B 3
Lotagipi-Sumpf 75 D 4
Lötschental 50 B 3
Lothringen 47 F/G 2
Loubombo 76 B 2
Louga 72 A 3
Lough Corrib 39 B 4
Lough Derg 39 B 4
Lough Erne 38 C 3
Lough Neagh 38 C 3
Lough Ree 39 B 4
Louisiade-Archipel 108 D 3
Louisiana 119 D 3
Louisville 119 E 3
Lou-lan 96 B 2
Loulé 56 A/B 4
Louny 31 F 1
Lourdes 48 C 4
Lourenço Marques = Maputo
Loveč 66 D 2
Lovere 51 D/E 4
Lovongai 108 C/D 2
Low 121 E 1
Lowell 121 H 2
Löwenburg (Lwówek)37 G 2
Lower Hutt 109, I B 2
Lowestoft 39 G/H 4
Loyalty-Inseln 104/105 D 4
Lualaba 77 C 2
Luanda 76 B 2
Luang Prabang 102 B 1/2
Luangwa 77 D 3
Luanshya 76/77 C 3
Luapula 77 C 2/3

Luarca 56 B 1
Lubań = Lauban
Lubango 76 B 3
Lübbecke 26/27 D 1
Lübben 37 E 2
Lübbenau 37 F 2
Lubbock 118 C 3
Lübeck 22/23 D 2
Lübecker Bucht 23 E/F 1
Lublin 55 G 3
Lubsko = Sommerfeld
Lübtheen 34 B 2
Lubumbashi (Elisabethville)
   79 C 3
Lübz 34 B/C 2
Lucca 58 D 3
Lucera 59 F 4
Lüchow 25 G 3
Luckau 37 E 2
Luckenwalde 37 E 1
Lü-da (Lu-shun, Da-Lian)
   99 D 2
Lüdenscheid 26 C 2
Lüder 29 E 2
Lüderitz 78 A 3
Lüderitzbucht 78 A 3
Lüdinghausen 26 C 2
Ludvika 41 C 3
Ludwigsburg 32 C 2
Ludwigsfelde 34 D 3
Ludwigshafen (Baden-
   Württemberg) 32 C 3
– (Rheinland-Pfalz) 28 D 3
Ludwigslust 34 B 2

Luebo 76 C 2
Luena 76 B/C 3
Luepa 126 C 2
Lufira 77 C 2
Luga 41 G 4
Luganer See 50 C/D 4
Lugano 50 C/D 3/4
Lugenda 79 C 2
Lugh Ganane 75 E 4
Lugo 56 B 1
Lugoj 64 D 3
Luhaiyah 86 C 6
Luhe 25 F 2
Luhit 89 D 2
Luino 50 C 4
Lukanga-Sumpf 77 C 3
Lukenie 76 C 2
Lukmanier 50 C/D 3
Lukolela 76 B 2
Lukow 55 G 3
Lukuga 77 C 2
Luleå 40 E 2
Luleälv 40 E 2
Lüleburgaz 66 E 3
Lund 43 G 3
Lunda 76 B/C 2
Lundy 39 D 5
Lune 24 D 2
Lüneburg 25 F 2
Lüneburger Heide
   25 E/F 2/3
Lünen 26 C 2
Lunéville 47 G 2
Lungau 52/53 D 2

Luninez 55 I 2
Lunz 53 E 2
Lure 50 A 2
Lurio 79 C 2
Luristan 86 C 3
Lusaka 77 C/D 3
Lusambo 76 C 2
Lusen 31 F 3
Lu-shan 97 E 4
Lut, Wüste – 87 D 3
Lutjenburg 22 D 1
Luton 39 F 5
Lüttich (Liège) 45 D 4
Luvua 77 C 2
Luxemburg (O.) 45 E 5
– (St.) 20 u. 45 D/E 5
Luxeuil-les-Bains 50 A 2
Luxor 85 B 4
Luzern 50 C 2
Lu-zhou 97 D 4
Luzk 55 H 3
Luzon 103 D 2
Lwow = Lemberg
Lwówek = Löwenburg
Lyallpur 88 B 1
Lychen 34 D 2
Lyck (Elk) 55 G 2
Lycksele 40 D 2
Lynchburg 119 F 3
Lyngenfjord 40 E 1
Lynn Lake (O.) 115 I/K 4
Lyon 49 F 3
Lysefjord 41 A 4
Lysogóry 55 F 3
Lyswa 90 D 3

M

Maad 84 B 2
Maan 85 C 3/4
Maas (Meuse) 47 F 2
Maastricht 45 D 4
Macao (Ao-men) 97 E 4
Macapá 129 C 1
Macdonnell-Kette 109 B 4
Maceió 129 E 2
Macerata 59 E/F 3
Machatschkala 91 C 4
Machu Picchu 126 B 4
Macina 72 B 3
Mackav 108 C 4
Mackay-See 109 A/B 4
Mackenzie (Distrikt)
   114/115 G–I 3
– (Fl. u. -bai) 114 F/G 3
Mackenziegebirge
   114 F/G 3
Mackenzie-King-Insel
   114 H/I 2
Mâcon 47 F 3
Macquarie-Inseln 135 H 4
Macugnaga 50 B/C 4
Madaba 84 B 3
Madagaskar 71 u. 79 D 2/3
Madan 66 D 3
Madang 108 C 2
Madeira
   (Fl. zum Amazonas)
   128 B 2
– (I. im Atlantik) 72 A 1
Mädelegabel 51 E 2
Madison 119 D/E 2
Madras 88 C 3
Madre de Dios 128 B 3
Madrid 56 C/D 2
Madura 109 A 5
Madüsee 35 E/F 2
Maebashi 101 D 2
Mae Sai 102 A/B 1
Maevatanana 79 D 2
Mafeking 78 B 3
Mafia (I.) 77 D/E 2
Mafraq 84 C 2
Magadan 94 G 4
Magadi 77 D 2
Magdagatschi 95 D 4
Magdalena 126 B 2

Magdalen-Insel 117 E 5
Magdeburg 36 C 1
Magdeburger Börde 36 C 1
Magendo 108 C 2
Magellanstraße 131 B/C 5
Mageröy 40 F 1
Magnitogorsk 91 D/E 3
Magog 121 G/H 1
Magwe 89 D 2
Mahabaleshwar 88 B 3
Mahad Dhahab 86 C 5
Mahajanga 79 D 2
Mahakam 102 C 3/4
Mahanadi 88 C 2
Maharashtra 88 B 3
Mahattat Dab'a 84 C 3
Mahe (O., Indien) 88 B 3
Mahé (O., Seychellen)
   79 E 1
Mahenge 77 D 2
Mahón 57 G/H 3
Maiche 50 A 2
Maicuru 128 C 2
Maiduguri 73 D 3
Maikop 91 C 4
Mailand (Milano) 50 C/D 4
Maimanah 88 A 1
Mai-Munene-Fälle
   (Wissmann-Fälle)
   76 B/C 2
Main 30 A–C 1/2
Mainake 56 D 4
Mainau 32 C 3
Mainburg 31 D 3
Mai-Ndombe-See
   (Leopold II.-See)
   76 B/C 2
Maine (Frankreich)
   46 C/D 2
– (USA) H/I 1
Mainland (Pomona) 38 D/E 1
Mainz 28 D 2/3
Maintirano 79 D 2
Maisur 88 B 3
Maitland 109 D 5
Maizuru 100 C 3
Maja 94 E 3
Majdanpek 63 E 2
Majene 103 C 4

Maji 75 D 4
Makale 75 D 3
Makarikari-Salzpfanne
   78 B 3
Makassar = Ujung Pan-
   dang
Makat 91 D 4
Makedonien 63 E/F 4 u.
   66 B/C 3
Makinsk 91 F 3
Makteir 72 A 2
Makurdi 73 C 4
Malabarküste 88 B 3/4
Malabo (Santa Isabel)
   76 A 1
Malacca 102 B 3
Maladeta 57 F 1
Málaga 56 C 4
Malaienhalbinsel
   102 A/B 3
Malakal 75 D 4
Malanda 108 C 2
Malang 102 C 4
Mälarsee 41 D 4
Malatya 85 C 2
Malawi 71 u. 78/79 C 2
Malawisee (Njassa)
   78/79 C 2
Malaysia 83 u. 102 B/C 3
Malbork = Marienburg
Malchin 34 C 2
Malchow 34 C 2
Malden-Insel 105 F 3
Malé 51 E 3
Malediven 83 u. 88 B 4
Malegaon 88 B 2
Mali 71 u. 72 B 2/3
Malin 55 K 3
Maling 103 D 3
Malin Head 38 C 3
Mallaig 38 D 2
Mallersdorf-Pfaffenberg
   31 E 3
Mallnitz 52 C/D 3
Malmberget 40 E 2
Malmedy 45 E 4
Malmö 43 G 3
Maloelap-Atoll 105 D 2
Malone 121 F 1

Malopo 78 B 3
Mallorca 57 G 3
Malpelo 126 A 2
Mals 58 D 1
Malsch 32 B 2
Malstrom 40 C 2
Malta 17, III E 5 u. 60 D 5
Maltahöhe 78 A 3
Malwinen = Falkland-
   Inseln
Malyginstraße 90 E/F 1
Maly Karmakuly 90 C/D 1
Mama (O.) 93 I 4
Mamaia 65 H 3
Mamberamo 108 B 2
Mamburao 103 C/D 2
Mamore 128 B 3
Man 39 D 3
Manacor 57 G 3
Manado 103 D 3
Managua 123 D 3
Manakara 79 D 3
Manamah 86 D 4
Mananara 79 D 2
Mananjary 79 D 3
Manasarowar 96 B 3
Manassas 120 E 4
Manaus 128 B 2
Manchester (England)
   39 E/F 4
– (USA) 121 H 2
Manching 31 D 3
Mandagatschi 91 D 4
Mandalaspitze 108 B 2
Mandalay 89 D 2
Mandal-Gobi 97 D 2
Mandaragebirge 73 D 3
Mandawa 102 C 4
Mandschurei 97 F/G 2
Mandvi 88 A 2
Manerbio 51 E 4
Manfredonia 59 G 4
Manga 73 D 3
Mangai 76 B 2
Mangalia 65 H 4
Mangalur 88 B 3
Mangeni 73 D 2
Mangfallgebirge 33 E/F 3
Mangoche 79 C 2

Mangoky 79 D 3
Mangonui 109, I B 1
Manhartsberg 53 F 1
Mani 105 F 1
Manicoré 128 B 2
Manihiki 105 F 3
Manila 103 D 2
Manipur 89 D 2
Manisa 67 E 4
Manitoba 115 I/K 4
Manitoba-See 115 K 4
Manizales 126 B 2
Mannheim 32 B 1
Manokwari 108 B 2
Manono 77 C 2
Manresa 57 F/G 2
Mansel 117 C/D 3
Mansfield 120 B 3
Mantua (Mantova) 51 E 4
Mantyluoto 41 E 3
Manukan-Hafen 109, I B 1
Manus 108 C 2
Manyassee 66 E 3
Manyoni 77 D 2
Manzanares (Fl.) 56 D 2
 – (O.) 56 D 3
Manzanillo (Kuba) 123 E 2
 – (Mexiko) 122 B 3
Man-zhou-li 97 E 2
Mao (O.) 74 B 3
Maokegebirge 108 B/C 2
Mao-ming 97 E 4
Mappi 108 B 2
Mapia-Inseln 103 E 3
Mapimi (O.) 122 B 2
Maputo (Lourenço
  Marques) 78/79 C 3
Maquela do Zombo
  76 B 2
Maracá 129 C 1
Maracaibo 126 B 1
Maracaibo-See 126 B 1/2
Maracay 126 C 1
Marahuaca 126 C 2
Marajó, Insel – 129 C/D 2
Marajo (Livingstone)
  76/77 C 3
Maranhão 129 D 2
Maranon 126 B 3
Marapi 102 B 4
Maraş 85 C 2
Marathon 67 C/D 4
Marbach 32 C 2
Marbacke 41 C 4
Marbat 86 D 6
Marbella 56 C 4
Marburg (Hessen)
  28/29 D 2
 – (Maribor, Jugoslawien)
  53 F 3
Marcaria 51 E 4
Marcha 92 I 3
Marche 46 D 4
Marche-en-Famenne
  45 D 4
Marchegg 53 G 1
Marchfeld 53 G 1
Marcus Baker 114 E 3
Marcus-Insel 104 C 1
Mar del Plata 131 D 3
Mardin 85 D 2
Maree 109 B 4
Maremmen 58 D 3
Margarita 126 C 1
Margate 39 G 5
Mariager 42 C/D 2
Maria Laach (Kl.) 28 C 2
Marianao 123 D 2
Marianen 104 C 2
Mariánské Lázné =
  Marienbad
Maria Taferl 53 F 1
Mariazell 53 F 2
Marib (Saba) 86 C 6
Maribo 43 E 4
Maribor = Marburg
Marica 66 E 3
Maridi 75 C 4

Marie-Byrd-Land
  134/135 M/N 1/2
Marie-Galante 125 E/F 3
Mariehamm
  (Maarianhamina)
  41 D/E 3/4
Marielyst 23 E/F 1
Marienbad (Mariánské
  Lázné) 31 E/F 2
Marienberg 37 E 3
Marienburg (Malbork)
  54 E 2
Mariental 78 A 3
Mariestad 41 C 4
Marietta 120 C 4
Mariinsk 93 F 4
Mariinskoje 95 E 4
Marion 120 B 3
Maringa 129 C 4
Marken 59 E 3
Mark-Kinna 43 F/G 1
Marktbreit 30 C 2
Marktheidenfeld 30 B 2
Markt-Indersdorf 31 D 3
Marktoberndorf 33 D 3
Marktredwitz 31 D/E 1/2
Markt Schwaben 33 E/F 2
Marl 26 C 2
Marmagao 88 B 3
Marmarameer 66 E/F 3
Marmarika 74 C 1
Marmaris 67 F 5
Mar Menor 57 E 4
Marmolada 51 F 3
Marne (Fl., Frankreich)
  47 E/F 2
 – (O., Schleswig-Holstein)
  22 C 2
Marne-Rhein-Kanal
  47 F 2
Maroantsetra 79 E 2
Marokko 71 u. 72 A/B 2/3
Maroni 127 D 2
Maros 64 D 2
Maroua 74 B 3
Marovoay 79 D 2
Marquesas-Inseln 12 A 5
Marrakech 72 B 1
Marrawah 109 C 6
Marsabit 77 D 1
Marsa el-Alam 85 B 4/5
Marsa el-Brega 74 B 1
Marsala 60 D 4
Marsa Matruh 85 A 3
Marsberg 27 D 2
Marseille 49 F 4
Marshall-Inseln 105 D 2
Marstal 22 D 1
Marta 58 D 3
Martaban 89 C 3
Martigny 50 B 3
Martinique 125 E 3
Mary 91 E 5
Maryborough 109 D 4
Mary Kathleen 108 B/C 4
Maryland 120/121 E/F 4
Masada 84 B 3
Masan 100 B 3
Masasi 77 D 3
Masaya 123 D 3
Masbate 103 D 2
Masdjid-i-Sulaiman
  86 C/D 3
Masenderan 86 D 2
Maseru 78 B 3
Mashabbe Sade 84 A 4
Mashonaland 78 C 2
Masindi 77 D 1
Masirah 87 D 5
Maskarenen 79 E 2/3
Maskat 87 D 5
Massa 58 C/D 3
Massachusetts 121 G/H 2
Massai-Steppe 77 D 2
Massaua 75 D/E 3
Massena 121 F 1
Massenya 74 B 3
Massillon 120 C 3

Masurische Seenplatte
  54/55 E – G 1/2
Matabeleland 78 B 2
Matadi 76 B 2
Matagalpa 123 D 3
Matala 76 B 3
Matamoros (Coahuila)
  122 B 2
 – (Tamaulipas) 122 C 2
Matanzas 123 D 2
Mataram 102 C 4
Mataró 57 G 2
Matatiele 78 B 4
Mata Uto 107 E 3
Matera 59 G 4
Matese 59 F 4
Mateur 60 B 4
Mathura 88 B 2
Mato Grosso
  (O. u. Bundesstaat)
  128/129 C 3
Matosinhos 56 A 2
Matotschkinstraße
  90 C/D 1
Matragebirge 64 C/D 2
Matrah 87 D 5
Matrei (Osttirol) 52 C 3
 – (Tirol) 51 F 2
Matsue 100 C 3
Matterhorn 50 B 4
Mattersburg 53 G 2
Mattighofen 52 D 1
Maturin 126 C 2
Maubeuge 45 B 4
Mauersee 55 F/G 1
Maun 78 B 2
Mauretanien
  71 u. 72 A/B 2/3
Maurienne 50 A 4
Mauritius 71 u. 79 E 2/3
Mautern (Niederösterreich)
  53 F 1
 – (Steiermark) 53 E 2
Mauthausen 53 E 1
Maxhütte-Haidhof 31 E 2
May (I.) 38 E 2
Mayaguana 123 E 2
Mayagüez 125 E 3
Mayang 100 B 2
Mayen 28 C 2
Mayenne 46 C 3
Mayo 114 F 3
Mayon, Vulkan – 103 D 2
Mayotte 79 D 2
Mayrhofen 51 F 2
Maysville 120 B 4
Mazabuka 77 C 3
Mazar-e-Scharif 88 A 2
Mazraa 84 B 3
Ma-zu-dao 97 F 4
Mbabana 78 C 3
Mbaïki 74 B 4
Mbandaka (Coquihatville)
  76 B/C 1
Mbeya 77 D 2
Mbinda 76 B 2
Mbini 76 B 1
Mbuji-Mayi 76 C 2
McClintock-Kanal
  114 I/K 2
McCluire-Straße 114 G/H 2
McDonald-Inseln 135 D 4/5
McKeesport 120 D 3
Meadstausee 118 B 3
Meaux 47 E 2
Mechelen 45 C 3
Mechernich 26 B 3
Mecklenburg 34 B – D 2
Mecsekgebirge 64 C 2
Medan 102 A 3
Mede 50 C 4
Médéa 57 G 4
Medellín 126 B 2
Medford 118 A 2
Medias 65 F 2
Medicine Hat 115 H 4
Medina (El-Madinah)
  85 C 5
Medina del Campo 56 C 2

Medina-Sidonia 56 B/C 4
Medjerda 60 B 4
Médoc 48 C 3
Meduno 52 C 3
Meekatharra 104 A/B 4
Meeralpen 49 G 3
Meerane 36 D 3
Meersburg 32 C 3
Meerut 88 B 2
Megantic 121 H 1
Megève 50 A 4
Megiste 85 A 2
Mehadia 64 E 3
Meighen-Insel 116 B 1/2
Meiktila 89 D 2
Meiningen 36 B 3
Meisenheim 28 C 3
Meißen 37 E 2
Meißner 29 E 1
Mókambo 76 B 1
Mekka 86 B/C 5
Meknès 72 B 1
Mekong (Dza Chhu) 96 C 3
Mekran 87 D/E 4
Melbourne 109 C 5
Meldorf 22 C 1
Melfi 74 B 3
Melilla 72 B 1
Melk 53 F 1
Melle 24 D 3
Mellrichstadt 30 C 1
Mellum 24 D 2
Mělník 37 F 3
Melo 130 D 3
Melsungen 29 E 1
Melun 47 E 2
Melvillebai 116 E 2
Melville-Halbinsel 116 C 3
Melville-Insel 114 H/I 2
Melvillesund 114 H/I 2
Memel (Kaipéda) 41 E 5
Memmingen 32/33 D 3
Memphis (O.,USA) 119 D 3
 -(R. Ägypten) 85 B 4
Mende 49 E 3
Menden 26 C 2
Mendoza 131 C 3
Mengen 32 C 2
Mengerskirchen 28 D 2
Meng-zi 102 B 1
Menongue 76 B 3
Menorca 57 G/H 2
Mentawi-Inseln 102 A 4
Menton 49 G 4
Menzel-Bourguiba 60 B 4
Meppel 44 E 2
Meppen 24 C 3
Mequinenza 57 E/F 2
Meraia 72 B 3
Merak 102 B 4
Meraker 40 B 2
Meran (Marano) 51 F 3
Merauke 108 B/C 2
Merca 75 E 4
Mercedes 131 C 3
Meregh 75 E 4
Mergui-Inseln =Myeik-Inseln
Mérida (Mexiko) 123 C/D 2
 – (Spanien) 56 B 3
 – (Venezuela) 126 B 2
Meriden 121 G 3
Mering 33 E 2
Merkys 55 H 1
Meron 84 B 1
Merowe 75 D 3
Merrick 38 D 3
Merseburg 36 C 2
Mers el-Kebir 57 E 5
Mersin 85 B/C 2
Merthyr Tydfil 39 E 5
Meru 77 D 2
Merzig 28 B 3
Mesabikette 119 D 2
Mesar-i-Scherif 88 A 1
Meschede 26 D 2
Meschhed 87 D 2
Mesen (O. u. Fl.) 90 C 2
Meseritz (Miedzyrzecz)
  35 F 3

Mesocco 50 D 3
Mesolongion 67 B 4
Mesopotamien 86 C 3
Messenischer Golf 67 C 5
Messina (Italien) 61 E 3
– (Südafrika) 78 C 3
Mesta 66 C 2
Mestre 51 G 4
Mesurai 102 B 4
Meßkirch 32 C 2/3
Meta 126 B 2
Metaponto 59 G 4
Metauro 59 E 3
Meteoraklöster 67 B 4
Metković 62 C/D 3
Metsowon 67 B 4
Mettmann 26 B/C 2
Metz 28 B 3
Metzingen 32 C 2
Meurthe 47 G 2
Meuselwitz 36 D 2
Mexicali 122 A 1
Mexiko (O.) 122 B/C 3
– (St.) 122 B/C 2/3
Meyenburg 34 C 2
Mezzano 51 F 3
Miami 119 E 4
Miass 91 E 3
Michelstadt 29 D 3
Michigan 120 A/B 2
Michigansee 119 E 2
Michoacán 122 B 3
Middelburg (Niederlande)
   45 B 3
– (Südafrika, Kapland)
   78 B 4
– (Südafrika, Transvaal)
   78 B/C 3
Middelharnis 44 B/C 3
Middelfart 42 C/D 3
Middlesbrough 38 F 3
Midelt 72 B 1
Midian 85 C 3
Midland 120 D 1
Midway-Inseln 107 E 1
Midye 66 F 3
Miedzychod = Birnbaum
Miedzyrzecz = Meseritz
Miedzyzdroje = Misdroy
Mieres 56 B/C 1
Mies (Mze, Fl.) 31 E 2
– (Stříbro, O.) 31 E/F 2
Miesbach 33 E/F 3
Mikulov = Nikolsburg
Mikunipaß 101 D 2
Milano = Mailand
Milas 67 E 5
Mildura 109 C 5
Milesburg 120 E 3
Miletos 67 E 5
Milford Haven 39 D 5
Miliana 57 F/G 4
Milkowo 94 G 4
Millau 49 E 3
Millstatt 52 D 3
Milos 67 D 5
Milparinka 109 C 4
Mittenberg 30 B 2
Milwaukee 119 D/E 2
Mimico 120 D 2
Mina el-Ahmadi 86 C 4
Minahasa 103 D 3
Minas 102 B 3
Minas de Riotinto 56 B 4
Minas Gerais 129 D 3
Mincio 51 E 4
Mindanao 103 D 3
Mindelheim 32/33 D 2
Minden 27 D 1
Mindoro 103 D 2
Mîndra 64 E 3
Minho (Fl. u. L.) 56 A 1/2
Minna 73 C 4
Minneapolis 119 D 2
Minnesota 119 D 2
Miño 56 B 1
Minot 118 C 2
Min-shan 96/97 D 3
Minsk 55 I/K 2

Minussinsk 93 G 4
Minya Konka
   (Gong-ga-shan) 96 D 4
Miquelon 117 F 5
Mira 51 G 4
Miranda de Ebro 56 D 1
Miranda do Douro 56 B 2
Miri 102 C 3
Mirim-Lagune 130/131 D 3
Mirjawa 87 E 4
Mirnyj 93 I 3
Mirow 34 C 2
Mirzapur 88 C 2
Misburg 25 E/F 3
Misdroy (Miedzyzdroje)
   35 E 2
Miskolc 64 D 1
Misool 108 B 2
Misratah 75 B 1
Mississippi (Bundesstaat
   u. Fl.) 119 D/E 2/3
Missouri (St. u. Fl.) 119 D 3
Missouriplateau 118 C/D 2
Mistassini-See 117 D 4
Mistelbach 53 G 1
Mitau (Jelgava) 41 E 4
Mitchell 108 C 3 u. C 4
Mitidja 57 G 4
Mitilini 67 E 4
Mitla 122 C 3
Mitlapaß 85 B 3/4
Mito 101 E 2
Mittelberg 51 D/E 2
Mittelland (Schweiz)
   50 A – C 2/3
Mittellandkanal 24 C/D 3
Mittelmeer 14/15 D – G 5
Mittenwald 33 E 3
Mittersill 52 C 2
Mitterteich 31 E 2
Mitterer Atlas 72 B 1
Mittlerer Taurus 85 B/C 2
Mittweida 37 D 3
Mitú 126 B 2
Mitumba-Gebirge 76/77 C 2/3
Mitzic 76 B 1
Mizen Head 39 A/B 5
Mjösensee 41 B 3
Mladá Boleslav =
   Jungbunzlau
Mlawa 54 E/F 2
Mljet 62 C 3
Mnichovo Hradiště 37 F 3
Moa 108 A 2
Mobaye 74 C 4
Mobile 119 E 3
Mobuto-Sese-Seko-See
   (Albert-See) 77 C 1
Moçambique
   71 u. 78/79 C 2/3
Moçâmedes 76 B 3
Mocha 86 C 7
Mochudi 78 B 3
Mocimba da Praja 79 C/D 2
Moco 76 B 3
Mocoa 126 B 2
Mocuba 79 C 2
Modane 50 A 4
Modena 58 D 2
Modica 60 D 4
Mödling 53 G 1
Modřany 37 F 4
Moers 26 B 2
Moesa 50 D 3
Mogadishu 75 E 4
Mogilew-Podolskij 55 I/K 4
Mogliano 51 G 4
Mogok 89 D 2
Mogotscha 95 C/D 4
Mogpo 100 A 3
Mohács 64 C 3
Mohawk 121 F 2
Mo-he 97 F 1
Mohéli 79 D 2
Mohenjo Daro 88 A 2
Möhne (Fl. u. -see) 26 D 2
Mointy 91 F 4
Mo i Rana 40 C 2

Moissac 48 D 3
Mojavawüste 118 B 3
Moknin 60 C 5
Mokwangu-Fälle 76 C 1
Moldau (L., Rumänien)
   65 G 2/3
– (St., UdSSR) 90/91 A 4
– (Fl., Vltava) 53 D/E 1
Moldaustausee 53 E 1
Molde 41 A 3
Moldoveanu 65 F 3
Molepolole 78 B 3
Moléson 50 A/B 3
Molfetta 59 G 4
Möll 52 D 3
Mollendo 126 B 4
Mölln 23 D 2
Mölndal 43 F 1
Molodetschno 55 I 1
Molokai 105 F 1
Mols 42 D 2
Molukken 103 D 3/4
Molukkenstraße 103 D 3/4
Momagebirge 94 F 3
Mombasa 77 D/E 2
Momčilgrad 66 D 3
Mommark 42 D 4
Mon 43 F 3
Mona 125 E 3
Monaco 17, III D 4 u. 58 B 3
Mönchengladbach 26 B 2
Monclova 122 B 2
Moncton 117 E 5
Mondego 56 A 2
Mondonedo 56 B 1
Mondsee (O. u. S.) 52 D 2
Monemwasia 67 C 5
Monfalcone 52 D 4
Monfort (R.) 84 B 2
Monforte de Lemos 56 B 1
Mongalla 75 D 4
Mongo 74 B 3
Mongolischer Altai (Ektag)
   96 B/C 2
Mongolische Volksrepublik
   83 u. 96/97 C – E 2
Mongosberge 74 C 4
Mongu 76 C 3
Monheim 30 C 3
Monopoli 59 G 4
Monreale 60 D 3/4
Monroe 120 B 3
Monrovia 72 A 4
Mons 45 B/C 4
Monschau 26 B 3
Mons Klint 43 F 4
Montabaur 28 C 2
Montafon 51 D/E 2/3
Montalbán 57 E 2
Montana 118 B/C 2
Montargis 40/41 E 2/3
Montauban 48 D 3
Montbéliard 50 A 2
Montblanc 50 A 4
Montbrison 47 E/F 4
Mont Canigou 48 E 4
Mont-de-Marsan 48 C 4
Mont Dore 48/49 E 3
Monte Adamello 51 E 3
Monte Amiata 58 D 3
Monte Argentario 58 D 3
Monte Azul 129 D 3
Monte Baldo 51 E 4
Montebelluna 51 F/G 4
Monte Caseros 130 D 3
Monte Cassino 59 E/F 4
Monte Catria 58/59 E 3
Monte Cervialto 59 F 4
Monte Cimone 58 D 2
Monte Cinto 49 H 4
Monte Circeo 59 E 4
Montecollina 109 B/C 4
Monte Cristallo 51 G 3
Montecristo 58 D 3
Monte Croce 51 F 3
Monte Falterona 58 D 2/3
Monte Gargano 59 F/G 4
Montego Bay 123 E 3
Monte Grappa 51 F 4

Montélimar 49 F 3
Monte Leone 50 C 3
Montenegro 62/63 D 3
Monte Perdido 57 E/F 1
Monte Petroso 59 E/F 4
Monte Pramaggiore 52 C 3
Monterey 118 A 3
Monteria 126 B 2
Monte Rosa 50 B 4
Monte Rosa 58 B/C 2
Monte Rotondo 49 H 4
Monterry 122 B/C 2
Monte San Giuliano =
   Erice
Monte Sant' Angelo 59 G 4
Monte Sarmiento 131 B 5
Montes Claros 129 D 3
Montes de Toledo 56 C/D 3
Monte Sirino 59 F/G 4
Monte Tina 123 E 3
Montevideo 131 D 3
Monte Viso 58 B 2
Monte Vulture 59 F 4
Montgomery 119 E 3
Monthey 50 A 3
Monti Berici 51 F 4
Montichiari 51 E 4
Monti del Gennargentu
   58 C 4/5
Monti Sibillini 58 E 3
Mont Lozère 49 E/F 3
Montluçon 46 D/E 3
Montmédy 45 D 5
Mont Mézenc 49 E/F 3
Mont Pelée 125 E 3
Montpelier (USA) 121 G 1
Montpellier (Frankreich)
   49 E 4
Montreal 121 F/G 1
Montreux 50 A/B 3
Mont Risoux 50 A 3
Mont Roraima 126/127 C 2
Montrose 38 E/F 2
Mont-Saint Michel 46 C 2
Montschegorsk 40 G/H 2
Monts d'Arrée 46 A/B 2
Monts d'Aubrac 49 E 3
Monts de la Margeride
   49 E 3
Monts du Beaujolais
   47 F 3/4
Monts du Charolais 47 F 3
Monts du Forez 47 E 4
Monts du Lyonnais 47 F 4
Monts du Vivarais 49 E 3
Montserrat (I.) 125 E 3
– (Kl., Spanien) 57 F 2
Mont Tendre 50 A 3
Mont Ventoux 49 F 3
Monza 51 D 4
Moon (Muhu) 41 E 4
Moosburg 31 D 3
Moose Jaw 115 I 4
Moosonee 117 C 4
Mopti 72 B 3
Moquegua 126 B 4
Mora 41 C 3
Moradabad 88 B/C 2
Moramango 79 D 2
Moratuwa 88 B/C 4
Morava 63 E 2
Moray Firth 38 E 2
Morbegno 51 D 3
Morcambebai 39 E 3/4
Moree 109 C 4
Morelia 122 B 3
Moreton 108 C 3
Morgan 109 B/C 5
Morgantown 120 C 4
Morges 50 A 3
Morioka 101 E 2
Morlaix 46 A/B 2
Morobe 108 C 2
Morogoro 77 D 2
Morombé 79 D 3
Morondava 79 D 3
Morón de la Frontera
   56 C 4
Moroni 79 D 2

Morotai 103 D 3
Moroto 77 D 1
Morro Alto 129 D 3
Mors 42 B 2
Morsbach 26 C 3
Morsø-Nykøbing 42 B 2
Mortara 50 C 4
Morteau 50 A 2
Morvan 47 E/F 3
Morzine 50 A 3
Mosbach 32 C 1
Mosel 28 B/C 2/3
Moshi 77 D 2
Mosjöen 40 C 2
Moskau 90 B 3
Moskitogolf u. -küste
  123 D 3
Moss 41 B 4
Mosselbaai 78 B 4
Mössingen 32 B/C 2
Mossoró 129 E 2
Most = Brüx
Mostaganem 57 E/F 4/5
Mostar 62 C/D 3
Mosul 85 D 2
Mosyr 55 K 3
Motagua 123 C/D 3
Motala 41 C 4
Motherwell 38 D/E 3
Motril 56 D 4
Moudon 50 A 3
Mouila 76 B 2
Mould Bay (O.) 114 H 2
Moulins 47 E 3
Moulmein 89 C 3
Moundsville 120 C 4
Moundu 74 B 4
Mount Abu 88 B 2
Mount Aloysius 109 A 4
Mount Aspiring 109, I A 2
Mount Baker 118 A/B 2
Mount Barret 108 A 3
Mount Bruce 104 A 4
Mount Columbia 115 H 4
Mount Cook 109, I A 2
Mount Doonerak 114 D 3
Mount Douglas (O.)
  109 C 4
Mount Egmont 109, I B 1
Mount Elbert 118 C 3
Mount Erebus 135 I/K 2
Mount Fairweather
  114 E/F 4

Mount Forel 116 H 3
Mount Fridtjof Nansen
  135 H 1
Mount Godwin Austen
  96 A 3
Mount Hood 118 A/B 2
Mount Hunt 114 G 3
Mount Isa (O.) 108 B 4
Mount Katmai 114 D 4
Mount Kirkpatrick 135 H 1
Mount Kosciusko
  109 C/D 5
Mount Logan 114 E 3
Mount McKinley 114 D/E 3
Mount Michelson 114 E 3
Mount Mitchell 119 E 3
Mount Morgan (O.)
  109 C/D 4
Mount Palomar 118 B 3
Mount Rainier 118 A 2
Mount Robson 115 G/H 4
Mount Roosevelt 115 G 4
Mount Saint Elias
  114 E/F 3/4
Mount Sea View 109 D 5
Mount Shasta 118 A 2
Mount Smythe 115 G 4
Mount Tasman 109, I A/B 2
Mount Tom Price (O.)
  104 A/B 4
Mount Waddington
  115 G 4
Mount Washington
  121 H 1
Mount Whitney 118 A/B 3
Mount Woodroffe 109 B 4
Mount Ziel 109 B 4
Moulouya 72 B 1
Moura (Brasilien) 128 B 2
 — (Portugal) 56 B 3
Mourdisenke 74 C 3
Mourilyan-Harbour
  108 C 3
Mourne Mountains
  39 C/D 4
Mouscron 45 B 4
Moutier (Schweiz) 50 B 2
Moûtiers 50 A 4
Moville 38 C 3
Moyale 77 D 1
Moyeuvre-Grande 28 B 3
Mpanda 77 D 2
Mpika 77 D 3
Msaken 60 C 5

Mtwara 77 E 3
Muaraenim 102 B 4
Mubarraz 86 C 4
Much 26 C 3
Mücheln 36 C 2
Muchingagebirge 77 C/D 3
Mu-dan-jiang 97 F/G 2
Mudanya 66 F 3
Müden 25 F 3
Mügeln 37 D/E 2
Mugodsharygebirge 91 D 4
Muğla 67 F 5
Muhammad Qol 75 D 2
Mühlacker 32 B 2
Mühldorf 33 F 2
Mühlhausen 36 B 2
Mühlviertel 53 D/E 1
Mujunkum, Wüste —
  91 E/F 4
Mukah 102 C 3
Mukalla 86 C 7
Mukatschewo 55 G 4
Mulda 37 E 3
Muldbjerg 42 D 2
Mulde 36 D 2
Mulhacén 56 D 4
Mülhausen (Mulhouse)
  50 A/B 2
Mülheim 26 B 2
Mulhouse = Mülhausen
Muli 108 B 2
Mull 38 D 2
Mullet 38 A 3
Müllheim 32 A 3
Muna 92 I 3
Münchberg 31 D 1
München 33 E 2
Mungbere 77 C 1
Munku-Sardyk 93 G/H 4
Münden 25 E 4
Munnaberg 41 F 4
Muñoz Gamero,
  Halbinsel — 131 B 5
Münsingen
  (Baden-Württemberg)
  32 C 2
 — (Schweiz) 50 B 3
Munster (Elsaß) 50 B 1
 — (Niedersachsen)
  25 E/F 3
 — (Irland) 39 B 4
Münsterland 26 C/D 2
Münster (Schweiz) 50 C 3
 — (Westfalen) 26 C 2

Muntenia 65 F/G 3
Muonio 40 E/F 2
Muonioälv 40 E 1/2
Mur 53 E/F 2/3
Murau 53 D/E 2
Murallón 131 B 4
Murat = Östlicher
  Euphrat
Murat daği 85 A/B 2
Murchison 104 A 4
Murcia (O. u. Provinz)
  57 E 3/4
Mureck 53 F 3
Muren 96 D 2
Mureş 65 F 2
Murg 32 B 2
Murgab 91 E 5
Muri 50 C 2
Müritz 34 C 2
Murmansk 40 G/H 1
Muroran 101 E 1
Murray 109 C 5
Murrhardt 32 C 1/2
Murten (O.) 50 B 3
Murtensee 50 A/B 3
Mürz 53 F 2
Murzuq 74 B 2
Mürzzuschlag 53 F 2
Musala 66 C 2
Musan 100 B 1
Mus Chaja 94 F 3
Musgrave-Gebirge 109 B 4
Musi 102 B 4
Musoma 77 D 2
Mussoro 74 B 3
Muzaffarpur 88/89 C 2
Muz Tagh Ata 96 A 3
Mwanza 77 D 2
Mweru-See 77 C 2
Myeik (O.) 89 C 3
Myeik-Inseln
  (Mergui-Inseln) 89 C 3
Myingyan 89 D 2
Myinmoletkat 89 C 3
Myitkyina 89 D 2
Mykena 67 C 5
Myrdal 41 A 3
Myrdalsjökull 40, I C 2
Myślibórz = Soldin
Mythen 50 C 2
My Tho 102 B 2
Mývatn 40, I C 1
Mze = Mies

N

Naab 31 D/E 2
Nabatiye 84 B 1
Nabburg 31 E 2
Nabeul 60 C 4
Nablus (Sichem) 84 B 2
Nachodka 100 C 1
Nacozari 122 A/B 1
Nadelkap = Kap Agulhas
Nadjran 86 C 6
Nadong 100 B 3
Næstved 43 E 3
Naga 103 D 2
Nagaland 89 D 2
Nagano 101 D 2
Nagaoka 101 D 2
Nagappattinam 88 B/C 3
Nagasaki 100 B 3
Nagercoil 88 B 4
Nag Hammadi 85 B 4
Nagold (O. u. Fl.) 32 B 2
Nagornyj 95 D 4
Nagoya 101 D 3
Nagpur 88 B 2
Nagykanizsa 64 B 2
Nagykörös 64 C 2
Naha 97 F 4
Nahariyya 84 A/B 2
Nahe 28 C 3
Naila 31 D 1
Nain 117 E 4

Nairn 38 E 2
Nairobi 77 D 2
Najin 100 B 1
Nakhon Phanom 102 B 2
Nakhon Sawan 102 A/B 2
Nakhon Si Thammareth
  102 B 3
Nakskov 42/43 E 4
Nakuru 77 D 2
Nalajcha 97 D 2
Nalut 73 D 1
Namagan 91 F 4
Namaqualand 78 A 3/4
Namatanai 108 C 2
Nam Dinh 102 B 1
Namhae 100 B 3
Namib 78 A 2/3
Namibia (Südwestafrika)
  71 u. 78 A 3
Namlea 103 D 4
Nampo 100 A 2
Nampula 79 C 2
Namsos 40 B/C 2
Namtu 89 D 2
Namur 45 C/D 4
Nan-chang 97 E 4
Nan-cheng 97 E 4
Nan-chong 97 D 3
Nancy 47 G 2
Nanda Devi 88 B/C 1

Nanded 88 B 3
Nanga Parbat 88 B 1
Nanking 99 C 3
Nan-ling 97 E 4
Nan-ning 97 D 4
Nan-pi (Bo-ton) 98 C 2
Nan-ping 97 E 4
Nan-shan 96 C/D 3
Nantes 46 C 3
Nan-tong 99 D 3
Nantucket-Insel u. -Sund
  121 H 3
Nanya 109 C 4
Nanyuki 77 D 1
Naoetsu 101 D 2
Napier 109, I B 1
Napo 126 B 3
Nara 100 C 3
Narbonne 49 E 4
Narew 55 F/G 2
Narjan Mar 90 D 2
Narmada 88 B 2
Narodnaja Gora 90 D/E 2
Narotsch-See 55 I 1
Narrabri 109 C/D 5
Narva (O. u. Fl.) 41 F/G 4
Narvik 40 D 1
Narym 93 F 4
Naryn 93 E 5
Nashua 121 H 2

Nashville 119 E 3
Nasik 88 B 2
Nasisee 41 F 3
Nassau (O., Bahamas)
  123 E 2
 — (I., Pazifik) 105 E 3
Nassersee 75 D 2
Nässjö 41 C 4
Nastätten 28 C 2
Naßfeld (Paß) 52 D 3
Natá 123 D/E 4
Natal (O., Brasilien) 129 E 2
 — (Provinz, Südafrika) 78 C 3
Natchez 119 D 3
Natronsee 77 D 2
Natuna-Inseln 102 B 3
Nauen 34 C 3
Naugard (Nowogard)
  35 F 2
Naumburg (Nowogród
  Bobrzański) 37 G 2
 — (Saale) 36 C 2
Nauplia (Nafplion) 67 C 5
Nauru 104 D 3
Navarit 122 B 2
Navarra 57 D/E 1
Navia 56 B 1
Nawa 84 C 2
Naxos 67 D 5
Nazareth 84 B 2

Nazilli 67 F 5
Ndélé 74 C 4
Ndjemena (Fort Lamy)
74 B 3
Ndjolé 76 A/B 2
Ndola 77 C 3
Neapel (Napoli) 59 E 4
Nebit-Dag 91 D 5
Neblina 128 B 1
Nebra 36 C 2
Nebraska 118 C/D 2
Neckar 32 B/C 1/2
Neckarelz 32 C 1
Neckargemünd 32 B 1
Neckarsulm 32 C 1
Necochea 131 D 3
Nedjd 85 C/D 3
Nedjef 85 D 3
Neetze 25 F 2
Neftejugansk 90 F 2
Negelli 75 D 4
Negev
84 A/B 4 u. 85 B/C 3
Negros 103 D 3
Neheim-Hüsten 26 C/D 2
Neisse (O., Nysa) 54 D 3
Neiße (Lausitzer Neiße)
37 F 2
Neiva 126 B 2
Nejris 86 D 4
Neksø 43 G 4
Nelkan 95 E 4
Nellur 88 B/C 3
Nelma 95 E/F 5
Nelson (Fl., Kanada)
117 B 4
– (O., Neuseeland)
109, I B 2
Nemuro 101 F 1
Nen-jiang 97 F 2
Nepal 83 u. 88/89 C 2
Nephin 39 B 3/4
Nera 59 E 3
Neretva 62 C 3
Neris = Wilija
Nertschinsk 93 H 4
Nertschinskij Sawod
95 C 4
Nesebâr 66 E/F 2
Neskaupstadur 40, I D 1
Nesselwang 33 D 3
Nestos 66 D 3
Neswish 55 I 2
Netanya 84 A 2
Neto 61 F 3
Nettetal 26 B 2
Nettilling-See 116 D 3
Netze (Noteć) 35 F 3
Netzebruch 35 F 3
Neu-Anspach 28 D 2
Neubrandenburg 34 D 2
Neubraunschweig 117 E 5
Neu-Britannien 108 C 2
Neubukow 34 B 1
Neuburg (Donau) 31 D 3
Neuchâtel = Neuenburg
Neudamm (Dębno) 35 E 3
Neudeck (Nejdek) 31 E 1
Neue Hebriden 105 D 3/4
Neuenburg (Neuchâtel)
50 A 2
Neuenburger See 50 A 3
Neuendettelsau 30 C 2
Neuenhagen 35 D 3
Neufahrn 33 E 2
Neuf-Brisach 50 B 1
Neufchâteau 45 D 5
Neufelden 53 D 2
Neufundland (I. u. Provinz)
117 E/F 4/5
Neugersdorf 37 F 3
Neuguinea 108 B/C 2
Neuhaus (Bez. Schwerin)
34 B 2
– (Bez. Suhl) 36 B/C 3
Neuhausen 23 B 3
Neu-Irland 108 C 2
Neu-Isenburg 29 D 2
Neukaledonien 104 D 4

Neukastilien 56/57 C/D 2/3
Neukirchen 29 E 2
Neumark 35 E/F 3
Neumarkt (Bayern) 31 D 2
– (Oberösterreich) 52 D 2
– (Steiermark) 53 E 2
Neu-Mexiko 118 C 3
Neumünster 22 C/D 1
Neunburg vorm Wald
31 E 2
Neunkirchen
(Niederösterreich) 53 G 2
– (Saar) 28 C 3
Neuötting 33 F 2
Neuquén (O. u. Fl.) 131 C 3
Neuruppin 34 C 3
Neusalz (Nowa Sól) 37 G 2
Neusandez (Nowy Sącz)
55 F 4
Neuschottland 117 E 5
Neuschwabenland
135 S/A 2
Neuseeland 109, I
Neusibirien (I.) 94 G 2
Neusibirische Inseln
94 E – G 2
Neusiedl am See 53 G 2
Neusiedler See 53 G 2
Neuss 26 B 2
Neustadt am Rübenberge
25 E 3
– an der Aisch 30 C 2
– an der Donau 33 E/F 2
– an der Waldnaab
31 D/E 2
– an der Weinstraße
28 C/D 3
– (bei Coburg) 31 D 1
– (Bez. Gera, DDR) 36 C 3
– in Holstein 23 D 1
Neustadt-Glewe 34 B 2
Neustettin (Szczecinek)
54 D 2
Neustrelitz 34 D 2
Neu-Süd-Wales 109 C 5
Neu-Ulm 30 C 3
Neuwerk 22 B 2
Neuwied 28 C 2
Nevada 118 B 2/3
Nevado de Colima 122 B 3
Nevado del Huila 126 B 2
Nevado del Ruiz 126 B 2
Nevers 47 E 3
New Amsterdam 127 D 2
Newcastle (Australien)
109 D 5
– upon Tyne (England)
38 E/F 3
– (USA, Pennsylvania)
120 C 3
Newark (New Jersey)
121 F 3
– (Ohio) 120 B 3
Newcastle Waters 108 B 3
New Bedford 121 H 3
New Britain 121 G 3
Newer 95 D 4
New Georgia (I.) 108 C 2
New Hampshire 121 H 1/2
New Haven 121 G 3
Newhaven 39 G 5
New Jersey 121 F 3
New London 121 G/H 3
New Orleans 119 D 3/4
New Plymouth 109, I B 1
Newport (England) 39 F 5
– (USA, Vermont)
121 G/H 2
New-Quebec-Krater
(Chubb-Krater) 117 D 3
Newry 39 C 4
New Westminster 115 G 5
Newton 121 H 2
New York
(Bundesstaat, USA)
120/121 E/F 2
– (O.) 121 G 3
Ngamiland 78 B 3
Ngamipfanne 78 B 3

Ngaoundéré 74 B 4
Nha Trang 102 B/C 2
N'Guigmi 73 D 3
Niagara-Fall 120 D 2
Niagara Falls (O.) 120 D 2
Niah 102 C 3
Niamey 72 C 3
Niangara 77 C 1
Nias 102 A 3
Nibe 42 C 2
Nicaragua 123 D 3
Nicaragua-See 123 D 3
Nice = Nizza
Nidda (O. u. Fl.) 29 D/E 2
Nidder 29 E 2
Niebüll 22 B 1
Nied 28 B 3
Niederaula 29 E 2
Niederbronn 32 A 2
Niedere Tauern 52/53 D 2
Niederkalifornien
122 A 1/2
Niederlande 17, III
D 3 u. 44 B/C 2
Niederlausitz 37 E/F 2
Niederösterreich
53 F/G 1/2
Niedersachsen
20 B – D 2 u. 24/25
C – D 3
Nienburg 25 E 3
Niers 26 B 2
Nierstein 28 D 3
Niesen 50 B 3
Niete 72 B 4
Nieuw Nickerie 127 D 2
Nieuwport 45 A 3
Niger (Fl.) 73 C/D 3
– (St.) 71 u. 72 C 3
Nigeria 71 u. 73 C/D 4
Niğde 85 B/C 2
Niigata 101 D 2
Niihama 100 C 3
Niihau 105 E/F 1
Nijmegen = Nimwegen
Nikel 40 G 1
Nikolajew 91 B 4
Nikolajewsk 95 E/F 4
Nikolsburg (Mikulov)
53 G 1
Nikopol 66 D 2
Nikosia 85 B 2
Nikšić 62 D 3
Nil 85 B 3/4
Nilgiris 88 B 3
Nimbaberge 72 B 4
Nîmes 49 E/F 4
Nimrud 85 D 2
Nimwegen (Nijmegen)
44 D 3
Ning-an 97 F/G 2
Ning-bo 99 D 3
Ning-de 97 E/F 4
Ning-xia-Hui 97 D 3
Ninigo-Gruppe 108 C 2
Ninive 85 D 2
Ninove 45 B/C 4
Niora 72 B 3
Niort 46 C 3
Nipigon-See 117 C 5
Niquelândia 129 D 3
Niš 63 E/F 3
Nišava 63 F 3
Nischapur 87 D 2
Nischnetscherskij 94 H 3
Nishneimbatskoje 93 F/G 3
Nishnekolymsk 94 G/H 3
Nishneudinsk 93 G 4
Nishnewartowskij 93 E 2
Nishnij Tagil 90 D/E 3
Nisså 43 G 1
Nissum Bredning 42 B 2
Nissumfjord 42 B 2
Niterói 129 D 4
Nittenau 31 E 2
Nine 105 E 3
Niugini = Papua-
Neuguinea
Nivernais 47 E 3

Nizwa 87 D 5
Nizza (Nice) 49 G 4
Nizzana 84 A 4
Njassa = Malawisee
Njemen 55 G/H 2
Njombe 77 D 2
Noatak 114 C 3
Nobeoka 100 B/C 3
Noce 51 F 3
Nogaltal 75 E 4
Nogara 51 E/F 4
Nogat 54 E 1
Nogent-le-Rotrou 46 D 2
Noginskij 92 F/G 3
Nogliki 95 F 4
Nome 114 C 3
Nongkhai 102 B 2
Noordwijk 44 C 2
Noranda 117 D 5
Nordborg 42 C 3
Nord-Carolina 119 E/F 3
Norden (O.) 24 C 2
Nordenham 24 D 2
Nordenskiöld-Archipel
92 F/G 2
Norderney (O. u. I.)
24 B/C 2
Norderstedt 22 C 2
Nordfjord 41 A 3
Nordfriesische Inseln 22 B 1
Nordfriesland 22 B/C 1
Nordhausen 36 B 2
Nordhorn 24 C 3
Nordirland 38 C 3
Nordkap (Norwegen) 40 F 1
Nordkinn 40 F/G 1
Nordkorea 83 u. 100 B 1
Nordkvark 40 E 3
Nördliche Dwina 90 C 2
Nördlicher Seeweg
133 A/B 2
Nördliche Sporaden
67 C/D 4
Nördlingen 30 C 3
Nord-Ostsee-Kanal
(Kielkanal) 22 C 1
Nordpolarmeer
132/133 S/A 1
Nordpol 132
Nordreisa 40 E 1
Nordrhein-Westfalen
20 B/C 3 u. 26/27 B – D 2
Nord-Saskatchewan
115 H 4
Nordseekanal (Nieder-
lande) 44 C 2
Nordstrand 22 B 1
Nordterritorium
(Australien)
108/109 B 3/4
Nordwest-Durchfahrt
114 F 2
Nordwestgebiete
(Kanada) 116 B – D 3
Nordwik 92 I 2
Norfolk (England) 39 G 4
-(USA) 119 F 3
Norfolk-Inseln 104 D 4
Norheim 52 F 3
Normandie 46 C/D 2
Normanton 108 C 3
Norman Wells 114 G 3
Norra Storfjallet 40 C/D 2
Norrbotten 40 E 2
Nørresandby 42 D 1
Norrköping 41 D 4
Norrland 40 C – E 2
Northampton 39 F 4
North Berwick 38 E/F 2
North Downs 39 F/G 5
Northeim 25 F 4
North Platte 118 C/D 2
North Uist 38 B/C 2
Northumberland-Inseln
109 D 4
Nortonsund 114 C 3
Norwalk 121 G 3

Norway House 115 K 4
Norwegen 17, III
D – F 2/3 u. 40/41
A 3 – G 1
Norwich 39 G 4
Nossob 78 A 3
Nosy Bé 79 D 2
Noteć = Netze
Notsee 40 G 1
Nottaway 117 D 4
Nottingham 39 F 4
Nouadhibou (Port Etienne)
72 A 2
Nouakchott 72 A 3
Nouméa 104 D 4
Nova Gaia 76 B 2
Nova Mambone 79 C 3
Novara 50 C 4
Nova Sofala 79 C 3
Nova Zagora 66 D/E 2

Novi 58 C 2
Novi Sad 62 D 2
Novo mesto 53 F 4
Nowaja Semlja 90 D/E 1
Nowaja Uschiza 55 I 4
Nowa Sól = Neusalz
Nowogard = Naugard
Nowograd-Wolynskij
55 I/K 3
Nowogród Bobrzanski =
Naumburg
Nowogrudok 55 H/I 2
Nowokasalinsk 91 E 4
Nowokusnezk 93 F 4
Noworossijsk 91 B 4
Nowosibirsk 93 F 4
Nowowolynsk 55 H 3
Nowy Dwór 54 F 2
Nowyje Bjelokorowitschi
55 I/K 3

Nowyj Port 90 E/F 2
Nowy Sącz = Neusandez
Noyon 45 A 5
Nubien 74/75 C/D 3
Nubische Wüste 75 D 2
Nueltin-See 115 K 3
Nuevitas 123 E 2
Nuevo Laredo 122 B/C 2
Nuevo León 122 B/C 2
Nufenenpaß 50 C 3
Nukualofa 107 E 3
Nukus 91 D/E 4
Nullarbor (O.) 109 B 5
Numancia 57 D 2
Nunivak 114 C 4
Nuoro 58 C 4
Nürburg (R.) 28 B/C 2
Nürnberg 31 D 2
Nuristan 88 A/B 1
Nürschan (Nýřany) 31 F 2

Nürtingen 32 C 2
Nuthe 34 D 3
Nyala 74 C 3
Nyborg 42 D 3
Nyda 90 F 2
Nyíregyháza 64 D/E 2
Nyiru 77 D 1
Nykøbing 23 E/F 1
Nykøbing-Rørvig 43 E 3
Nyköping 41 D 4
Nymburk 37 G 3
Nymphebank 39 C 5
Nynäshamm 41 D 4
Nyngan 109 C 5
Nýřany = Nürschan
Nysa = Neisse (O.)
Nysted 43 E 4
Nzérékoré 72 B 4
Nzeto 76 B 6

O

Oahestausee 118 C 2
Oahu 105 F 1
Oakland 118 A 3
Oak Ridge 119 E 3
Oamaru 109, I B 2
Oase Djalo 74 C 2
Oasen von Tidikelt 72 C 2
Oasen von Touat 72 B/C 2
Oaxaca 122 C 3
Ob 92/93 D – F 2/3
Oban 38 D 2
Oberalppaß 50 C 3
Oberammergau (O.)
33 D/E 3
Oberer See (USA) 119 E 2
Obergünzburg 32/33 D 3
Obergurgl 51 F 3
Oberhausen 26 B 2
Oberkirch 32 B 2
Oberkochen 32 D 2
Oberland (Schweiz) 50 B 3
Oberlausitz 37 F/G 2
Obernberg 52 D 1
Obernburg 30 B 2
Oberndorf (Baden-
Württemberg) 32 B 2
– (Salzburg) 52 C/D 2
Oberösterreich
52/53 D/E 1
Oberpfälzer Wald 31 E 2
Oberpullendorf 53 G 2
Oberschleißheim 33 E 2
Oberstdorf 32/33 D 3
Oberursel 28 D 2
Obervellach 52 D 3
Oberviechtach 31 E 2
Obervolta 71 u. 73 B 3
Oberwart 53 G 2
Oberwiesenthal 37 E 3
Oberwölz 53 E 2
Oberzeiring 53 E 2
Obi 103 D 4
Obiat 75 E 4
Obidos 128 C 2
Obi-Inseln 108 A 2
Oblatschnaja 100 C 1
Oblutschje 95 E 5
Oboserskij 90 B/C 2
Obschtschij Syrt 91 C/D 3
Ocean City 121 F 4
Ocha 95 F 4
Ochil Hills 38 E 2
Ochotsk 94 F 4
Ochotskisches Meer
95 F/G 4
Ochsenfurt 30 B/C 2
Ochsenhausen 32 C/D 2
Ochsenkopf 31 D 1
Odate 101 E 1
Odda 41 A 4
Odder 42 D 3
Ödemis 67 E 4
Ödenburg (Sopron) 53 G 2

Odense 42 D 3
Odenwald 29 D/E 3
Oder (Fl. zur Leine) 25 F 4
– (Fl. zur Ostsee) 19 F 2/3
Oderbruch 35 E 3
Oder-Havel-Kanal 34 D 3
Oder-Spree-Kanal 35 E 3
Oderzo 52 C 4
Odessa 91 B 4
Odienné 72 B 4
Odra = Oder
Oebisfelde 34 B 3
Oelde 26 D 2
Oelsnitz 36 D 3
Oenpelli 108 B 3
Oettingen 30 C 3
Oetz 51 E 2
Ofanto 59 F 4
Ofaqim 84 A 3
Offenbach 29 D 2
Offenburg 32 A/B 2
Ototfjord 40 D 1
Ogaden 75 E 4
Ogbomosho 73 C 4
Ogden 118 B 2
Ogdensburg 121 F 1
Oginski-Kanal 55 H 2
Oglio 51 E 3/4
Ognon 50 A 2
Ogoja 73 C 4
Oguni 101 D/E 2
Ohanet 73 C 2
Ohienti 59 E 3
Ohio (Bundesstaat u. Fl.)
119 E 2/3
Ohm 29 D 2
Ohmgebirge 36 B 2
Ohrdruf 36 B 3
Ohře = Eger (Fl.)
Ohrid (O. u. -see) 63 E 4
Öhringen 32 C 1
Oie 35 D 1
Oil City 120 D 3
Oimjakon 94 F 3
Oise 45 B 5
Oita 100 B 3
Oiticica 129 D 2
Oituzpaß 65 G 2
Ojorong Nuur 96 B 2
Ojos del Salado 130 C 2
Oka 90 B/C 3
Okaba 108 B 2
Okahandja 78 A 3
Okaihau 109, I B 1
Okavango (Fl. u. -becken)
78 B 2
Okavangoland 78 A/B 2
Okayama 100 C 3
Okeechobee-See 119 E 4
Oker (O. u. Fl.) 25 F 3/4
Okha 88 A 2
Okiep 78 A 3
Okiinseln 100 C 2

Okinawa 97 F 4
Oklahoma City 118 D 3
Oktjabrskij 91 C/D 3
Oktjabrskoje 90 E 2
Oktoberrevolution-Insel
92 F/G 2
Ólafsfjördur 40, I C 1
Öland 41 D 4
Olary 109 B/C 5
Olbernhau 37 E 3
Olbia 58 C 4
Oldenburg (Oldenburg)
24 D 2
– (Schleswig-Holstein)
23 D/E 1
Oldenzaal 44 E/F 2
Oldham 39 E/F 4
Olean 120 D 2
Oleggio 50 C 4
Olenegorsk 40 G/H 1
Olenjok (O. u. Fl.) 92 H/I 3
Oléron 46 C 4
Olga 100 C 1
Olgod 42 B 3
Olhão 56 B 4
Olifants 78 B/C 3
Oljokma 95 C/D 4
Oljokminsk 93 I/K 3
Olongapo 103 C/D 2
Olpe 26 C 2
Olsztyn = Allenstein
Olt 65 F 3
Olten 50 B 2
Oltenia 64/65 E/F 3
Olymp 66 C 3
Olympia (Antiker Ort,
Griechenland) 67 B 5
– (O., USA) 118 A 2
Olynthos 66 C 3
Omachi 101 D 2
Omaha 118/119 D 2
Oman (St. u. L.)
83 u. 86/87 D 5/6
Omatako 78 A 3
Ombrone 58 D 3
Omdurman 75 D 3
Omegna 50 C 4
Ommen 44 E 2
Omo 75 D 4
Omolon 94 G/H 3
Omsk 91 F 3
Omsuktschan 94 G 3
Omuta 100 B 3
Ondangua 78 A 2
Onega (O. u. -see) 90 B 2
Onekaka 109, I B 2
Oneonta 121 F 2
Ongole 88 B/C 3
Onilahy 79 D 3
Onitsha 73 C 4
Onon 93 H 4
Onstmettingen 32 B 2
Ontario 117 B – D 4/5

Ontariosee 120/121 D/E 2
Ontong-Java-Inseln
108 C 2
Oodnadatta 109 B 4
Ooidea 109 B 5
Oostburg 45 B 3
Oosterbeek 44 D 2/3
Oosterschelde 45 B 3
Oostkamp 45 A/B 3
Opatija 62 A/B 2
Opole = Oppeln
Opotschka 41 G 4
Oppeln (Opole) 54 E 3
Oppenheim 28 D 3
Oradea 64 D/E 2
Öräfajokull 40, I C 1
Oran (Ouahran) 57 E 5
Orange (Australien) 109 C 5
– (Frankreich) 49 F 3
Oranienburg 34 C/D 3
Oranje (Fl.) 78 A/B 3/4
Oranje-Freistaat 78 B 3
Oråstie 64 E 3
Orbe 50 A 3
Orbest 109 C 5
Orbetello 58 D 3
Orchon 97 D 2
Orco 50 B 4
Ord 108 A 3
Ordshonikidse 91 C 4
Ordu 85 C 1
Orebro 41 C 4
Orechowo-Sujewo
90 B/C 3
Oregon 118 A/B 2
Orehoved 23 E 1
Orel 90 B 3
Orenburg 91 D 3
Orense 56 A/B 1
Oresund 43 F 3
Orihuela 57 E 3
Orinoco 126 C 2
Orissa 88 C 2
Oristano 58 C 5
Orizaba 122 C 3
Orkla 41 B 3
Orkney-Inseln 38 E/F 1
Orlando 119 E 4
Orléanais (L.) 46 D/E 3
Orléans (O.) 46 D 3
Orléansville = El Asnam
Ormara 88 A 2
Ormoc 103 D 2
Ornans 50 A 2
Orne 46 C 2
Örnsköldsvik 40 D 3
Oron 84 A/B 4
Orongo 96 B 2
Orosí, Vulkan – 123 D 3
Orotukan 94 G 3
Orscha 55 K/L 1
Orsk 91 D 3
Orşova 64 E 3

Ortasee 50 C 4
Ortigueira 56 A/B 1
Ortisei = Sankt Ulrich
Ortler 51 E 3
Ortlergruppe 51 E 3
Örtze 25 F 3
Oruro 128 B 4
Orvieto 58 E 3
Osaka 100 C 3
Osby 43 G/H 2
Osch 91 F 4
Oschatz 37 D/E 2
Oschersleben 36 C 1
Oschmarino 92 F 2
Oschmjany 55 H/I 1
Oscoda 120 B 1
Osel (Saaremaa) 41 E 4
Osernowskij 95 G 4
Oshawa 120 D 2
Oshima 101 D 3
Oshogbo 73 C 4
Osijek 62 D 2
Oslo (O. u. -fjord) 41 B 3/4
Osnabrück 24 D 3
Osorno 131 B 4
Oss 44 D 3
Ossiacher See 53 D/E 3
Ossipowitschi 55 I/K 2
Ostbalkan 66 E 2
Ostchinesisches Meer
  97 F 3/4
Oste 25 E 2
Ostende 45 A 3
Österboften 40/41 E/F 2/3
Osterburg 34 B 3

Osterburken 32 C 1
Österdal 41 B 3
Österdalälv 41 C 3
Osterhofen 31 E 3
Osterholz-Scharmbeck
  24 D 2
Osterinsel 12 A/B 6
Osterode 25 F 4
Österreich 17, III
  E 4 u. 50/51 u. 52/53
Östersund 41 C 3
Osterwieck 36 B 2
Ostfriesische Inseln
  24 B/C 2
Ostfriesland 24 C 2
Ostghats 88 B/C 3/4
Ostheim 30 C 1
Ostiglia 51 F 4
Ostkarpaten 65 F/G 2/3
Ostkoreagolf 100 A/B 2
Östlicher Euphrat (Murat)
  85 D 2
Östlicher Großer Erg
  73 C 1/2
Östliche Sierra Madre
  122 B/C 2
Östlicher Taurus 85 C/D 2
Ostoder 35 E 2
Ostrog 55 I 3
Ostrołęka 55 F 2
Ostrow 41 G 4
Ostrów Mazowiecka
  55 E/F 2
Ostrów Wielkopolski 54 D 3
Ostsajan 93 G/H 4

Ostsibirische See 94 G–I 2
Osttirol 52 C 3
Ostturkestan 96 A/B 3
Osuna 56 C 4
Otago 109, I A/B 2
Otaru 101 E 1
Otava 31 F 2
Otavi 78 A 2
Otranto 59 H 4
Ötscher 53 F 2
Otta 41 A/B 3
Ottawa (O. u. Fl.) 117 D 5
Ottenschlag 53 F 1
Ottensteiner Stausee
  53 F 1
Otterbach 28 C 3
Otterberg 28 C 3
Otterndorf 24 D 2
Ottobeuren 32/33 D 3
Ottobrunn 33 E 2
Ötztal 51 E/F 2/3
Ötztaler Alpen 51 E/F 3
Ouadaï 74 B/C 3
Ouadda 74 C 4
Ouagadougou 72 B/C 3
Ouahran = Oran
Ouargla 73 C 1
Ouarsénismassiv 57 F/G 5
Oudenaarde 45 B 4
Oudtshoorn 78 B 4
Oued Cheliff 57 F 4
Ouessant 46 A 2
Ouesso 76 B 1
Ouham 74 B 4
Oujda 72 B 1

Oulu 40 F 2
Oulujoki 40 F 2
Oulusee 40 F 2
Oum er-Rbia 72 B 1
Ounasjoki 40 F 2
Ounastunturi 40 E/F 1
Ounianga Kebir 74 C 3
Our 45 E 4
Ourthe 45 D 4
Ouse 39 F/G 4
Outjo 78 A 2
Outokumpu 41 G 3
Ouyen 109 C 5
Ovalle 130 B 3
Ovamboland 78 A 2
Ovar 56 A 2
Ovče Pole 63 E/F 4
Overath 26 C 3
Övertorneå 40 E 2
Oviedo 56 B/C 1
Owando 76 B 2
Owase 101 D 3
Owen Sound 120 C 1
Owen-Stanley-Kette
  108 C 2
Owerri 73 C 4
Owosso 120 A/B 2
Owrutsch 55 K 3
Oxford 39 F 5
Oyem 76 B 1
Oyo 72 C 4
Oyteti Stalin 63 E 4
Ozarkplateau 119 D 3

P

Paar 31 D 3
Paarl 78 A 4
Pabianice 54 E 3
Pachuca 122 C 2
Packsattel 53 E 3
Padang 102 B 4
Paderborn 27 D 2
Padua (Padova) 51 F 4
Paegamsan 100 A 1
Paestum 59 F 4
Pag 62 B 2
Pagadian 103 D 3
Pagasäischer Golf 67 C 4
Pago Pago 105 E 3
Pahlewi 86 C/D 2
Pai-Choi 90 E 2
Paimpol 46 B 2
Pais do Vinho 56 A/B 2
Paisley 38 D 3
Pakanbaru 102 B 3
Pakhoi = Bei-hai
Pakistan 88 A/B 2
Pakokku 89 D 2
Paks 64 C 2
Pakse 102 B 2
Palagrža 62 C 3
Palana 94 G/H 4
Palangkaraja 102 C 4
Palanpur 88 B 2
Palapye 78 B 3
Palästina 84 A/B 2/3
Palau-Inseln 103 E 3
Palawan 103 C 2/3
Paldiski 41 E/D 4
Palembang 102 B 4
Palencia 56 C 1
Palermo 60 D 3
Palimé 72 B/C 4
Päljänne 41 F 3
Palkstraße 88 B/C 3/4
Pallastunturi 40 E/F 1
Palma de Mallorca 57 G 3
Palmanova 52 B 2
Palmer-Archipel 134 P 3
Palmerland 134 P 2
Palmerston 120 C 2
Palmerston North 109, I B 2

Palmyra (I., Pazifik)
  105 E/F 2
  – (O., Syrien) 85 C 3
Palopo 103 D 4
Palos de la Frontera 56 B 4
Pamir 91 F 5
Pamplona 57 D/E 1
Panamá (St. u. O.)
  123 D/E 4
Panaro 58 D 2
Panarea 61 E 3
Panay 103 D 2
Pančevo 63 E 2
Panfilow 93 E/F 5
Pangan-Samui 102 B 3
Pangkalanbrandan 102 A 3
Pangkalpinang 102 B 4
Panjab 88 B 1/2
Panjang 102 B 4
Panjim (Goa) 88 B 3
Panorama 129 C 3
Pan-shi 100 A 1
Pantanal 128 C 3
Pantelleria 60 C/D 4
Pantifer Höhen 41 F 4
Papeete 105 F 3
Papenburg 24 C 2
Papua-Golf 108 C 2
Papua-Neuguinea
  (Niugini) 108 C/D 2
Papuk 62 C/D 2
Pará 128/129 C 2
Paracel-Inseln 102 C 2
Paracín 63 E 3
Paraguay (Fl.) 130 D 2
  – (St.) 113 u. 130 D 2
Paraíba 129 E 2
Parakou 72 C 4
Paramaibo 127 D 2
Paramonga 126 B 4
Paramuschir 95 G 4
Paraná (Fl. u. Bundesstaat)
  128/129 C 4
Paranaguá 129 D 4
Paranaíba 129 D 3
Paranapanema 129 C 4
Parchim 34 B 2
Pardo 129 D 3

Parece Vela 103 E 1/2
Parentis-en-Born 48 C 3
Parepare 103 C 4
Paricutín 122 B 3
Parintins 128 C 2
Paris 47 E 2
Parkersburg 120 C 4
Parkes 109 C 5
Parma (Italien) 58 D 2
  – (USA, Ohio) 120 C 3
Parnaíba (O. u. Fl.)
  129 D 2
Parnassus 109, I B 2
Parnaß 67 C 4
Parnon 67 C 5
Paroo 109 C 4/5
Paros 67 D 5
Parramatta 109 D 5
Parry-Inseln 114 H/I 2
Parry Sound 120 D 1
Parseierspitze 51 E 2
Parsberg 31 D 2
Parsdorf 33 E 2
Paru 128 C 2
Paşcani 65 G 2
Pas del Río 126 B 2
Pasewalk 35 E 2
Pasni 88 A 2
Passau 31 F 3
Passo Fundo 128 C 4
Pastaza 126 B 3
Paß Thurn 52 C 2
Pasto 126 B 2
Pasvikely 40 G 1
Paß von Despeñaperros
  56 D 3
Paß von Pajares 56 C 1
Paß von Roncevalles
  57 E 1
Paß von Somosierra 56 D 2
Patagonien 131 C 4
Paternion 52 D 3
Paterson 121 F 3
Patkaigebirge 89 D 2
Patmos 67 E 5
Patna 88 C 2
Patom-Hochland 93 I 4
Patos de Minas 129 D 3

Patos-Lagune 130 D 3
Patras (Paträ) 67 B 4
Pattani 102 B 3
Patuca 123 D 3
Pau 48 C 4
Pauillac 48 C 3
Paulistana 129 D 2
Paulo-Afonso-Fälle 129 E 2
Pavia 50 D 4
Pawtucket 121 H 3
Payerne 50 A 3
Payne = Bellin
Paysandú 130 D 3
Pazardžik 66 D 2
Pazifischer Ozean
  106/107 B–E 2/3
Paznaun 51 E 2/3
Pdozk 41 G 5
Peace 115 H 4
Pebas 126 B 3
Peć (Jugoslawien) 63 E 3
  – (Ungarn) 64 C 2
Pecos 118 C 3
Peene 34/35 D 2
Peenemünde 35 D 1
Pegasus-Bai 109, I B 2
Peggau 53 F 2
Pegnitz (O. u. Fl.) 31 D 2
Pegu 89 C 3
Pegugebirge 89 D 2/3
Pehuajó 131 C 3
Peine 25 F 3
Peipussee 41 F 4
Peitz 37 F 2
Pekalongan 102 B/C 4
Peking (Beijing) 98 C 1
Pelagische Inseln 60 D 5
Peledui 93 I 4
Pelion 67 C 4
Pelješac 62 C 3
Pella 66 C 3
Pello 40 F 2
Pellworm 22 B 1
Peloponnes 67 B/C 5
Pelos 52 C 3
Pelotas (Fl. zum Uruguay)
  128 C 4
  – (O., Brasilien)

Pelvouxgruppe 49 G 3
Pematangsiantar 102 A 3
Pemba 77 D/E 2
Pembroke (England) 39 D 5
– (USA) 120 E 1
Peñagolosa 57 E 2
Peñalara 56 D 2
Peñarroya 57 E 2
Peñarroya-Pueblonuevo 56 C 3
Pendembu 72 A 4
Peñíscola 57 F 2
Penkun 35 E 2
Penna 88 B 3
Pennines 38/39 E/F 3/4
Pennsylvania 120/121 D – F 3
Penong 109 B 5
Pensa 91 C 3
Pensacola 119 E 3
Penshina 94 H 3
Pentland Hills 38 E 3
Pentland Firth 38 E 1
Penzance 39 C/D 5
Penzberg 33 E 3
Penzig (Pieńsk) 37 G 2
Peoria 119 D/E 2
Pepel 72 A 4
Perche 46 D 2
Pergamon 67 E 4
Peribonca 117 D 4/5
Périgueux 46 D 4
Perim 86 C 7
Perleberg 34 B/C 2
Perm 90 D 3
Pernambuco 129 E 2
Pernik 66 C 2
Péronne 45 A/B 5
Perpignan 49 E 4
Persante 35 F 1
Persepolis 86 D 4
Persien = Iran
Persischer Golf 86 C/D 4
Perstorp 43 G 2
Perth (Australien) 104 A 4
– (Schottland) 38 E 2
Perth Amboy 121 F 3
Peru 113 u. 126 B 3/4
Perugia 58/59 E 3
Péruwelz 45 B 4
Perwouralsk 90/91 D/E 3
Pesaro 59 E 3
Pescadores-Inseln 97 E/F 4
Pescara (O. u. Fl.) 59 F 3
Peshawar 88 B 1
Pestraja Dreswa 94 G 3
Peta Tique 84 A/B 2
Peter des Großen Bai 100 B/C 1
Peterhead 38 F 2
Peter I.-Insel 134 O 3
Petermannberg 116 I 2
Petersberg (B., DDR) 36 C 2
Petersborough (Australien) 109 B 5
– (England) 39 F/G 4
– (USA) 120 D 1
Petersburg (West-Virginia, USA) 120 D 4
Petershagen 27 D 1
Petra 85 C 3
Petrikau (Piotrków Tribunalski) 54 E 3
Petrolina 129 D 2
Petropawlowsk 91 E 3
Petropawlowsk-Kamtschatskij 94/95 G/H 4
Petrópolis 129 D 4
Petroşani 64 E 3
Petrosawodsk 90 B 2
Petrowsk 93 H/I 4
Petschau (Bečov) 31 E/F 1
Petschenga (Petsamo) 40 G/H 1
Petschora (O. u. Fl.) 90 D 2
Pettau (Ptuj) 53 E 3

Pézenas 49 E 4
Pfaffenhofen 31 D 3
Pfahl, Der – 31 E/F 2
Pfälzer Wald 28 C 3
Pfarrkirchen 31 E/F 3
Pfefferküste 72 A/B 4
Pfirt 50 B 2
Pforzheim 32 B 2
Pfrimm 28 D 3
Pfullendorf 32 C 3
Pfullingen 32 C 2
Pfungstadt 28/29 D 3
Phaistos 67 D 6
Phan Rang 102 B/C 2
Philadelphia 121 E/F 4
Philippi 66 D 3
Philippinen 83 u. 103 D 2
Phitsanulok 102 A/B 2
Phnom Penh 102 B 2
Phoenix 118 B 3
Phönix-Inseln 105 E 3
Phuket 102 A 3
Piacenza 51 D 4
Pianosa (I., Tyrrhenisches Meer) 58 C/D 3
– (I., Adriatisches Meer) 59 F 3
Piatra Neamţ 65 G 2
Piauí 129 D 2
Piave 51 G 3/4
Pibor 75 D 4
Picardie 45 A – C 5
Pic de Aneto 48 D 4
Pic du Midi 48 C 4
Pic du Midi de Bigorre 48 D 4
Pico Bolivar 126 B 2
Pico da Bandeira 129 D 3
Pico das Almas 129 D 3
Pico de Orizaba 122 C 3
Pico de Teide 72 A 2
Pico di Coca 51 D/E 3
Pico Ruivo 72 A 1
Picos de Europa 56 C 1
Picos de San Lorenzo 56 D 1
Pico Torquino 123 E 2/3
Picton 120 E 1
Pidurutalagala 88 C 4
Piedras Negras 122 B 2
Pieksämäki 41 F 3
Pielissee 40 G 3
Piemont 50 B/C 4
Pieńsk = Penzig
Pierre 118 C 2
Pierrefontaine 50 A 2
Piesting 53 G 2
Pietarsaari (Jakobstad) 40 E 3
Pietermaritzburg 78 C 3
Pietersburg 78 B 3
Pietroşu 65 F 2
Pieve di Cadore 52 C 3
Pik Kommunismus 91 F 5
Pik Lenin 91 F 5
Pik Linard 51 E 3
Pik Oxleys 109 D 5
Pik Pobedy 93 E 5
Pila = Schneidemühl
Pilatus 50 C 3
Pilcomayo 128 B 4
Pilica 54/55 F 3
Pilos (Navarino) 67 B 5
Pilsen (Plzeň) 31 F 2
Pimba 109 B 5
Pinang 102 A/B 3
Pinar del Río 123 D 2
Pinconning 120 A/B 2
Pindos 67 B 4
Pine Point 115 H 3
Ping 102 A 2
Ping-liang 97 D 3
Pinhel 56 B 2
Pinios 67 B 4
Pinka 53 G 2
Pinneberg 22 D 2
Pinos 123 D 2
Pinsk 55 H/I 2
Pinzgau 52 C/D 2

Pinzolo 51 E 3
Piombino 58 D 3
Piotrków Tribunalski
Pirapora 129 D 3
Piräus (Piräefs) 67 C 5
Pirgos 67 B 5
Pirin 66 C 3
Piripiri 129 D 2
Pirmasens 28 C 3
Pirna 37 E 3
Pirot 63 F 3
Piru 108 A 2
Pisa 58 D 3
Pi-shan = Guma
Pistoia 58 D 2
Pisuerga 56 C 2
Pitcairn-Inseln 12 A 6
Piteå 40 E 2
Piteälv 40 D/E 2
Piteşti 65 F 3
Piton des Neiges 79 E 3
Pittsburgh 120 D 3
Pittsfield 121 G 2
Pityusen 57 F/G 3
Piura 126 A/B 3
Piva 62 D 3
Pjandsch (O. u. Fl.) 91 E 5
Pjasee 40 G 2
Pjasino 92 F 2
Pjatigorsk 91 C 4
Plaju 102 B 4
Plan (Planá) 31 E 2
Plane 34 C 3
Plansee 51 E 2
Plasy 31 F 2
Plateau de Millevaches 46 D/E 4
Plateau von Langres 47 F 3
Plateau von Tademaït 72 C 2
Platinum 114 C/D 4
Platte (I., Seychellen) 79 E 1
Plattensee (Balaton) 64 B 2
Plattling 31 E 3
Plattsburg 121 F/G 1
Plau 34 C 2
Plauen/Vogtland 36 C/D 3
Plauer See (Brandenburg) 34 C 3
– (Mecklenburg) 34 C 2
Plava 58 E 1
Pleinfeld 31 D 2
Pleiße 36 D 2
Plenty-Bai 109, I B 1
Pleskau (Pskow) 41 G 4
Plettenberg 26 C 2
Pleven 66 D 2
Pljussa 41 G 4
Ploče 62 C 3
Plochingen 32 C 2
Plock 54 E 2
Plöckenpaß 52 C/D 3
Plöckenstein 31 F 3
Ploieşti 65 G 3
Plön 22 D 1
Plovdiv 66 D 2
Plymouth (England) 39 D 5
– (USA) 121 H 2
Plzeň = Pilsen
Po 58 D 2
Pobeda 94 F 3
Pobeda-Insel 135 E 3
Pobedino 95 F 5
Pocatello 118 B 2
Pöchlarn 53 F 1
Pocking 31 F 3
Podbořany 31 F 1
Poděbrady 37 G 3
Podkamennaja-Tunguska 93 G 3
Poel 34 B 1
Pöggstall 53 F 1
Pohang 100 B 2
Point Barrow 114 D 2
Pointe de Penmarch 46 A 3
Pointe de Saint Mathieu 46 A 2
Pointe du Raz 46 A 3

Pointe Noire 76 B 2
Point Hope 114 B/C 3
Point Lay 114 C 3
Poitiers 46 C/D 3
Poitou 46 C/D 3
Po-jang-hu 97 E 4
Pojarkowo 95 D/E 5
Polatli 85 B 2
Polcirkeln 40 E 2
Polen 17, III E/F 3 u. 54/55 D – G 2
Polesje 55 G – K 2/3
Police = Pölitz
Poliny-Ossipenko 95 E 4
Pölitz (Police) 35 E 2
Poljarnyj 40 H 1
Polmak 40 F/G 1
Polonnoje 55 I 3
Pöls 53 E 2
Poltawa 91 B 4
Pomarão 56 B 4
Pomeroy 120 B/C 4
Pommersche Bucht 35 E 1
Pommersche Seenplatte 54 C/D 1/2
Pomona = Mainland
Pomorie 66 E/F 2
Pompeji 59 F 4
Ponape 104 C 2
Ponce 125 E 3
Pondicherry 88 B/C 3
Ponewiesch (Panevežys) 41 F 5
Pongau 52 D 2
Ponta Porã 128 C 3
Ponta Grossa 129 C/D 4
Pontarlier 50 A 3
Pont Canavese 50 B 4
Pontebba 52 D 3
Pontevedra 56 A 1
Pontiac 120 B 2
Pontianak 102 B 4
Pontinische Inseln 58/59 E 4
Pontische Gebirge 85 B – D 1
Pontremoli 58 D 2
Pontresina 51 D/E 3
Ponza 59 E 4
Poole 39 E/F 5
Popayán 126 B 2
Popocatépetl 122 C 3
Poppberg 31 D 2
Porbandar 88 A 2
Porcupine 114 E 3
Pordenone 52 C 4
Pordoijoch 51 F 3
Pori 41 E 3
Pornic 46 B 3
Poronaisk 95 F 5
Porrentruy 50 B 2
Porsangerfjord 40 F 1
Porsgrunn 41 B 4
Port Adelaide 109 B 5
Portalegre 56 B 3
Port Alfred 78 B 4
Port Arthur 119 D 3/4
Port Augusta 109 B 5
Port-au-Prince 123 E 3
Port-aux-Basques 117 F 5
Port Bou 57 G 1
Port Bouet 72 B 4
Port Burwell 120 C 2
Port Cartier 117 E 4/5
Port Chalmers 109, I B 2
Port Elizabeth 78 B 4
Port Gentil 76 A 2
Port Harcourt 73 C 4
Port Harrison = Inoucdjouac
Port Hedland 104 A 3/4
Port Hope 120 D 2
Port Huron 120 B 2
Portimão 56 A 4
Portland (Australien) 109 C 5
– (USA) 118 A 2
Portland Bill 39 E 5
Port Lincoln 109 B 5
Port Louis 79 E 3

Port Moresby 108 C 2
Port Nolloth 78 A 3
Porto 56 A 2
Porto Alegre 130 D/E 3/4
Porto Alexandre 76 B 3
Porto Amboin 76 B 3
Porto Cervo 58 C/D 4
Porto de Santa María
  56 B/C 4
Porto Empodocle 60 D 4
Portoferraio 58 D 3
Pôrto Franco 129 D 2
Port of Spain 125 E/F 3
Porto Novo 72 C 4
Porto Torres 58 B/C 4
Porto-Vecchio 49 H 5
Pôrto Velho 128 B 2
Port-Phillips-Bai 109 C 5
Port Pirie 109 B 5
Port Radium = Echo Bay
Portree 38 C 2
Port Rowan 120 C 2
Port Safaga 85 B 4
Port Said 85 B 3
Port Saint Johns 78 B/C 4
Pörtschach 53 E 3
Port Shepstone 78 C 4
Portsmouth (England)
  39 F 5
– (New Hampshire, USA)
  121 H 2
– (Ohio, USA) 120 B 4
Port Sudan 75 D 2/3
Porttipahta 40 F 2
Portugal 17, III B/C 5 u.
  56 A/B 2/3
Portugalete 56/57 D 1
Port Vendres 49 E 4
Posadas 130 D 2
Poschiavo 51 E 3
Posen (Poznań) 54 D 2
Posjet 100 B 1
Poso 103 D 4
Postmasburg 78 B 3
Pößneck 36 C 3
Poßruck 53 F 3
Potchefstroom 78 B 3
Potenza 59 F 4

Potiskum 73 D 3
Potomac 120/121 D/E 4
Potosi 128 B 4
Potsdam 34 C/D 3
Pöttmes 31 D 3
Poughkeepsie 121 F 3
Póvoa de Varzim 56 A 2
Powell-Stausee 118 B/C 3
Požarevac 63 E 2
Poznań = Posen
Præstø 43 F 3
Prag (Praha) 37 F 3/4
Prahovo 63 F 2
Pratas (Dong-sha-dao)
  97 E 4
Prato 58 D 3
Predazzo 51 F 3
Predeal 65 F 3
Predil (Paß) 52 D 3
Preetz 22 D 1
Pregarten 53 E 1
Pregel 55 F 1
Prerow 34 C 1
Premnitz 34 C 3
Prenzlau 35 D/E 1
Prescott (Kanada) 121 F 1
-(USA) 118 B 3
Prespa-See 63 E 4
Preston 39 E 4
Prestwick 38 D 3
Pretoria 78 B 3
Prewesa 67 B 4
Prien 33 F 3
Prieska 78 B 3
Prignitz 34 B/C 2
Přílep 63 E 4
Přimda 31 E 2
Prince Albert 115 I 4
Prince-Albert-Sund 114 H 2
Prince George 115 G 4
Prince-of-Wales-Insel
  114 I/K 2
Prince-Patrick-Insel
  114 G/H 2
Prince Regent Inlet 116 B 2
Prince Rupert 115 F/G 4
Prince-William-Sund
  114 E 3/4

Principe da Beira 128 B 3
Prinz-Charles-Insel 116 D 3
Prinz-Eduard-Inseln
  (Antarktis) 135 B/C 5
– (Kanada) 117 E 5
Prinzeninseln (Büyükada)
  66 F 3
Priosersk 41 G 3
Pripjet 55 H 3
Prislop 65 F 2
Priština 63 E 3
Pritzwalk 34 C 2
Privas 49 F 3
Prizren 63 E 3
Progeso 123 C/D 2
Prokopjewsk 93 F 4
Prome 89 D 3
Proserpine 108 C 4
Provence 49 F/G 4
Providence (I., Seychellen)
  79 E 1
– (O., USA) 121 G/H 3
Provincetown 121 H/I 2
Provins 47 E 2
Prshewalsk 93 E 5
Prudhoe Bay 114 D/E 2/3
Prüm 28 B 2
Prushany 55 H 2
Pruth 55 H 4
Przemyśl 55 G 4
Ptitsch 55 K 2
Ptuj = Pettau
Pucallpa 126 B 3
Puebla 122 C 3
Pueblo 118 C 3
Puente-Genil 56 C 4
Puerto Aisén 131 B 4
Puerto Armuelles 123 D 4
Puerto Ayacucho 126 C 2
Puerto Baquerizo Moreno
  126, I
Puerto Barrios 123 D 3
Puerto Belgrano 131 C/D 3
Puerto Cabelo 126 C 1
Puerto Carreño 126 C 2
Puerto Casado 130 D 2
Puerto Cortés 123 D 4
Puerto Cortez 123 D 3

Puerto Deseado 131 C 4
Puerto Juárez 123 D 2
Puertollano 56 C 3
Puerto Madryn 131 C 4
Puerto Maldonado
  126 B/C 4
Puerto Montt 131 B 4
Puerto Natales 131 B 5
Puerto Peñasco 122 A 1
Puerto Princesa
  103 C 2/3
Puerto Rico 125 E 3
Puerto Williams 131 B/C 5
Pula 62 A 2
Pulaski 121 E/F 2
Pulkau 53 F 1
Pulog 103 D 2
Pultusk 55 F 2
Pumlumon Fawr 39 D/E 4
Punakha 89 C/D 2
Pune 88 B 3
Puno 126 B 4
Punta Arenas 131 B 5
Punta de la Estaca de Bares
  56 B 1
Punta de la Mona 56 D 4
Punta del Este 131 D 3
Punta Marroqui 56 B/C 5
Puntarena 123 D 4
Punto Fijo 126 B/C 1
Puri 88/89 C 3
Purkersdorf 53 G 1
Purmerend 44 C/D 2
Pursat 102 B 2
Puschkin 41 G 4
Pustertal 52 B/C 3
Putao 89 D 2
Putbus 34 D 1
Putlitz 34 C 2
Puttgarden 23 E 1
Putumajo 126 B 3
Puturanagebirge 92 G 3
Puulasee 41 F 3
Puy-de-Dôme 48/49 E 3
Pyeongyang 99 D/E 2
Pyinmana 89 D 3
Pyrenäen 48/49 C–E 4
Pyritz (Pyrzyce) 35 E 2
Pyrzyce = Pyritz

Q

Qaijarah 85 D 2
Qamishli 85 D 2
Qara-Mai (Ke-la-mai)
  96 B 2
Qasre 84 B 3
Qena 85 B 4
Qeziot 84 A 4
Qia-mu-si 97 G 2
Qian-jiang 98 A 4
Qie-mo = Charchan
Qi-lian-shan 96 C 3
Qing-jiang 99 C 3
Qing-yuan 98 A 2
Qintana Roo 123 D 3
Qin-yang 98 B 2
Qi-qi-ha-er (Tsitsihar)
  97 F 2

Qiryat Ata 84 B 2
Qiryat Gat 84 A/B 3
Qiryat Shemona 84 B 1
Qishn 86 D 6
Qishon 84 B 2
Qi-tai 96 B/C 2
Qnaïtra 84 B/C 1
Quakenbrück 24 C 3
Quang Ngai 102 B/C 2
Quan-zhou 97 E 4
Quatif 86 C/D 4
Quebec (O. u. Provinz)
  117 D/E 4/5
Quedlinburg 36 C 2
Queen-Maud-Golf
  114 I/K 3
Queensland 109 C 4

Queenstown (Australien)
  109 C 6
– (Neuseeland)
  109, I A/B 2
– (Südafrika) 78 B 4
Queich 28 D 3
Quelimane 79 C 2
Quemoi (Jin-men) 97 E 4
Que-Que 78 C 2
Querétaro 122 B/C 2
Querfurt 36 C 2
Quetta 88 A 1
Quezaltenango 122 C 3
Quezon City 103 D 2
Quiberon 46 B 3
Quillabamba 126 B 4
Quillan 48 D/E 4

Quilon 88 B 4
Quilpie 109 C 4
Quimper 46 A/B 2
Quincy 121 H 2
Quirang 38 C 2
Quito 126 B 3
Qu-jiang = Shao-guan
Qu-jing 96/97 D 4
Qum 86 D 3
Qum Darya 96 B 2
Qungur Tagh 96 A 3
Quruq Tagh 96 B 2
Quseima 84 A 4

R

Raab (Györ, O.) 64 B/C 2
– (Oberösterreich) 52 D 1
– (Rabă, Fl.) 53 F/G 2
Raabs 53 F 1
Raahe 40 E/F 2
Raalte 44 E 2
Rab 62 B 2
Raba (O., Indonesien)
  103 C 4
Rába = Raab
Rabat 72 B 1
Rabaul 108 C 2

Rabjerg Mile 42 D 1
Rabol 86 D 2
Rådăuţi 65 F 2
Radbusa 31 E 2
Radeberg 37 E 2
Radebeul 37 E 2
Radenci 53 F/G 3
Radenthein 53 D 3
Radevormwald 26 C 2
Radium Hill 109 C 5
Radkersburg 53 F/G 3
Radolfzell 32 B/C 3

Radom 55 F 3
Radomsko 54 E 3
Radstädter Tauern 52/53 D 2
Raesfeld 26 B 2
Rafha 85 D 4
Ragla 53 F 3
Ragusa 60 D 4
Raha 103 D 4
Raichur 88 B 3
Rain 30 C 3
Raipur 88 C 2
Raja 102 C 4

Rajamundry 88 C 3
Rajasthan 88 B 2
Rajkot 88 B 2
Rakka 85 C 2
Rakovník 31 F 1
Raleigh 119 F 3
Ralikgruppe 104/105 D 2
Ramadi 85 D 3
Ramallah (Bethel) 84 B 3
Ramat Gan 84 A/B 2
Ramelau 103 D 4
Ramla 84 A/B 3

Ramree 89 D 3
Ramsele 40 C/D 2
Ramsgate 39 G 5
Ramtha 84 C 2
Ramu 108 C 2
Rancagua 131 B 3
Rance 46 B 2
Ranchi 88 C 2
Randers 42 D 2
Rangeley 121 H 1
Rangun (Rangoon) 89 C 3
Rankin Inlet 117 B 3
Ranong 102 A 3
Rantekombola 103 C 4
Rantum 22 B 1
Rapa 105 F 4
Rapid City 118 C 2
Rapperswil 50 C/D 2
Raquette 121 F 1/2
Rarotonga 105 F 4
Ras Banas 75 D 2
Ras Dashan 75 D 3
Ras ed-Daqm (O.) 87 D 6
Ras el-Had 87 D/E 5
Ras Fartak 86 D 6
Ras Gharib 85 B 4
Rashid = Rosetta
Ras Madraka 87 D 6
Ras Mohammed 85 B/C 4
Rastatt 32 B 2
Rastede 24 D 2
Ratakgruppe 105 D 2
Rathenow 34 C 3
Ratibor (Racibórz) 54 D/E 3
Rätikon 51 D 2/3
Ratingen 26 B/C 2
Ratnapura 88 B/C 4
Rattenberg 51 F/G 2
Ratzeburg 23 D 2
Ratzeburger See 23 D 2
Raufarhöfn 40, I D 1
Rauma 41 E 3
Ravenna 59 E 2
Ravensburg 32 C 3
Ravne na Koroškem
  53 E/F 3
Rawalpindi 88 B 1
Rawa-Russkaja 55 G/H 3
Rawson 131 C 4
Rax 53 F 2
Razgrad 66 E 2
Ré 46 C 3
Reading (England) 39 F 5
– (USA) 121 F 3
Read Island (O.) 114 H 3
Recife 129 E 2
Recklinghausen 26 C 2
Recknitz 34 C 1
Red Deer 115 H 4
Red Lake 117 B 4
Red River 119 D 3
Rees 26 B 2
Rega 35 F 2
Regen (O. u. Fl.)
  31 E/F 2/3
Regensburg 31 E 2/3
Regenstauf 31 E 2
Reggane 72 B 2
Regge 26 B 1
Reggio di Calabria 61 E 3/4
Reggio nell' Emilia 58 D 2
Reghin 65 F 2
Regina 115 I 4
Registan 88 A 1
Regnitz 30 C 2
Rehau 31 D/E 1
Rehoboth 78 A 3
Rehovot (O.) 84 A 3
– (R.) 84 A 3
Reichenau (Bogatynia, O.)
  37 F/G 3
Reichenbach 36 D 3
Reichenberg (Liberec)
  37 F/G 3
Reichshof 26 C 3
Reichshoffen 32 A 2
Reims 47 F 2
Reinbek 22 D 2
Reinberg 34 D 1

Reinhardswald 29 E 1
Reinkenhagen 34 D 1
Reinosa 56 C 1
Reisalpe 53 F 2
Reitdiep 24 B 2
Reit im Winkel 33 F 3
Remagen 28 C 2
Remansão 129 C/D 2
Rembang 102 C 4
Remiremont 50 A 1
Remscheid 26 C 2
Rendsburg 22 C 1
Renk 75 D 3
Rennertshofen 31 D 3
Rennes 46 C 2
Reno (Italien) 58 D 2
– (USA) 118 B 3
Rentiersee 115 I 4
Reppen (Rzepin) 35 E 3
Repulse Bay 116 C 3
Requena 57 E 3
Rerik 34 B 1
Reschen (Resia) 51 E 3
Reschenpaß 51 E 3
Rescht 86 C/D 2
Resia = Reschen
Resistencia 130 C/D 2
Reşiţa 64 D 3
Resolution-Insel 116 E 3
Rethel 45 C 5
Rethimnon 67 D 6
Réunion 79 E 3
Reus 57 F 2
Reuß 50 C 2
Reutlingen 32 C 2
Reval (Tallin) 41 F 4
Revilla-Gigedo-Inseln
  122 A/B 3
Rewa 88 C 2
Reykjanes 40, I B 2
Reykjavik 40, I B 1
Reynosa 122 C 2
Rezaiyeh 86 C 2
Rezaiyehsee (Urmiasee)
  86 C 2
Rezat 30 C 2
Rezekne 41 F 4
Rhandaq 75 D 3
Rheda-Wiedenbrück
  26/27 D 2
Rhein 18 A/B 2–5
Rheine 26 C 1
Rheinbach 26 B 3
Rheinfelden (Baden-
  Württemberg) 32 A 3
– (Schweiz) 50 B 2
Rheinland-Pfalz 20 B 3/4
  u. 28 B/C 2/3
Rheinsberg 34 C/D 2
Rheinwaldhorn 50 C/D 3
Rheydt 26 B 2
Rhin 34 C 2
Rhinau 32 A 2
Rhinkanal 34 C 3
Rho 50 D 4
Rhode Island 121 H 3
Rhodesien = Zimbabwe
Rhodopen 66 D 3
Rhodos (O. u. I.) 67 F 5
Rhön 29 E 2
Rhône 49 F 3/4
Rhône-Rhein-Kanal
  50 A/B 2
Rhondda 39 E 5
Rhum 38 C 2
Rhume 25 F 4
Riau-Inseln 102 B 3
Ribadeo 56 B 1
Ribatejo 56 A 3
Ribe 42 B 3
Ribeauvillé 50 B 1
Ribeirão Preto 129 D 4
Riberalta 128 B 3
Ribnitz-Damgarten 34 C 1
Richardsongebirge 114 F 3
Richmond (Australien)108 C 4
  -(Kanada)121 H 1
  -(USA) 119 F 3
Richtenberg 34 C 1

Richterswil 50 C 2
Ried 52 D 1
Riedenburg 31 D 3
Riedlingen 32 C 2
Rienz 51 F/G 3
Ries 30 C 3
Riesa 37 E 2
Riesengebirge 37 G 3
Rieti 59 E 3
Rifstangi 40, I C 1
Riga 41 F 4
Rigaischer Meerbusen
  41 E/F 4
Rigi 50 C 2
Riihimäki 41 E/F 3
Riiser-Larsen-Halbinsel
  135 B 3
Rijeka 62 B 2
Rijssen 26 B 1
Ri-ke-ze = Zhigatse
Riksgränsen 40 D 1
Rila 66 C 2
Rimini 59 E 2
Rîmnicu-Vîlcea 65 F 3
Rindjani 102 C 4
Ringe 42 D 3
Ringelspitz 51 D 3
Ringkøbing 42 B 2
Ringkøbingfjord 42 A/B 2/3
Ringsted 43 E/F 3
Ringvassöy 40 D 1
Rinteln 25 E 3
Rio Branco (O..) 128 B 2/3
Rio Bravo del Norte
  122 B 2
Rio Cuario 131 C 3
Rio das Mortes 129 C 3
Rio de Janeiro
  (O. u. Bundesstaat)
  129 D 4
Rio de la Plata 131 D 3
Rio Gallegos 131 C 5
Rio Grande (Fl.,USA)
  118 C/D 4
  -(O., Argentinien) 131 C 5
  -(O., Brasilien) 130 D 3
Rio Grande de Santiago
  122 B 2
Rio Grande do Norte
  (Bundesstaat) 129 E 2
Rio Grande do Sul
  (Bundesstaat) 130 D 3
Riohacha 126 B 1
Rio Muni 76 A 1
Rio Negro 128 B 2
Ripley 120 C 4
Riß 32 C 2
Riva (Gardasee) 51 E 4
– (Sesiatal) 50 B 4
Rivera 130 D 3
Riverina 109 C 5
Riviera di Levante 58 C 2
Riviera di Ponente 58 C 2/3
Rivière-du-Loup 117 E 5
Rixhöft 54 D/E 1
Riyan 86 C 7
Rjasan 90 N/O 3
Rjukan 41 B 3
Roanne 47 E/F 3/4
Roatán 123 D 3
Röbel 34 C 2
Robertsport 72 A 4
Robinson-Crusoe-Insel
  131 B 3
Roboré 128 B/C 4
Rocamadour (Kl.) 48 D 3
Rocas 129 F 2
Rocciamelone 50 B 4
Rochefort 45 C/D 4
Rochester 120 E 2
Rochlitz 37 D 2
Rockhampton 109 D 4
Rockenhausen 28 C 3
Rocky Mountains
  (Felsengebirge)
  114/115 G–I 3–5 u.
  118 B/C 1–3
Rocroi 45 C 5

Rodach 30 C 1
Rødby 43 E 4
Rødby Havn 42/43 E 4
Rodez 48 E 3
Roding 31 E 2
Rodrigues 69 F 3
Roermond 45 D/E 3
Roeselare 45 A/B 4
Roetgen 26 B 3
Rogatin 55 H 4
Rogatschew 55 K 2
Rohrbach 28 C 3
Roknafjord 41 A 4
Rokycany 31 F 2
Rom (Roma) 58 D/E 4
Roma (Australien) 109 C 4
Romagna 58 D 2
Roman 65 G 2
Romanshorn 51 D 2
Rome (USA) 121 F 2
Rømø 42 B 3
Rona 38 D 1
Ronda 56 C 4
Rondônia (O. u. Bundes-
  staat) 128 B 3
Rondonópolis 128 C 3
Rønne 43 G 4
Rönneå 43 G 2
Ronneburg 36 D 3
Ronse 45 B 4
Roosendaal 45 C 3
Roosevelt-Insel
  135 K 1/2
Roper 108 B 3
Roquefort 49 E 4
Roraima 128 B 1
Röros 41 B 3
Rorschach 51 D 2
Rosario (Argentinien)
  131 C 3
– (Mexiko) 122 A 2
Rosário (Brasilien)
  129 D 2
Rosengarten 51 F 3
Rosenheim 33 E/F 3
Rosenholm 42 D 2
Rosetta (Rashid) 85 A 3
Roßhaupten 33 D 3
Roskilde 43 E/F 3
Rosnaes 42 D/E 3
Rossano 61 F 3
Rossbarriere (Antarktis)
  135 K 2
Rossel 108 D 3
Ross-Insel 135 I/K 2
Rosslare 39 C 4
Rossmeer 135 K 2
Rosso 72 A 3
Ross-Schelfeis 135 I/K 1
Rostock (O.) 34 B/C 1
Rostow 91 B/C 4
Rösvatn 40 C 2
Roßhaupt (Rozvadov)
  31 E 2
Roswell 118 C 3
Rota 56 B 4
Rotenburg (Hessen) 29 E 1/2
– (Niedersachsen) 25 E 2
Rotenturmpaß 64/65 E/F 3
Roter Fluß (Vietnam)
  96/97 D 4
Roter Main 31 D 1/2
Rotes Becken (China)
  97 D 3/4
Rotes Meer 86 B/C 4–6
Roth 31 D 2
Rothaargebirge 26/27 D 2
Röthenbach 31 D 2
Rothenburg ob der Tauber
  30 B/C 2
Rothesay 38 D 3
Rotorua 109, I B 1
Rott (Fl.) 31 F 3
– (O. am Inn) 33 F 2
Rotten = Rhône 50 C 3
Rottenburg (Baden-
  Württemberg) 32 B/C 2
– (Bayern) 31 D/E 3
Rotterdam 44 C 3

Rottum 24 B 2
Rottweil 32 B 2
Roubaix 45 B 4
Rouen 46 D 2
Rougso 42 D 2
Round Mount 109 D 5
Rourkela 88 C 2
Roussillon 48/49 E 4
Rovaniemi 40 F 2
Rovato 51 E 4
Rovereto 51 F 4
Rovigo 58 D 2
Rovinj 62 A 2
Rovuma 79 C 2
Rowno 55 I 3
Roxas 103 D 2
Royan 46 C 4
Roye 45 A 5

Roztocze 55 G 3
Rozvadov = Roßhaupt
Rshew 90 B 3
Ruacana-Fälle 76 B 3
Ruanda 71 u. 77 C/D 2
Ruapehu 109, I B 1
Rub el-Khali = Große
   Arabische Wüste
Rubzowsk 93 E/F 4
Ruden 35 D 1
Rüdesheim 28 C/D 2/3
Rudkøbing 42 D/E 4
Rudnaja-Pristan 95 E 5
Rudnitschnyj 90 C/D 3
Rudnogorsk 93 H 4
Rudnyj 91 E 3
Rudolphstein 31 D 1
Rudolstadt 36 C 3

Rue (Schl.) 50 A 3
Rufiji 77 D 2
Rügen 34 D 1
Rühen 25 F 3
Ruhla 36 B 3
Ruhner Berge 34 B 2
Ruhpolding 33 F 3
Ruhr 26 C 2
Rukwa-See 77 D 2
Rumänien 17, III F 4 u.
   64/65 D – G 3
Rumbek 75 C/D 4
Rumford 121 H 1
Rum Jungle 108 A/B 3
Rumoi 101 E 1
Rumula 108 C 2
Rungwe 77 D 2
Runtu 78 A 2

Ruo-qiang = Charkhlik
Rur 26 B 2/3
Ruse 66 E 2
Ruseifa 84 C 3
Rüsselsheim 28 D 3
Russkaja Gawan 90 D/E 1
Russkij 100 C 1
Rustenburg 78 B 3
Ruß 55 F 1
Rutba 85 D 3
Rutland 121 G 2
Rutland Plains 108 C 3
Ruwenzori 77 C/D 1
Rybatschje 93 E 5
Rybinsk 90 B/C 3
Ryukyu-Inseln 97 F 4
Rzepin = Reppen
Rzeszów 55 F/G 3

S

Saalach 52 C 2
Saale 36 C 2/3
Saalfeld 36 C 3
Saalfelden 52 C 2
Saar 28 B 3
Saarbrücken 28 B/C 3
Saarburg 28 B 3
Saargemünd
   (Sarreguemines) 28 C 3
Saariselkä 40 G 1
Saarland 20 B 4
   u. 28 B/C 3
Saarlouis 28 B 3
Saas-Fee 50 B 3
Saaz (Žatec) 31 F 1
Saba (I., Westindien)
   – = Marib
Šabac 62 D 2
Sabada 57 E 1
Sabadell 57 G 2
Sabah 102/103 C 3
Sabalan 86 C 2
Sabi 78 C 3
Sabiner Berge 59 E 3
Sable 117 E/F 5
Sabol 87 E 3
Sabya 86 C 6
Sacco Gariglianto 59 D 4
Sachalin 95 F 4
Sachsen 36/37 D/E 2/3
Säckingen 32 A/B 3
Sacramento (O. u. Fl.)
   118 A 3
Sacramento Mountains
   122 B 1
Sacre 128 B 4
Sachs Harbour 114 F/G 2
Sadah 86 C 6
Sadd el-Ali-Damm 75 D 2
Sadiya 89 D 2
Sado 101 D 2
Saeby 42 D 1
Saettle 118 A 2
Safanija 86 C 4
Safi (Marokko) 72 A/B 1
– (Israel) 84 B 3/4
Sagamibucht 101 D 3
Sagan (Zagan) 37 G 2
Sagar 88 B 2
Saginaw (O. u. -Bai)
   120 B 2
Saglouc 116 D 3
Sagres 56 A 4
Saguenay 117 D 5
Saguia el-Hamra
Sagunto 57 E 3
Sahara 72/73 A – E 2
Saharaatlas 72/73 B/C 1
Saharanpur 88 B 2
Saïda = Sidon
Saigon = Ho Tschi Minh-
   Stadt
Saihut 86 D 6
Saimaakanal 41 G 3
Sain Schand 97 D/E 2

Saint Andrews 38 E 2
Saint-Armand-les-Eaux
   45 B 4
Saint Avold 28 B 3
Saint Boniface 115 K 4/5
Saint Brieuc 46 B 2
Saint Croix 125 E 3
Saint Denis (Frankreich)
   46 E 2
– (Réunion) 79 E 3
Saint-Dizier 47 F 2
Sainte Baume 49 F 4
Sainte Croix 50 A 3
Saint Eliasberge
   114 E/F 3/4
Sainte Marie
   (I., Madagaskar)
   79 D/E 2
Saintes 46 C 4
Saint Etienne 47 F 4
Saint Germain 46 D 2
Saint Hyacinthe 121 G 1
Saint-Jean-de-Maurienne
   50 A 4
Saint-Jean-de-Luz
   48 B/C 4
Saint-Jean-Pied-de-Port
   48 C 4
Saint John 117 E 5
Saint John's 117 F 5
Saint Kitts-Nevis 125 E 3
Saint Lawrence 109 C 4
Saint Lô 46 C 2
Saint Louis (Senegal)
   72 A 3
– (USA) 119 D 3
Saint-Loup-sur-Semoise
   50 A 2
Saint Lucia 125 E/F 3
Saint Malo 46 B/C 2
Saint Martin 125 E 3
Saint Marys 109 C 6
Saint-Matthias-Gruppe
   108 C/D 2
Saint Maurice 50 A/B 3
Saint Michael 114 C/D 3
Saint Nazaire 46 B 3
Saint Omer 46 E 1
Saintonge 46 C 4
Saint Paul 119 D 2
Saint Pierre (I. bei
   Neufundland) 117 F 5
– (I., Seychellen) 79 D/E 1
Saint Quentin 45 B 5
Saint Rhémy 50 B 4
Saint Thomas 125 E 3
Saint Tropez 49 G 4
Saint Vincent 125 E 3
Saipan 104 C 2
Saissan-See 93 F 5
Sajak 93 E 5
Sajama 128 B 4
Sajarsk 93 H 4
Sakai 100 C 3
Sakakah 85 D 4

Sakamensk 93 H 4
Sakarya 85 B 1
Sakata 101 D 2
Sakinthos (O. u. I.) 67 B 5
Sakishima 97 F 4
Sal 68 A 2
Sala 41 D 4
Salado 131 C 3
Salahah 86 D 6
Salak 102 B 4
Salamanca 56 C 2
Salamaua 108 C 2
Salar de Atacamá 130 C 2
Salar de Uyuni 128 B 4
Salawat 91 D 3
Salawati 108 B 2
Salayar 103 D 4
Sala y Gómez 122 B 6
Saldanha 78 A 4
Sale 109 C 5
Salechard 90 E 2
Salem (Indien) 88 B 3
– (USA, Oregon) 118 A 2
Salerno 59 F 4
Salgótárjan 64 C/D 1/2
Salgueiro 129 E 2
Salima 78/79 C 2
Salina (Italien) 60 E 3
– (USA) 118 D 3
Salina Cruz 122 C 3
Salisbury (England)
   39 E/F 5
– (Zimbabwe) 78 C 2
– (USA) 121 F 4
Salling 42 B 2
Salo 51 E 4
Salomonen (St.) 108 C 2
Salomon-Inseln 104 C/D 3
Salomon-See 108 C/D 2
Salorno = Salurn
Salou 57 F 2
Salpausselkä 41 F/G 3
Salt 84 B 2
Salta 130 C 2
Saltfjord 40 C 2
Saltillo 122 B 2
Salt Lake City 118 B/C 2
Salto 130 D 3
Saltonsee 118 B 3
Saluën 96 C 3/4
Salurn (Salorno) 51 F 3
Salvador 129 E 3
Salza 53 E 2
Salzach 52 C 1/2
Salzburg (O. u. Bundesland)
   52 C/D 2
Salzgitter 25 F 3
Salzkammergut 52 D 2
Salzwedel 34 B 3
Samar 103 D 2
Samarai 108 D 3
Samaria 84 B 2
Samarkand 91 E 5
Samarra 85 D 3
Sambalpur 88 C 2

Sambas 102 B 3
Sambesi 79 C 2
Sambia 71 u. 77 C/D 3
Sambor 55 G 4
Sambre 45 C 4
Samcheog 100 B 2
Samnaungruppe 51 E 2/3
Samoa (St. u. -Insel) 105 E 3
Samojedenhalbinsel =
   Jamalhalbinsel
Samos 67 E 5
Samothraki 66 D 3
Sampit 102 C 4
Samso 42 D 3
Samsøbelt 42 D 3
Samsun 85 C 1
Samut Prakan 102 B 2
San (Fl. zur Weichsel) 55 F 3
– (O., Mali) 72 B 3
Sana 86 C 6
Sanaga 74 B 4
San Ambrosio 130 A 2
San Andrés 123 D 3
San Angelo 118 C 3
San Antonio (Chile) 131 B 3
–(USA) 118 D 4
San Benedicto 122 A/B 3
San Bernadino 118 B 3
San Bernhardino 50 D 3
San Blas 122 B 2
San Bonifacio 51 F 4
San Borja 128 B 3
San Carlos 103 D 2
San Carlos de Bariloche
   131 B/C 4
San Cristóbal
   (I., Salomonen) 104 D 3
– (O., Venezuela) 126 B 2
San Cristóbal las Casas
   122 C 3
San Croce 52 C 3
Sancti Spiritus 123 E 2
Sand (Campo Tures)
   51 F/G 3
Sandakan 103 C 3
Sandgate 109 D 4
San Diego 118 B 3
Sandomierz 55 F 3
Sandover 109 B 4
Sandusky 120 B 3
Sandy-Kap 109 D 4
San Felipe 128 B 1
San Felix 130 A 2
San Fernando (Philippinen)
   103 C/D 2
– (Spanien) 56 B 4
San Fernando de Apure
   126 C 2
San Francisco 118 A 3
San Francisco-Paß 130 C 2
Sangar 94 D 3
Sangerhausen 36 C 2
Sangha 76 B 1
Sangihe-Inseln 103 D 3
Sangkulirang 103 C 3

Sangro 59 F 3/4
San Joaquin 118 A 3
San Jorge-Golf 131 C 4
San José (Costa Rica) 123 D 4
– (Guatemala) 122 C 3
– (USA) 118 A 3
San José do Rio Prêto 129 C/D 4
San Juan (Fl. zum Karibischen Meer) 123 D 3
– (O., Argentinien) 130 C 3
– (O., Puerto Rico) 125 E 3
San Juan del Sur 123 D 3
Sankt Andreasberg 25 F 4
Sankt Anton 51 E 2
Sankt Blasien 32 B 3
Sankt Bernhard, Großer – 50 B 4
–, Kleiner – 50 A 4
Sankt Gallen 51 D 2
Sankt Georg (Fl.) 65 H 3
Sankt Georgen (Oberösterreich) 53 E 1
– (Schwarzwald) 32 B 2
Sankt-Georgs-Kanal 39 C/D 4/5
Sankt Gilgen 52 D 2
Sankt Goar 28 C 2
Sankt Goarshausen 28 C 2
Sankt Gotthard 50 C 3
Sankt Helena 68 B 3
Sankt Ingbert 28 C 3
Sankt Jakob in Osttirol 52 C 3
Sankt Johann im Pongau 52 D 2
– in Tirol 52 C 2
Sankt Leonard 51 E 2
Sankt-Lorenz-Golf 117 E 5
Sankt-Lorenz-Insel 114 B/C 3
Sankt-Lucia-See 78 C 3
Sankt Michael 52 D 2
Sankt Moritz 51 D 3
Sankt Peter-Ording 22 B 1
Sankt Petersburg 119 E 4
Sankt Pölten 53 F 1
Sankt Ulrich (Ortisei) 51 F 3
Sankt-Vith 45 E 4
Sankt Veit (Niederösterreich) 53 F 1
– (Kärnten) 53 E 3
Sankt Wendel 28 B/C 3
Sankt Wolfgang 52 D 2
Sankuru 76 C 2
San Lorenzo 126 B 2
San Lorenzo (Argentinien) 131 B 4
– (Ecuador) 126 B 4
Sanlúcar de Barrameda 56 B 4
San Luis 131 C 3
San Luis Potosí 122 B 2
San Marino 58 E 3
San Matias-Golf 131 C 4
San-men-xia 98 B 3
San Miguel (Fl. zum Guaporé) 128 B 3
– (O., El Salvador) 123 D 3
Sannikowstraße 94 E/F 2
Sanok 55 F/G 4
San Pablo 103 D 2
San Pedro 72 B 4
San Pedro Sula 123 D 3
San Rafael 131 C 3
San Salvador (I., Watling-Insel, Guanahani) 123 E 2
– (O., El Salvador) 123 C/D 3
Sansanné Mango 72 C 3
San Sebastián 57 D 1
San Severo 59 F 4
Sansibar 77 D/E 2
Santa Ana (Bolivien) 128 B 3

– (El Salvador) 123 C/D 3
Santa Barbara 118 A/B 3
Santa Catarina (Bundesstaat, Brasilien) 128/129 C 4
– (Fl.) 129 D 4
Santa Clara 123 D 2
Santa Cruz (O. u. Fl., Argentinien) 131 B/C 4/5
– (O., Bolivien) 128 B 3
Santa Cruz de Tenerife 72 A 2
Santa-Cruz-Inseln 104/105 D 3
Santa Fe (Argentinien) 130 C 3
– (USA) 118 C 3
Santa Inés 131 B 5
Santa Isabel (I.) 108 C 2
= Malabo
Santa María (Brasilien) 130 D 3
– (Spanien) 56 C 4
Santa Marta 126 B 1
Sant' Ambrogio di Valpolicella 51 E/F 4
Santana do Livramento 130 D 3
Santander 56 C/D 1
Santañy 57 G 3
Santarém (Brasilien) 128 C 2
– (Portugal) 56 A 3
Santa Rosa (Argentinien) 131 C 3
– (Brasilien) 130 D 2
Santa Rosalia 122 A 2
Santhia 50 C 4
Santiago (Chile) 131 B/C 3
– (Dominikanische Republik) 123 E 3
Santiago de Compostela 56 A 1
Santiago de Cuba 123 E 3
Santiago del Estero 130 C 2
Santo Andre 129 D 4
Santo Domingo 123 E/F 3
Santo Domingos 56 B 4
Santorin (Thira) 67 D 5
Santos 129 D 4
San Valentin 131 B 4
San Vito di Tagliamento 52 C 4
São Francisco (Fl.) 129 D 2/3
São Luis 129 D 2
Sâone 47 F 3
São Paulo (O. u. Bundes-staat) 129 D 4
São Sebastião 129 D 4
São Tiago 68 A 2
São Tomé und Principe 71 u. 76 A 1
São Vicente 68 A 2
Saporoshje 91 B 4
Sapporo 101 E 1
Sarajevo 62 D 3
Saran 91 F 4
Saransk 90 C 3
Saratow 91 C 3
Sarawak 102 C 3
Sarca 51 E 3
Sardeh-Kuh 86 D 3
Sardes 67 E/F 4
Sardinien 58 B/C 4
Sarek 40 D 2
Saria (Saros) 67 E 6
Sarmi 108 B 2
Sarmiento 131 B/C 4
Sârna 41 C 3
Sarnen 50 C 3
Sârne¡agora 66 D 2
Sarnia 120 B 2
Sarntaler Alpen 51 F 3
Sarny 55 I 3
Saronischer Golf 67 C 5
Saronno 50 C/D 4
Sar Planina 63 E 3/4

Sarra 74 C 2
Sarreguemines = Saargemünd
Sarstedt 25 E/F 3
Sarh (Fort Archambault) 74 B 4
Sartène 49 H 5
Sarthe 46 C 3
Sarysu 91 E 4
Sasebo 100 B 3
Saskatschewan (Fl. u. Provinz) 115 I 4
Saskatoon 115 I 4
Sassandra 72 B 4
Sassari 58 C 4
Saßnitz 34 D 1
Sátoraljaújely 64 D 1
Satpuragebirge 88 B 2
Satu Mare 64 E 2
Saualpe 53 E 3
Saudárkrókur 40, I C 1
Saudi-Arabien 86 C 4/5
Sauer 28 A/B 3
Sauerland 26 C/D 2
Saulgau 32 C 2
Sault Sainte Marie (Kanada) 117 C 5
– (USA) 119 E 2
Saumlaki 108 B 2
Saumur 46 C 3
Saurimo 76 C 2
Sauternes 48 C 3
Sava = Save
Savaii 105 E 3
Savanna I 19 E/F 3
Savannaket 102 B 2
Sávár 53 G 2
Save (Sava) 53 F 3/4
Savinja 53 E 3
Savona 58 C 2
Savonlinna 41 G 3
Savoyen 49 G 3
Savoyer Alpen 50 A 3/4
Sawu 103 D 4
Sawusee 103 D 4
Sayda 37 E 3
Sazan 62 D 4
Sbarash 55 H/I 4
Scafell Pike 38 E 3
Scapa Flow 38 E 2
Scarborough 39 F/G 3
Scarpe 45 A/B 4
Schachrisjabs 91 E 5
Schachty 91 C 4
Schadrinsk 91 E 3
Schaffhausen 50 C 2
Schahbar 87 D/E 4
Schahi 86 D 2
Schahrud 86 D 2
Schaim 90 E 2
Schalkartenis-Salzpfanne 91 E 4
Schamo (Gobi) 96/97 C–E 2
Schan-dong 98/99 C/D 3
Schanghai '99 D 3
Schantarinseln 95 E 4
Schärding 52 D 1
Scharhörn 22 B 2
Schari 74 B 3
Schäßburg = Sighisoara
Schatt el-Arab 86 C 4
Schaulen (Siauliai) 41 F 5
Schefferville 117 E 4
Scheibbs 53 F 1
Scheinfeld 30 C 2
Schelde 45 B/C 3/4
Schelichowgolf 94 G 3/4
Schenectady 121 F 2
Schepetowka 55 I 3
Schesaplana 51 D 2
Scheveningen 44 B/C 2
Schewtschenko 91 D 4
Schiedam 44 C 3
Schierling 31 D/E 3
Schiermonnikoog 44 D/E 1
Schilksee 22 D 1
Schillingsfürst 30 C 2
Schiltigheim 32 A 2

Schimanowsk 95 D 4
Schio 51 F 4
Schipkapaß 66 D 2
Schiras 86 D 4
Schirwan 87 D 2
Schivelbein (Swidwin) 35 F 2
Schklow 55 K/L 1
Schladming 52 D 2
Schlanders (Silandro) 51 E 3
Schlei 22 C 1
Schleiden 26 B 3
Schleiz 36 C 3
Schleswig 22 C 1
Schleswig-Holstein 20 C/D 1 u.
22/23 C/D 2/3
Schleusingen 36 B 3
Schlüchtern 29 E 2
Schliersee (O.) 33 E/F 3
Schlitz 29 E 2
Schlotheim 36 B 2
Schmalkalden 36 B 3
Schmidt-Insel 92 F/G 1
Schmölln 36 D 3
Schnackenburg 25 G 2
Schneeberg (B., Fichtel-gebirge) 31 D/E 2
– (B., Niederösterreich) 53 F 2
– (O., DDR) 36 D 3
Schneidemühl (Pila) 54 C/D 2
Schneverdingen 25 E 2
Schoberspitze 53 E 2
Schönberg 22 D 1
Schönebeck 36 C 2
Schönefeld 34 D 3
Schöneiche 35 D 3
Schonen 43 G 3
Schongau 33 D 3
Schöningen 25 F/G 3
Schopfheim 32 A/B 3
Schöppenstedt 25 F 3
Schorndorf 32 C 2
Schortens 24 C 2
Schott Djerid 73 C 1
Schotten 29 E 2
Schottland 38 E/F 2
Schott Melghir 73 C 1
Schouten-Inseln 108 C 2
Schramberg 32 B 2
Schrobenhausen 31 D 3
Schröcken 51 D/E 2
Schruns 51 D/E 2
Schtschara 55 H 2
Schussen 32 C 3
Schuylkill 121 F 3
Schwaan 34 B/C 2
Schwabach 31 D 2
Schwäbische Alb 32 B/C 2
Schwäbisch Gmünd 32 C/D 2
Schwäbisch Hall 32 C 1
Schwabmünchen 33 D 2
Schwalm 29 E 1/2
Schwalmstadt 29 E 2
Schwammstedt 25 E 3
Schwarzach 31 E 2
Schwarzau 53 F 2
Schwarzbach 28 C 3
Schwarze Elster 37 D/E 2
Schwarzenbach 31 D/E 1
Schwarzenberg 36/37 D 3
Schwarzer Drin 63 E 4
Schwarzer Fluß (Vietnam) 102 B 1
Schwarzer Irtysch 93 F 3
Schwarzer Volta 72 B 3/4
Schwarzes Meer 91 B 4
Schwarzkoppe 31 E 2
Schwarzwald 32 B 2/3
Schwaz 51 F 2
Schwechat (O. u. Fl.) 53 G 1
Schweden 17, III E 2/3 u.
40/41 B 4–E 2

Schwedt 35 E 2
Schweinfurt 30 C 1
Schweiz 17, III D 4 u.
  50/51 B/D 3
Schwelm 26 C 2
Schwentschionys 55 H/I 1
Schwerin (Mecklenburg)
  34 B 2
– (Skwierzyna) 35 F 3
Schwerte 26 C 2
Schwetzingen 32 B 1
Schwiebus (Swiebodzin)
  35 F 3
Schwielochsee 37 E 1
Schwyz 50 C 2
Scilly-Inseln 39 C/D 6
Scone (Schl.) 38 E 2
Scoresbysund 116 J 2
Scotia 120 D 1
Scott-Insel 135 K 3
Scranton 121 F 3
Sebeş 64 E 3
Sebha 74 B 2
Sebnitz 37 F 3
Sechura-Wüste 126 A/B 3
Sedan 45 C/D 5
Sedico 51 F/G 3
Sedom 84 B 3
Seehausen 34 B 3
Seeheim 78 A 3
Seeland (Sjælland) 42 E 3
Seelbach 32 A 2
Seelow 35 E 3
Seeon (Kl.) 33 F 3
Seesen 25 F 4
Seetaler Alpen 53 E 2
See Tiberias (Genezareth)
  84 B 2
Seewinkel 53 G 2
Sefid Kuh 88 A 1
Segedin 73 D 2
Segesta 60 D 4
Segorbe 57 E 3
Segovia 56 C 2
Segre (Fl. zum Ebro)
  57 F 1/2
Segré (O., Frankreich)
  46 C 3
Segura 57 D 3
Seinäjoki 41 E 3
Seine 46 D 2
Seja (O. u. Fl.) 95 D 4
Sejerø 42 E 3
Sejmtschan 94 G 3
Sekondi 72 B 4
Selb 31 E 1
Sele 59 F 4
Selemdscha 95 E 4
Selenga 96 C/D 2
Selenter See 22 D 1
Sélestat 47 G 2
Seletytenis-See 91 F 3
Selfoss 40, I B 2
Selima 75 C/D 2
Selinunt 60 D 4
Selkirk 38 E 3
Selkirkberge 115 H 4/5
Sella 51 F 3
Selters 28 D 2
Seltz 32 B 2
Selukwe 78 C 2
Selwyn 109 C 4
Selz 28 D 3
Selzthal 53 E 2
Seman 62/63 D 4
Semara 72 A 2
Semarang 102 C 4
Semeru 102 C 4
Semipalatinsk 93 E/F 4
Semmering 53 F/G 2
Semnan 86 D 2
Semois 45 D 5
Sena 79 C 2
Sendai 101 E 2
Senden 32 D 2
Sendjan 86 C 2
Senegal (Fl.) 72 A 3
– (St.) 71 u. 72 A 3
Senftenberg 37 F 2

Sengaku = Tiao-yü-tai
Sengsengebirge 53 E 2
Senhor do Bomfin
  129 D/E 3
Senigallia 59 E 3
Senja 40 D 1
Senlis 47 E 2
Sennar 75 D 3
Sennestadt 27 D 2
Sens 47 E 2
Senta 63 E 2
Seo de Urgel 57 F 1
Seongjin (Kimdiaek)
  100 B 1
Seoul 100 A 2
Sepik 108 C 2
Sept-Iles 117 E 4
Septimer 51 D 3
Serachs 91 E 5
Seram 108 A 2
Seram-Laut-Inseln 108 B 2
Seram-See 108 A/B 2
Serang 102 B 4
Serawschan 91 E 5
Serbien 63 E 2/3
Seregno 50/51 D 4
Serengeti-Nationalpark
  77 D 2
Sereth = Siret
Serginy 90 E 2
Sergipe 129 E 3
Seria 102 C 3
Serifos 67 D 5
Serio 51 D 4
Sermata 103 D 4
Sermata-Inseln 108 A 2
Serowe 78 B 3
Serpa 56 B 4
Serra 66 C 3
Serra Acarai 128 C 1
Serra da Chela 76 B 3
Serra da Ibiapaba 129 D 2
Serra da Mantiqueira
  129 D 4
Serra da Tabatinga 129 D 3
Serra de Estrela 56 A/B 2
Serra de Monchique
  56 A 4
Serra de Tumucumaque
  128 C 1
Serra do Cachimbo
  128 C 2
Serra do Mar 129 D 4
Serra do Maracuja 128 C 3
Serra do Navio (O.)
  129 C 1
Serra do Norte 128 C 2/3
Serra do Piauí 129 D 2
Serra do Roncador
  129 C 3
Serra dos Carajás 129 C 2
Serra dos Gradaús
  129 C/D 2
Serra dos Parecis 128 B 3
Serra d'Ossa 56 B 3
Serra Dourada 129 D 3
Serra Formosa 128 C 3
Serra Gera 129 C/D 4
Serro do Espinhaço
  129 D 3
Serui 108 B 2
Sesia 50 C 4
Sesto Calende 50 C 4
Sète 49 E 4
Sete Lagoas 129 D 3
Sete-Quedas-Fälle 128 C 3
Setté Cama 76 A 2
Setúbal 56 A 3
Severn (England) 39 E 5
– (Kanada) 117 C 4
Sevilla 56 B/C 4
Sevnica 53 F 3
Seward 114 E 4
Seward-Halbinsel 114 C 3
Sewastopol 91 B 4
Sewernaja Semlja 92 G/H 1
Sewerodwinsk 90 B/C 2
Sewero-Jenissejskij 93 G 3
Seweromorsk 40 H 1

Seychellen 71 u. 79 E 1
Seydisfjördur 40, I D 1
Seyhan 85 C 2
Shaba (Katanga)
  76/77 C 2/3
Shackleton-Schelfeis
  135 E/F 3
Shahjahanpur 88 B/C 2
Shamokin 121 E 3
Shamva 78 C 2
Shan 89 D 2
Shannon 39 A/B 4
Shan-tou 97 E 4
Shao-guan 97 E 4
Shao-xing 99 D 4
Shao-yang 97 D/E 4
Sharbot Lake (O.) 121 E 1
Sharm el-Sheich 85 B/C 4
Sharon 84 A 2
Sha-shi 98 B 3
Shawinigan 117 D 5
Shdanow 91 B 4
Shefala 84 A 3
Sheffield 39 F 4
Sheikh Othman 86 C 7
Shelesnogorsk 93 H 4
Shelikotstraße 114 D 4
Shenandoah (Fl.) 120 D 4
– (O.) 121 E/F 3
Shenandoah Mountains
  120 D 4
Shendi 75 D 3
Shëngjin 62/63 D/E 4
Sheng-xian 99 D 4
Shen-yang 99 D 1
Shepparton 109 C 5
Sherbro 72 A 4
Sherbrooke 121 G 1
S'-Hertogenbosch 44 D 3
Shibam 86 C 6
Shibata 101 D 2
Shigansk 92 K 3
Shikarpur 88 A 2
Shikoku 100 C 3
Shillong 89 D 2
Shimizu 101 D 3
Shimonoseki 100 B 3
Shinjo 101 E 2
Shiogama 101 E 2
Shi-ping 96 D 4
Shipkipaß 88 B 1
Shippingport 120 C 3
Shiranesan 101 D 2
Shire 79 C 2
Shitomir 55 K 3
Shivta 84 A 4
Shkoder 62/63 D/E 3
Shkumbin 62 D 4
Shlobin 55 K 2
Shmerinka 55 I 4
Shoa 75 D 4
Sholapur 88 B 3
Shreveport 119 D 3
Shrewsbury 39 E 4
Shuang-liao 97 F 2
Shu-he 99 C 3
Shumagin-Inseln 114 D 4
Sialkot 88 B 1
Siam = Thailand
Siax 73 D 1
Şibari 61 F 3
Šibenik 62 B/C 3
Siberut 102 A 4
Sibi 88 A 2
Sibirien 92 D–I 2
Sibiu (Hermannstadt)
  64/65 E/F 3
Sibolga 102 A 3
Sibu 102 C 3
Sibut 74 B 4
Sicapo 103 D 2
Sichem = Nablus
Sichote-Alin 95 E 5
Siders (Sierre) 50 B 3
Sidi bel-Abbès 72 B/C 1
Sidon (Saïda) 84 B 1
Siebenbürgen
  (Transsilvanien)
  64/65 E/F 2/3

Siebengebirge 26 C 3
Siebenstromland 93 E 5
Siedlce 55 G 2
Sieg 26 C 3
Siegburg 26 C 3
Siegen 26 D 3
Siena 58 D 3
Siero 56 C 1
Sierra de Albarracin 57 E 2
Sierra de Alcaraz 57 D 3
Sierra de Cuenca 57 D/E 2
Sierra de Fatima 130 C 2/3
Sierra de Gata 56 B 2
Sierra de Gredos 56 C 2
Sierra de Guadarrama
  56 C/D 2
Sierra de Guadalupe 56 C 3
Sierra de la Demanda
  56/57 D 1
Sierra del Moncayo
  57 D/E 2
Sierra de San Pedro 56 B 3
Sierra Leone 71 u. 72 A 4
Sierra Morena 56 B–D 3/4
Sierra Nevada 56 D 4
Sierra Nevada del Cocuy
  126 B 2
Sierra Nevada de Santa
  Marta 126 B 1
Sierra Pacaraima 128 B 1
Sierra Parima 126 C 2
Sierras Beticas
  56/57 C/D 4
Sierre = Siders
Sighetul Marmaţiei 64 E 2
Sighisoara (Schäßburg)
  65 F 2
Sigmaringen 33 C 2
Siglufjördur 40, I C 1
Sigüenza 57 D 2
Siguiri 72 B 3
Siirt 85 D 2
Sikasso 72 B 3
Sikkim 89 C 2
Sil 56 B 1
Silagebirge 61 F 3
Silandro = Schlanders
Silifke 85 B 2
Siliguri 89 C 2
Silistra 66 E 2
Siljansee 41 C 3
Silkeborg 42 C 2
Sillian 52 C 3
Silvrettagruppe 51 D/E 3
Sima 93 H 4
Simav 67 F 4
Simbach 33 F/G 2
Simcoe 120 C 2
Simeuluë 102 A 3
Simferopol 91 B 4
Simi 67 E 5
Similaun 51 E 3
Simla 88 B 1
Simme 50 B 3
Simmern 28 C 3
Simplon 50 B/C 3
Simpson-Wüste 109 B 4
Sinai (B. u. Halbinsel)
  85 B 4
Sinaloa (Provinz u. O.)
  122 B 2
Sind (L.) 88 A 2
Sindelfingen 32 B 2
Sines 56 A 4
Singapur 102 B 3
Singaradja 102 C 4
Singen 32 B/C 3
Singkep 102 B 4
Singkil 102 A 3
Sinmi 100 A 2
Sinn 30 B 1
Sinni 59 G 4
Sinni-Inseln 99 D/E 2
Sinoia 78 B/C 2
Sinop 85 C 1
Sinsheim 32 B/C 1
Sintang 102 C 3
Sint-Eustatius 125 E 3
Sint-Niklaas 45 B/C 3

Sintra 56 A 3
Sinuije 99 D/E 1
Sió 64 C 2
Sion = Sitten
Sioux City 118/119 D 2
Sioux Falls 118 D 3
Si-ping 97 F 2
Si Racha 102 B 2
Siracusa = Syrakus
Sir-Edward-Pellew-
  Gruppe 108 B 3
Siret (Sereth) 65 G 2
Sirmien 62 D/E 2
Siros 67 D 5
Sisak 62 C 2
Sitka 115 F 4
Sittard 45 D/E 3/4
Sitten (Sion) 50 B 3
Sittensen 25 E 2
Sittwe (Akyab) 89 D 2/3
Situbondo 102 C 4
Sivas 85 C 1/2
Siwa 74 C 2
Siwalik-Gebirge 88 B 1/2
Sizilien 60 D/E 4
Sjælland = Seeland
Sjenica 63 D/E 3
Skælskør 43 E 3
Skærbæk 42 B/C 3
Skagafjord 40, I C 1
Skagen 42 D 1
Skagens Horn 42 D 1
Skagerak 41 A/B 4
Skagway 114 F 4
Skajálfandi 40, C 1
Skälderviken 43 F 2
Skanderborg 42 C/D 2
Skanör med Falsterbo
  43 F/G 3
Skellefteå 40 E 2
Skellefteälv 40 D 2
Skibbereen 39 B 5
Skibotn 40 E 1
Skien 41 B 4
Skierniewice 54/55 F 3
Skierzyna = Schwerin
Skikda 73 C 1
Skiros 67 D 4
Skive 42 C 2
Skjern 42 B 3
Sklavenfluß 115 H 3/4
Sklavenküste 72 C 4
Škocjan 53 F 4
Skópelos 67 C 4
Skopje 63 E 4
Skørping 42 C/D 2
Skoworodino 95 D 4
Skutari-See 62 D 3
Skye 38 C 2
Slagelse 43 E 3
Slantschew Brjag
  (Sonnenstrand) 66 E/F 2
Slaný 37 E/F 3
Slatina 65 F 3
Slatni Pjassazi (Goldstrand)
  66 F 2
Slatoust 91 D 3
Slatoustowsk 95 E 4
Slawgorod 93 E 4
Slawonien 62 C/D 2
Slettestrand 42 C 1
Sligo 38 B 3
Sljudjanka 93 H 4
Slonim 55 H 2
Slovenska Bistrica 53 F 3
Slowenien 53 E/F 3
Slubice 35 E 3
Slupsk = Stolp
Slutsch 55 I 2
Sluzk 55 I 2
Småland 41 C 4
Smålandsfarvandet 43 E 3
Smallwood-Stausee
  117 E 4
Smederevo 63 E 2
Smeinogorsk 93 F 4
Smith Falls 121 E/F 1
Smithsund 116 D 2
Smöla 40 A 3

Smolensk 90 B 3
Smorgon 55 I 1
Smuka 53 E 4
Snäfell 40, I D 1
Snæfellsjökull 40, I B 1
Snake 118 B 2
Sneek 44 D 1
Snjatyn 55 H 4
Snöhetta 41 B 3
Snowdon 39 D/E 4
Sobat 75 D 4
Sobral 129 D/E 2
Soča 52 D 3
Sochonda 93 H 5
Socompapaß 130 C 2
Socorro 122 A 3
Sodankylä 40 F 2
Soddu 75 D 4
Söderhamn 41 D 3
Södermanland 41 D 4
Sodus Point 120 E 2
Soest 26 D 2
Soeste 24 C 3
Sofia (Sofija) 66 C 2
Sognefjord 41 A 3
Sohag 85 B 4
Sohland 37 F 2
Soholmer Au 22 C 1
Soignies 45 B/C 4
Soisson 47 E 2
Sokal 55 H 3
Söke 67 E 5
Sokolov = Falkenau
Sokoto 73 C 3
Sokotra 86 D 7
Solbad Hall 51 F 2
Sölden 51 E 3
Soldin (Myślibórz) 35 E 3
Solesmes 46 C 3
Solferino 51 E 4
Solgne 28 B 4
Solikamsk 90 D 3
Sol-Ilezk 91 D 3
Sollefteå 41 D 3
Sóller 57 G 3
Solling 25 E 4
Solotschew 55 H 4
Solothurn 50 B 2
Sologne 46 D/E 3
Šolta 62 C 3
Soltau 25 E 3
Solway Firth 38 D/E 3
Solwezi 76 C 3
Soma 67 E 4
Somalia 71 u. 75 E 4
Sombor 62 D 2
Somerset 39 E 5
Somerset-Insel 116 B 2
Somes 64 E 2
Someșul Mare 64/65 E/F 2
Someșul Mic 64 E 2
Somme 46 D 1
Sömmerda 36 C 2
Sommerfeld (Lubsko)
  37 F/G 2
Somport 57 E 1
Son 88 C 2
Sondalo 51 E 3
Sønderborg 42 C 4
Sondershausen 36 B 2
Søndervig 42 A/B 2
Söndre Strömfjord 116 F 3
Sondrio 51 D 3
Song Ca 102 B 2
Songea 77 D 3
Songkhla 102 B 3
Sonnblick 52 C/D 2
Sonneberg 36 B/C 3
Sonora (Provinz u. Fl.)
  122 A/B 1/2
Sonthofen 32 D 3
Sontra 29 E/F 1
Sopron = Ödenburg
Soputan 103 D 3
Sorau (Zary) 37 G 2
Soresina 51 D 4
Soria 57 D 2
Sorø 43 E 3
Soroki 55 I/K 4

Sorong 108 B 2
Söröy 40 E 1
Sorpesee 26 C 2
Sorsele 40 D 2
Söse 25 F 4
Šoštanj 53 F 3
Sostrup (Schl.) 42 D 2
Sotla 53 F 3
Sotschi 91 B 4
Soudan 108 B 4
Soultz-sour-Forêts
  32 A/B 2
Sour el-Ghozlane 57 G 4
Sousse 60 C 5
Southampton 39 E/F 5
Southampton-Insel 116 C 3
South Downs 39 F 5
Southend on Sea 39 G 5
Southport 39 E 4
South Platte 118 C 2
South Shields 38 F 3
South Uist 38 B/C 2
Soutpanberge 78 B/C 3
Sowjetsk = Tilsit
Sowjetskaja-Gawan
  95 E/F 5
Soyo 76 B 2
Spa 45 D 4
Spadenberg 53 E 2
Spaichingen 32 B 2
Spalt 30 C 2
Spanien 17, III C 5 u.
  56/57 B–E 1–4
Spanish Town 123 E 3
Sparta (Sparti) 67 C 5
Speculator 121 F 2
Speikkogel 53 F 2
Spence Bay 116 B 3
Spencer-Golf 109 B 5
Spessart 30 B 1/2
Spey 38 E 2
Speyer 28 D 3
Speyerbach 28 D 3
Spielfeld 53 F 3
Spiez 50 B 3
Spiekeroog 24 C 2
Spirdingsee 55 F/G 2
Spittal 52 D 3
Spitz 53 F 1
Spitzbergen 92 A 2
Split 62 C 3
Splügen (O. u. Paß) 51 D 3
Spokane 118 B 2
Spoleto 59 E 3
Spøttrup (Schl.) 42 B 2
Spree 37 F 1
Spreewald 37 E/F 2
Spremberg 37 F 2
Springbok 78 A 3
Springe 25 E 3
Springfield (Illinois) 119 E 3
 – (Massachusetts) 121 G 2
 – (Missouri) 119 D 3
 – (Ohio) 120 B 4
Sprottau (Szprotawa)
  37 G 2
Spurn Head 39 G 4
Srednagora 66 D 2
Srednekolymsk 94 F/G 3
Sretensk 95 C 4
Sri Lanka (Ceylon)
  83 u. 88 C 4
Srinagar 88 B 1
Staab (Stod) 31 F 2
Staatensee 131 C 5
Stachelberg 30 C 1
Stade 25 E 2
Stadland 41 A 4
Stadskanaal (O.)
  44 E/F 2/3
Stadtallendorf 29 D/E 2
Stadthagen 25 E 3
Stadtilm 36 C 3
Stadtlohn 26 B/C 2
Stadtoldendorf 25 E 4
Stadtroda 36 C 3
Staffelberg 31 D 1
Staffelsee 33 E 3
Staffelstein 30 C 1

Stainz 53 F 3
Stalowa Wola 55 G 3
Stanke Dimitrov 66 C 2
Stańkov 31 F 2
Stanley 131 D 5
Stanleyfälle 76/77 C 2
Stanleyville = Kisangani
Stanowoigebirge 95 D 4
Stans 50 C 3
Stara Zagora 66 D/E 2
Starbuck-Insel 107 F 3
Stargard 35 F 2
Starnberg 33 E 2
Starnberger See 33 E 3
Starokonstantinow 55 I/K 4
Start Point 39 E 5
Starzel 32 B 2
Staßfurt 36 C 2
Staunton 120 D 4
Stausee von Gruyère
  50 B 3
Stavanger 41 A 4
Stavenhagen 34 C 2
Stawropol 91 C 4
Steelton 121 D 3
Steenkool 108 B 2
Steenstrupsgletscher
  116 F 2
Steenwijk 44 D/E 2
Steep Point 104 A 4
Stefaniesee 75 D 4
Stefansson-Insel 114 H/I 2
Stege 43 F 4
Stegersbach 53 G 2
Steiermark 53 E/F 2
Steigerwald 30 C 2
Stein 30 C 2
Steinach 36 B/C 3
Steinamanger
  (Szombathely) 53 G 2
Stein am Rhein 50 C 2
Steinau 29 E 2
Steiner Alpen 53 E 3
Steinernes Meer (G.)
  52 C/D 2
Steinfurt 26 C 1
Steinhagen 26 D 1
Steinheim 27 E 2
Steinhuder Meer 25 E 3
Steinige Tunguska 93 G 3
Steinkjer 40 B/C 2
Steinwald 31 E 2
Stendal 34 B 3
Stepnica = Stepenitz
Stepenitz (Stepnica)
  35 E 2
Sterlitamak 91 D 3
Sternberg 34 B 2
Sterzing (Vipiteno) 51 F 3
Stettin (Szczecin) 35 E 2
Steubenville 120 C 3
Stevns Klint 43 F 3
Stevns-Store Heddinge
  43 F 3
Stewart-Insel 109, I A 2
Steyr (O. u. Fl.) 53 E 1/2
Stilfser Joch 51 E 3
Štip 63 F 4
Stirling 38 D 3
Stochod 55 H 3
Stockach 32 C 3
Stockholm 41 D 4
Stockport 39 E 4
Stockton (USA) 118 A/B 3
Stockton on Tees 38 F 3
Stod = Staab
Stoke on Trent 39 E/F 4
Stolberg 26 B 3
Stolbzy 55 I 2
Stollberg 37 D 3
Stolp (Słupsk) 54 D 1
Stolzenau 24/25 D 3
Stonehaven 38 E/F 2
Stonehenge 39 E/F 5
Stör 22 C 2
Storå 42 B 2
Stora Lulevatten 40 D 2
Storavan 40 D 2

Store Bælt = Großer Belt
Stören 41 B 3
Storkow 35 D/E 3
Storlien 40 C 2
Stormarn 22 C/D 2
Stornoway 38 C/D 1
Storsee 41 C 3
Storuman 40 D 2
Stralsund 34 C/D 1
Stranraer 38 D 3
Strasburg 34 D 1
Straßburg (Strasbourg)
  32 A 2
Straße von Bonifacio 49 H 5
Straße von Dover 39 G 5
Straße von Gibraltar
  56 C 4/5
Straße von Hormus 87 D 4
Straße von Messina
  61 E 3/4
Straße von Moçambique
  79 C/D 2/3
Straße von Otranto
  59 H 4/5
Straße von Sizilien
  60 C/D 4
Stratford 120 C 2
Straubing 31 E 3
Strausberg 35 D 3
Stfela 31 F 1
Strelka-Tschunja 93 H 3
Stresow 34 D 1
Stříbro = Mies
Strofades 67 B 5
Stromboli 61 E 3
Stromness 38 D/E 1
Strömsund 40 C/D 2
Strudengau 53 E/F 1
Struer 42 B 2
Struma 66 C 3
Strumica 63 F 4
Stryj 55 G/H 4
Strymonischer Golf
  66 C/D 3
Strzelce Krajeńskie =
  Friedeberg
Stubai 51 F 2
Stubaier Alpen 51 F 2
Stung Treng 102 B 2
Stura 50 B 4
Stuttgart 32 B/C 2
Stykkishólmur 40, I B 1
Styr 55 H 3
Suar 74 B 2
Suakin 75 D 3
Subotica 62/63 D 1/2
Suceava 65 G 2

Suchdol 53 E 1
Suche-Bator 97 D 1/2
Suchona 90 C 2
Suchumi 91 B/C 4
Südafrika (St.)
  71 u. 78 B/C 3
Sudan (L.) 72/73 B–E 3
  – (St.) 75 C/D 3/4
Südaustralien 109 B 4
Sudbury 117 C/D 5
Süd-Carolina 119 E/F 3
Südchinesisches Meer
  102 C 2/3
Sudd 75 C/D 4
Süd-Dakota 118 C/D 2
Sude 34 B 2
Süderau 22 C 1
Süderbrarup 22 C 1
Süderlügum 22 B/C 1
Sudeten 54 C/D 3
Südgeorgien 134 R 4
Sudirmangebirge 108 B 2
Südkarpaten 64/65 E/F 3
Südkorea 83 u. 97 F 3,
  100 B 2
Südkvark 41 D 3/4
Südliche Morava 63 E 3
Südlicher Bug 55 I 4
Südlicher Indianersee
  115 K 4
Südliche Sierra Madre
  122 B/C 3
Südliche Sporaden
  67 D/E 5
Südorkney-Inseln
  134 Q/R 3
Südpol 135
Süd-Saskatchewan
  115 H/I 4
Südsandwich-Inseln
  134 R 4
Südsee 105 D–F 3
Südshetland-Inseln
  134 Q 3
Südtirol 51 E/F 3
Südwestafrika = Namibia
Suez (O.) 85 B 3/4
Suez-Kanal 85 B 3
Suffolk 39 G 4
Suhar 87 D 5
Suhl 36 B 3
Sui-hua 97 F 2
Suir 39 C 4
Sui-xian 98 C 3
Sukkur 88 A/B 2
Sulaijil 86 C 5
Sulaimangebirge 88 A 1

Sulaimaniyah 86 C 5
Sula-Inseln 103 D 4
Sulawesi = Celébes
Sulechów = Züllichau
Sulęcin = Zielenzig
Sulina (O. u. Fl.) 65 H 3
Sulingen 24 D 3
Sulitjelma 40 D 2
Sullana 126 B 3
Sulm 53 F 3
Sulu-Inseln 103 C/D 3/4
Sulusee 103 C/D 3
Sulz 32 B 2
Sulzbach-Rosenberg
  31 D 2
Sumatra 102 A/B 3/4
Sumba 103 C 4/5
Sumbawa 102/103 C 4
Sumen 66 E 2
Sumy 90 B 3
Suncheon 100 A 3
Sundastraße 102 B 4
Sunderbunds 89 C/D 2
Sunderland 38 F 3
Sundorn 26 C 2
Sundgau 50 B 2
Sundsvall 41 D 3
Sungari 100 B 1
Sunnfjord 41 A 3
Suntar 93 I 3
Süntel 25 E 3
Suo-che = Yarkand
Suomenselkä 40/41 E–G 3
Superior 119 D 2
Sur 87 D 5
Surabaya 102 C 4
Surakarta 102 B/C 4
Surat 88 B 2
Surgut 90 F 2
Surigao 103 D 3
Surinam 113 u. 127 D 2
Sursee (O.) 50 B/C 2
Surt 74 B 1
Surtsey 40, I B 2
Susa 50 B 4
Sušice 31 F 2
Susitna 114 E 3
Susquehanna 121 E 3/4
Sussex 39 F/G 5
Sussuman 94 F 3
Susten (Paß) 50 C 3
Susurlu 67 F 4
Sutlej 88 B 2
Sutschan 100 C 1
Suva 105 D 3
Suvo Rudiste 63 E 3
Suwa 101 D 2

Suwalki 55 G 1
Suweima 84 B 3
Suweon 100 A 2
Su-zhou 99 D 3
Svartisen 40 C 2
Svealand 41 C/D 3
Svedala 43 G 3
Sveg 41 C 3
Svendborg 42 D 3
Svenljunga 43 F/G 1
Sverdrup-Inseln 116 B 2
Svištov 66 D 2
Swakop 78 A 3
Swakopmund 78 A 3
Swan 123 D 3
Swansea 39 D 5
Swartberge 78 B 4
Swasiland 71 u. 78 C 3
Swerdlowsk 90/91 D/E 3
Swiebodzin = Schwiebus
Swidwin = Schivelbein
Swindon 39 F 5
Swinemünde (Swinoujście)
  35 E 1/2
Swobodnyj 95 D 4
Sydney (Australien)
  109 D 5
– (Kanada) 117 E/F 5
Sydthy 42 B 2
Syene = Assuan
Syke 24 D 3
Syktywkar 90 D 2
Sylarna 41 C 3
Sylt 22 B 1
Sylvensteinsee 33 E 3
Syracuse 121 E/F 2
Syrakus (Siracusa) 61 E 4
Syrdarja 91 E 4
Syrien 83 u. 85 C 2
Syrische Wüste 85 C/D 3
Syrjanka 94 F/G 3
Syrjanowsk 93 F 5
Syrtika 74 B 1
Sysran 91 C 3
Szamos 64 D/E 1/2
Szczecin = Stettin
Szczecinek = Neustettin
Szeged 64 C/D 2
Székesfehérvár 64 C 2
Szekszard 64 C 2
Szentes 64 D 2
Szentgotthárd 53 G 3
Szolnok 64 C/D 2
Szombathely =
  Steinamanger
Szprotawa = Sprottau

T

Tabar-Inseln 108 C 2
Tabarka 60 B 4
Tabasco 122 C 3
Taberg 41 C 4
Tabga-Stausee = Assad-
  Stausee
Tablas 103 D 2
Tabor (B., Israel) 84 B 2
– (O.,UdSSR) 94 G 2
Tabora 77 D 2
Tabuk 85 C 3
Täbris 86 C 2
Tachau (Tachov) 31 E 2
Tachaus 91 D 4
Ta-cheng = Chuguchak
Tachiatasch 91 D 4
Ta-ching 97 F 2
Tacloban 103 D 2
Tacna 126 B 4
Tadjemout 72 C 2
Tadjoura 75 E 3
Tadmor 85 C 3
Tadshikistan 91 E/F 5
Ta-er-ting 96 C 3
Tafelberg 78 A 4
Tafilah 84 B 4

Tafilalet 72 B 1
Tagant 72 A 3
Tagliamento 52 C 3/4
Tagula 108 D 3
Tahan 102 B 3
Tahat 73 C 2
Tahiti 105 F 3
Tahoua 73 C 3
Tai-dong 97 F 4
Taïf 86 C 5
Tai-hu 99 C/D 3
Tailfingen 32 B 2
Taimyr-Halbinsel 92 F–H 2
Taimyrsee 92 G 2
Tai-nan 97 E/F 4
Taipeh (Tai-bei) 97 F 4
Taiping 102 A/B 3
Tairmont 120 C/D 4
Taischet 93 G/H 4
Taitao, Halbinsel – 131 B 4
Taivalkoski 40 F/G 2
Taiwan (Formosa)
  83 u. 97 F 4
Taiz 86 C 7
Tai-zhong 97 F 4
Tai-zhou 99 C/D 3

Tajandu-Inseln 108 B 2
Tajo 56 C 3
Tajumulco 122 C 3
Tak 102 A 2
Takajama 101 D 2
Takaoka 101 D 2
Takase 75 D 3
Takla Makan, Wüste –
  96 B 3
Takoradi 72 B 4
Talakmau 102 A/B 3
Talas 91 F 4
Talas-Alatau 91 F 4
Talasea 108 C 2
Talaud-Inseln 103 D 3
Talavera de la Reina
  56 C 2/3
Talca 131 B 3
Talcahuano 131 B 3
Tal des Todes 118 B 3
Taldy-Kurgan 93 E 5
Tallahassee 119 E 3
Tamale 72 B 4
Tamaulipas 122 C 2
Tambacounda 72 A 3
Tambelan-Inseln 102 B 3

Tambora 103 C 4
Tambow 90/91 C 3
Tambura 74 C 4
Tambusisi 103 D 4
Tamgak 73 C 3
Tamil Nadu 88 B 3/4
Tampa 119 E 4
Tampere 41 E 3
Tampico 122 C 2
Tamsweg 53 D 2
Tamworth 109 C/D 5
Tamzag-Bulak 97 E 2
Tana (Fl., Kenia) 77 D 2
– (O. u. Fl., Norwegen)
  40 F/G 1
Tanabe 100 C 3
Tanafjord 40 G 1
Tanagro 59 F 4
Tanahgrogot 102 C 4
Tanami 108 A/B 3
Tanana 114 E 3
Tananarivo = Antananarivo
Tanaro 58 B/C 2
Tana-See 75 D 3
Tancarville 46 D 2
Tandil 131 D 3

Tan

Tanezrouft 72 B/C 2
Tanga (O. u. Fl.) 77 D/E 2
Tanganyika-See 77 C/D 2
Tanger 56 B/C 5
Tangerhütte 34 B 3
Tangermünde 34 B 3
Tang-ku-la-Paß 96 C 3
Tang-ku-la-shan 96 B/C 3
Tang-shan 99 C 2
Tang-wang-he 97 F 2
Tanh Hoa 102 B 2
Tanimbar-Inseln
  (Timorlaut-Inseln)
  108 B 2
Tanjungpandan 102 B 4
Tanjungredeb 103 C 3
Tanjungselor 103 C 3
Tannugebirge 93 G 4
Tanout 73 C 3
Tansania 71 u. 77 D 2
Tanta 85 B 3
Tao-an 97 F 2
Tao-he 96 D 3
Taormina 61 E 4
Taoudenni 72 B 2
Tapajos 128 C 2
Tapachula 122 C 3
Tapti 88 B 2
Tapurucuara 128 B 2
Tara (Fl., Jugoslawien)
  62 D 3
– (O., UdSSR) 91 F 3
Tarabulus = Tripolis
Tarairegion 88/89 C 2
Tarakan 103 C 3
Tarascon 48 D 4
Tarasp 51 E 3
Tarazona 57 D/E 2
Tarbagatai 93 F 5
Tarbes 48 D 4
Taree 109 D 5
Tarent (Taranto) 59 G 4
Tarentaise 50 A 4
Tarfaya 72 A 2
Tarifa 56 C 4
Tarija 128 B 4
Tarim (O., VR Jemen)
  86 C 6
Tarimbecken 96 B 3
Tarim Darya 96 B 2
Taritatu 108 B/C 2
Tarlac 103 C/D 2
Tarm 42 B 3
Tarn 48 D 4
Tarnovo 66 D/E 2
Tarnów 55 F 3/4
Taro 58 C 2
Tarragona 57 F 2
Tarrasa 57 G 2
Tartus 85 B/C 3
Tartvan 85 D 2
Tarvis (Tarvisio) 52 D 3
Tas 92 F 3
Taschkent 91 E 4!
Taschtagol 93 F 4
Tassili des Ahaggar 73 C 2
Tasman-Bai 109, I B 2
Tasmanien 109 C 6
Tasman-See 104 C/D 4
Tasowskoje 92 E/F 3
Tassili der Ajjer 73 C 2
Tas Tumus 94 D 3
Tatabánya 64 C 2
Tatarensund 95 F 4/5
Tatarsk 93 E 4
Tathlith 86 C 6
Tauber 32 C 1
Tauberbischofsheim
  32 C 1
Taufstein 29 E 2
Taunggyi 89 D 2
Taunus 28 C/D 2
Taupo-See 109, I B 1
Tauroggen 55 G 1
Tavira 56 B 4
Tavoy 89 C 3
Tawan 103 C 3
Tawas City 120 B 1
Tawda (O. u. Fl.) 90 E 3

Taxila 88 B 1
Taxis (Schl.) 32/33 D 2
Tay 38 E 2
Taygetos 67 C 5
Taylor 114 C 3
Tayma 85 C 3
Tazerbo 74 C 2
Tbilissi 91 C 4
Tczew = Dirschau
Tebessa 60 B 5
Techis 96 B 2
Tecklenburg 26 C 1
Tedshen 91 E 5
Tees 38 F 3
Tefé 128 B 2
Tegernsee (O.) 33 E 3
Tegucigalpa 123 D 3
Teheran 86 C/D 2
Tehuantepec 122 C 3
Tejo 56 A 3
Tekax 123 D 2
Tekirdağ 66 E 3
Telanaipura (Jambi) 102 B 4
Tel Arad 84 A/B 3
Tel Aviv-Jaffa 84 A 2
Telemark 41 A/B 4
Teles Pires 128 C 3
Telfs 51 F 2
Telgte 26 C 1/2
Telichie 109 B/C 5
Telok Ansan 102 B 3
Teltow 34 D 3
Telukbetung = Bandar
  Tanjungkarang
Tema 72 C 4
Temax 123 D 2
Temirtau 91 F 3
Tempetal 67 C 4
Templin 34 D 2
Temuco 131 B 3
Tenasserim (O. u. L.)
  89 C 3
Tenderfield 109 D 4
Ténéré 73 D 3
Teneriffa 72 A 2
Tenès 57 F 3
Teng-chong 96 D 4
Tengis-See 91 E 3
Tenke 76/77 C 3
Tennant Creek 108 B 3
Tennengebirge 52 D 2
Tennessee (St. u. Fl.) 119 E 3
Tenosique 122 C 3
Teófilo Otoni 129 D 3
Tepic 122 B 2
Teplitz (Teplice) 31 F 1
Terek 91 C 4
Teresina 129 D 2
Termes 91 E 5
Termini Imrese 60 D 3/4
Ternate 103 D 3
Ternej 95 E 5
Terneuzen 45 B/C 3
Terni 58 E 3
Ternitz 53 F 2
Ternopol 55 H/I 4
Terpenijabai 95 F 5
Terracina 59 E 4
Terschelling 44 D 1
Teruel 57 E 2
Tessaoua 73 C 3
Tessenei 75 D 3
Tessin (O., DDR) 34 C 1
Tessin (Ticino) 50 C 3
Tessiner Alpen 50 C 3
Testa del Gargano 59 G 4
Tete 78 C 2
Teterow 34 C 2
Tetouan 72 B 1
Tetovo 63 E 4
Tetschen (Děčin) 37 F 3
Teufelsinsel 127 D 2
Teufelsloch 38 G 2
Teufelsmoor 24/25 D 2
Teufelsschlucht 78 B 2
Teuschnitz 31 D 1
Teutoburger Wald
  26/27 C/D 1/2
Texas 118 C/D 3

Texel 44 C 1
Thabana Ntlenyana 78 B 3
Thailand (Siam)
  83 u. 102 A/B 2
Thale 36 B/C 2
Thames (O., Neuseeland)
  109, I B 1
Thann 50 B 2
Thannhausen 33 D 2
Tharr, Wüste – 88 A/B 2
Tharsis 56 B 4
Thasos 66 D 3
Thaya 53 F 1
Theben (O., Griechenland)
  67 C 4
– (Ruinen, Ägypten) 85 B 4
Thedinghausen 25 E 3
Thelon 114 I 3
Themse 39 F/G 5
Theodore 109 C/D 4
The Pas 115 I/K 4
Thermaischer Golf
  66/67 C 3/4
Thermopylen 67 C 4
Theiß (Tisza) 64 D 2/3
Thessalien 67 C 4
Thessaloniki (Saloniki)
  66 C 3
Theusing (Toužim) 31 F 1
Thiès 72 A 3
Thimphu 89 C/D 2
Thingvellir 40, I B 1
Thionville 28 B 3
Thisted 42 B 2
Thistilfjord 40, I D 1
Thjórsá 40, I C 1
Thonburi 102 A/B 2
Thonon-les-Bains 50 A 3
Thorn (Toruń) 54 E 2
Thórshöfn 40, I D 1
Thrakien 66 D/E 3
Thunder Bay (O.) 117 C 5
Thüringen 36 B/C 3
Thüringer Wald 36 B/C 3
Thun 50 B 3
Thuner See 50 B 3
Thur 50 C 2
Thurnau 31 D 1
Thurso 38 E 1
Thurston-Insel 134 O 2/3
Thy 42 B 2
Thyborøn-Harbøør 42 A/B 2
Tian-shan 96 A–C 2
Tian-shui 97 D 3
Tiao-yü-tai (Sengaku)
  97 F 4
Tibarón 122 A 2
Tibati 74 B 4
Tiber 58 E 4
Tiberias (O.) 84 B 2
Tibesti (G. u. – Serir)
  74 B 2
Tibet (Xi-zang) 96 B/C 3
Ticino = Tessin
Tidjikja 72 A 3
Tienen 45 C/D 4
Tientsin (Tian-jin) 98 C 2
Tierra de Campos 56 C 1/2
Tierra del Fuego =
  Feuerland
Tiétar 56 C 2
Tigre (Fl.) 126 B 3
– (L., Äthiopien) 75 D 3
Tigris 86 C 2/3
Tihamah 86 B/C 5–7
Tihuje 42 B 2
Tijuana 122 A 1
Tikal 123 C/D 3
Tiksi 92 K 2
Tiel 44 D 3
Tilburg 45 D 3
Tilitschija 94 H 3
Tilos 67 E 5
Tilsit (Sovjetsk) 55 F/G 1
Timanrücken 90 C/D 2
Timaru 109, I B 2
Timbuktu (Tombouctou)
  72 B 3
Timfristos 67 B/C 4

Timia 73 C 3
Timimoun 72 C 2
Timiş 64 D 3
Timisoara 64 D 3
Timmelsjoch 51 E/F 3
Timmendorfer Strand
  23 D/E 1/2
Timmins 117 C 5
Timok 63 F 3
Timor 103 D 4
Timorlaut-Inseln =
  Tanimbar-Inseln
Timorsee 103 D 4
Tindouf 72 B 2
Tineo 56 B 1
Tinglev 42 C 4
Tinos 67 D 5
Tintummasteppe 73 D 3
Tiono 51 E 3
Tipperary 39 B 4
Tirana 63 D/E 4
Tirano 51 E 3
Tiree 38 C 2
Tirgoviște 65 F/G 3
Tîrgu-Jiu 64 E 3
Tîrgu Mureş 65 F 2
Tîrgu Ocna 65 G 2
Tirol 51 E/F 2
Tirschenreuth 31 E 2
Tirso 58 C 4
Tirstrup 42 D 2
Tiruchirapalli 88 B/C 3
Tiryns 67 C 5
Tista 89 C 2
Tisza = Theiß
Titicaca-See 126 C 4
Titisee-Neustadt 32 B 3
Titlis 50 C 3
Titograd 62 D 3
Titovo Užice 63 E 3
Titov Veles 63 E 4
Tittling 31 F 3
Tittmoning 33 F 2
Titusville 120 D 3
Tivoli 59 E 4
Tjumen 91 E 3
Tjung 92 I 3
Tjjaxxala 122 C 3
Tamdybulak 91 E 4
Toamasina 79 D/E 2
Tobago 125 E/F 3
Toba-See 102 A 3
Tobelo 103 D 3
Tobi 101 D 2
Toblach (Dobbiaco) 52 C 3
Tobol 91 E 3
Tobolsk 90/91 E 3
Tobruk 74 C 1
Tocantins 129 D 2/3
Tocopilla 130 B/C 2
Tödi 50 C/D 3
Todos os Santos-Bai
  129 E 3
Toense 51 F/G 3
Togiatti 91 C/D 3
Togo 71 u. 72 C 4
Tok 31 F 2
Tokaj 64 D 1
Tokar 75 D 3
Tokelau-Inseln 105 E 3
Tokyo 101 D 2
Tolbuhin 66 E 2
Toledo (Spanien) 56 C 3
– (USA) 120 B 3
Toliara 79 D 3
Tolitoli 103 C/D 3
Tollense 34 D 2
Tolmezzo 52 D 3
Tolmin 52 D 3
Tolosa 57 D/E 1
Toluca 122 B/C 3
Tomakomai 101 E 1
Tomanrasset 73 C 3
Tomar 56 A 3
Tomaszów Lubelski 55 G 3
Tomaszów Mazowiecki
  54/55 F 3
Tomelilla 43 G/H 3
Tomelloso 56 D 3

Tomini 103 D 3
Tommot 95 D 4
Tomsk 93 F 4
Tonalepaß 51 E 3
Tønder 42 B/C 4
Tone 101 D 2
Tonga (Freundschafts-
    inseln) 105 E 3
Tongareva 105 F 3
Tong-chuan 98 A 2
Tongeren 45 D 4
Tong-hua 100 A 1
Tongking 102 B 1
Tong-liao 97 F 2
Tong-xian 98 C 2
Tonichi 122 B 2
Tönisvorst 26 B 2
Tonle Sap 102 B 2
Tönning 22 B 1
Tönsberg 41 B 4
Toowoomba 109 D 4
Topeka 118/119 D 3
Topolobampo 122 B 2
Topsee 40 G 2
Tordesillas 56 C 2
Torfajökull 40, I C 2
Torgau 37 D 2
Torgelow 35 E 2
Torino = Turin
Tormes 56 B 2
Torneälv 40 E 2
Torneträsk 40 E 1
Torngatberge 117 E 4
Tornio 40 F 2
Toronto 120 D 2
Torquay 39 E 5
Torrecilla 56 C 4
Torrelavega 56 C 1
Torrens-See 109 B 5
Torreón 122 B 2
Torres-Straße 108 C 3
Torres Vedras 56 A 3
Torrevieja 57 E 4
Torrington 121 G 3
Torrowangee 109 C 5
Tortosa 57 F 2
Tortuga 126 C 1
Toruń = Thorn
Torup 43 F/G 2
Toskana 58 D 3
Toskanische Inseln 58 D 3
Totes Gebirge 53 D/E 2
Totes Meer 84 B 3
Tottori 100 C 3
Touggourt 73 C 1
Toul 47 F 2
Toulon 49 F 4
Toulouse 48 D 4
Tourain 46 D 3
Tourcoing 45 A/B 4
Tournai 45 B 4
Tours 46 D 3
Toussidé 74 B 2
Toužim = Theusing
Towada 101 E 1
Towanda 121 E 3
Townsville 108 D 3
Toyama 101 D 2
Tozeur 73 C 1
Traben-Trarbach 28 C 3
Trablous = Tripoli
Trabzon 85 C/D 1
Tradum 96 B 4
Trafoi 51 E 3
Traill-Insel 116 J 2
Traisen (O. u. Fl.) 53 F 1
Traisimenischer See
    58 D/E 3
Trajanstor 66 D 2
Tralee 39 B 4

Tramonti di sopra 52 C 3
– di sotto 52 C 3
Träna 40 B 2
Trani 59 G 4
Transantarktisches Gebirge
    135 H 1/2
Transhimalaya 96 B 3
Transkarpatien 55 G 4
Transkei 78/79 B 4
Transsilvanien =
    Siebenbürgen
Transvaal 78 B/C 3
Trapani 60 D 3
Traryd 43 G 2
Trás os Montes 56 B 2
Traun (Fl. zur Alz) 33 F 3
– (Fl. zur Donau u. O.)
    53 E 1
Tripolis (O., Griechenland)
    67 C 5
– (Tarabulus, O., Libyen)
    74 B 1
Traunreut 33 F 3
Traunsee 53 E 2
Traunstein 33 F 3
Trave 22 D 1/2
Travemünde 23 D 2
Travnik 62 C 2
Trebbia 58 C 2
Trebel 34 C 2
Trebinje 62 D 3
Trebnje 53 F 4
Treene 22 C 1
Tregosse-Inseln 108 D 3
Treis-Karden 28 C 2
Trelleborg 43 G 3
Tremitiinseln 59 F 3
Tremp 57 F 1
Trent 39 F 4
Trento = Trient
Trenton 121 F 3
Trepča 63 E 3
Treptow (Trzebiatów) 35 F 1
Tres Arroyos 131 C/D 3
Tres Lagoas 129 C 4
Tres-Marias-Inseln 122 B 2
Treuchtlingen 30 C 3
Treuhandgebiet
    Pazifische Inseln
    104 B – D 2
Treviglio 51 D 4
Treviso 51 G 4
Trezzo 51 D 4
Triberg 32 B 2
Tribsees 34 C 1
Trieben 53 E 2
Trient (Trento) 51 E/F 3
Trier 28 B 3
Triest (Trieste) 59 E/F 2
Triglav 53 D 3
Trigno 59 F 4
Trikala 67 B/C 4
Trikoraspitze 108 B 2
Trincomalee 88 C 4
Trinidad (O., Brasilien)
    128 B 3
Trinidad u. Tobago
    113 u. 125 E/F 3
Trinitybai 117 F 5
Trinity-Inseln 114 D 4
Trino 50 C 4
Tripoli (Trablous) 85 B/C 3
Tripolitanien 74 B 1
Tripura 89 D 2
Tristan da Cunha 68 B 4
Trischen 22 B 1
Trittau 22 D 2
Trivandrum 88 B 4
Trobriand-Inseln 108 C 2
Troisdorf 26 C 3

Trois-Rivières 117 D 5
Troizk 93 G 4
Troja 67 E 4
Trojan 66 D 2
Trombetas 128 C 2
Tromelin 79 E 2
Tromsö 40 D 1
Tronador 131 B 4
Trondheim 40 B 2
Trondheimsfjord 40 B 2
Tronto 59 E 3
Troodos 85 B 3
Trossingen 32 B 2
Troy 121 G 2
Troyes 47 F 2
Trujillo (Peru) 126 A/B 3
– (Spanien) 56 C 3
Truk-Inseln 104 C 2
Truro 39 D 5
Trysilelv 41 B/C 3
Trzebiatów = Treptow
Tsamkong = Chan-jiang
Tsane 78 B 3
Tsangpo 96 B 4
Tsaratanana 79 D 2
Tschad 71 u. 74 B/C 3
Tschadsee 74 B 3
Tschagda 95 E 4
Tschara 93 I 4
Tschardshou 91 E 5
Tscheboksary 90 C 3
Tschechoslowakei 17, III
    E 4 u. 54/55 B – G 3/4
Tscheleken 91 D 5
Tscheljabinsk 91 E 3
Tschelkar 91 D/E 4
Tschenstochau
    (Częstochowa) 54 E 3
Tscheremchowo 93 H 4
Tscherepowez 90 B 3
Tschernigow 90 B 3
Tschernjachowsk =
    Insterburg
Tschernowzy 55 H 4
Tschernyschewskij 93 I 3
Tschersker Gebirge
    94 E/F 3
Tscherwen 55 K 2
Tschimkent 91 E 4
Tschita 93 H 4
Tschoibalsan 97 E 2
Tschokurdach 94 F 2
Tschona 93 H 3
Tschop 55 G 4
Tschortkow 55 H 4
Tschuktschensee
    114 B/C 3
Tschulman 95 D 4
Tschulym 93 F 4
Tschumikan 95 E 4
Tschuna 93 G 4
Tschu (O. u. Fl.) 91 F 4
Tsetserleg 96 D 2
Tshaidambecken
    (Chai-da-mu-Becken)
    96 C 3
Tshela 76 B 2
Tshikapa 76 B/C 2
Tsingtau (Qing-dao) 99 D 2
Tsitsihar = Qi-qi-ha-er
Tsugarustraße 101 E 1
Tsumeb 78 A 2
Tsuruga 101 D 3
Tsushima 100 B 3
Tsuyama 100 C 3
Tua 56 B 2
Tuamotu-Archipel 12 A 5
Tuapse 91 B 4
Tubai-Inseln 105 F 4
Tubarão 129 D 4

Tübingen 32 B/C 2
Tucson 118 B 3
Tucumán 130 C 2
Tucupita 126 C 2
Tucuruí 129 C/D 2
Tudela 57 E 1
Tuguegarao 103 D 2
Tuimasy 91 D 3
Tukangbesi-Inseln 103 D 4
Tuktoyaktuk 114 F/G 3
Tula 90 B 3
Tulcea 65 H 3
Tulkarm 84 B 2
Tulle 46 D 4
Tulln 53 F/G 1
Tuloma 40 G/H 1
Tulsa 118/119 D 3
Tultschin 55 K 4
Tu-lu-fan = Turfan
Tulun 93 G/H 4
Tumaco 126 B 2
Tumbasee 76 B 2
Tumbes 126 B 3
Tu-men 100 B 1
Tummo 74 B 2
Tunduru 77 D 3
Tundza 66 E 2
Tunesien 71 u. 73 C/D 1
Tungabhadra 88 B 3
Tunis 60 B/C 4
Tunja 126 B 2
Tupper Lake (O.) 121 F 1
Tura 90/91 E 3
Turan 91 D/E 4
Turayf 85 C 3
Turbo 126 B 2
Turda 64 E 2
Turfan (Tu-lu-fan) 96 B/C 2
Turgai (O.) 91 E 4
Turgaisenke 91 E 3
Turia 57 E 3
Turin (Torino) 50 B 4
Turjak 53 E 4
Turkana-See 77 D 1
Türkei 83 u. 85 A – D 2
Turkestan (O.) 91 E 4
Turkmenistan 91 D/E 4/5
Turku (Åbo) 41 E 3
Turks-Inseln 123 E/F 2
Turneffe-Inseln 123 D 3
Turnhout 45 C 3
Turnov 37 G 3
Turnu Măgurele 65 F 4
Turracher Höhe 53 D/E 3
Turtkul 91 E 4
Turuchansk 92 F/G 3
Turumiquire 126 C 1
Tuticorin 88 B 4
Tuttlingen 32 B/C 3
Tutuila 105 E 3
Tutzing 33 E 3
Tuvalu (Ellice-Insel)
    105 D 3
Tuxpan de Rodriguez Cano
    122 C 2
Tuxer Alpen 51 F 2
Tuxtla Gutiérrez 122 C 3
Túy 56 A 1
Tuz gölü (Großer Salzsee)
    85 B 2
Tuzla 62 D 2
Tweed 38 E 3
Twistringen 24 D 3
Tyndinskij 95 D 4
Tynemouth 38 F 3
Tynset 41 B 3
Tyrrhenisches Meer
    58 D – F 4/5
Tyrus (Es-Sur) 84 B 1

U

Uaupés 128 B 2
Uaxatun 123 C/D 3
Übach-Palenberg 26 B 3

Ubangi 76 B/C 1
Ube 100 B 3
Ubeda 56 D 3

Uberaba 129 D 3
Uberlândia 129 C/D 3
Überlingen 32 C 3

Ubon 102 B 2
Ubort 55 I 3
Ubsa-Nur 96 C 1

Ubu

Ubundu 76 C 2
Ucayali 126 B 3
Uchta 90 D 2
Uchte 34 B 3
Uckermark 34/35 D 2
Uda (Fl. zum Jenissej) 93 G 4
– (Fl. zum Ochotkischen Meer) 95 E 4
Udaipur 88 B 2
Uddevalla 41 B 4
Uddjaur 40 D 2
Uden 44 D 3
Udine 52 D 3
Uecker 35 D 1
Ueckermünde 35 D/E 1
Ueda 101 D 2
Uëlle 76 C 1
Uelzen 25 F 3
Ueno 101 D 3
Uetersen 22 C 2
Uetliberg 50 C 2
Ufa 91 D 3
Uffenheim 30 C 2
Uganda 71 u. 77 D 1/2
Ugine 50 A 4
Uglegorsk 95 F 5
Uhlava 31 F 2
Uige 76 B 2
Uighur (Xin-jiang) 96 A/B 2
Ujung Pandang (Makassar) 103 C 4
Ukerewe 77 D 2
Ukraine 55 H–K 4
Ulaan-Choto (Wu-lan-hao-te) 97 E/F 2
Ulan-Bator (Urga) 97 D 2
Ulan-Gom 96 C 2
Ulan-Ude 93 H 4

Ulawun 108 C 2
Ulcinj 62 D 3
Uldsa 97 E 2
Ulfborg-Vemb 42 B 2
Uljanowsk 91 C 3
Uljassutai = Jibgalanta
Ulm 32 C/D 2/3
Ulreung 100 B 2
Ulsan 100 B 3
Ulster (Fl., Thüringen) 36 A/B 3
– (Grafschaft, Irland) 38 C 3
Ulu dağ 85 A 1/2
Uluguru-Berge 77 D 2
Ulutau 91 E 4
Umboi 108 C 2
Umbrail 51 E 3
Umbrien 58/59 E 3
Umeå 40 E 3
Umeälv 40 D 2
Umiat 114 D 3
Umm Ladj 85 C 3/4
Umtali 78 C 2
Umtata 78 B/C 4
Una 62 C 2
Undur-Chan 97 D/E 2
Uněšov 31 F 2
Ungarn 17, III E/F 4 u. 64 B–D 2
Ungavabai 117 E 4
Ungava-Halbinsel 117 D 3/4
Union der Sozialistischen Sowjetrepubliken (UdSSR) 83; 90/91; 92/93 u. 94/95
Uniontown 120 D 4
Unna 26 C 2

Unstrut 36 B/C 2
Untere Tunguska 92/93 G 3
Unterhaching 33 E 2
Unterlüß 25 F 3
Unterweißenbach 53 E 1
Upernavik 116 F 2
Upingto 78 B 3
Upolu 105 E 3
Uppsala 41 D 4
Ur 86 C 3
Urach 32 C 2
Ural (Fl.) 91 D 4
Uralgebirge 90/91 D/E 2/3
Uralsk 91 D 3
Uranium City 115 I 4
Urawa 101 D 3
Urbino 58 E 3
Ures 122 A/B 2
Urfa 85 C 2
Urft 26 B 3
Urga = Ulan Bator
Urgentsch 91 E 4
Urmiasee = Rezaiyehsee
Urubamba 126 B 4
Uruguaiana 130 D 3
Uruguay (Fl.) 130/131 D 2/3
– (St.) 113 u. 130 D 3
Uruk 86 C 3
Urumchi (Di-hua) 96 B 2
Urup 95 F 5
Uşak 85 A/B 2
Usambara-Berge 77 D 2
Usbekistan 91 D/E 4/5
Uschakow-Insel 92 E/F 1
Uschoker Paß 55 G 4
Usedom (I. u. O.) 35 D/E 1
Usen 91 D 4
Ush 55 K 3

Ushaia 131 C 5
Ushgorod 55 G 4
Usingen 28 D 2
Uslar 25 E 4
Uslava 31 F 2
Uspenskij 91 F 4
Ussa 90 D 2
Ussuri 95 E 5
Ussurijsk 100 C 1
Ust-Bolcherezk 95 G 4
Ustěk = Auscha
Uster 50 C 2
Ustica 60 D 3
Ustí nad Labem = Aussig
Ust-Ilimsk 93 H 4
Ust-Ischim 91 F 3
Ust-Jansk 94 E 2
Ustjurt-Plateau 91 D 4
Ust-Kamenogorsk 93 E/F 5
Ust-Kamschatsk 94 H 4
Ust-Kut 93 H 4
Ust-Maja 94 E 3
Ust-Nera 94 F 3
Ust-Port 92 F 2/3
Ust Tschaun 94 H/I 3
Ust-Zilma 90 D 2
Utete 77 D 2
Utica 121 F 2
Utiel 57 E 3
Utrecht 44 C/D 2
Utrera 56 C 4
Utschur 95 E 4
Utsjoki 40 F 1
Utsunomiya 101 E 2
Uttaradit 102 A/B 2
Uusikaarlepyy 40 E 3
Uusikaupunki 41 E 3
Uvira 77 C 2
Uwajima 100 C 3
Uxmal 123 C/D 2

#

Vaal 78 B 3
Vaasa 41 E 3
Vác 64 C 2
Vadar 63 F 4
Vadodara 88 B 2
Vadsö 40 G 1
Vaduz 51 D 2
Vaggeryd 43 G/H 1
Vaihingen 32 B 2
Valdagno 51 F 4
Valdahon 50 A 2
Valdepeñas 56 C/D 3
Valdés, Halbinsel – 131 C 4
Valdez 114 E 3
Val d'Isère 50 A 4
Valdivia 131 B 3
Valence 49 F 3
Valencia (O. u. Provinz, Spanien) 57 E 2/3
– (Ö., Venezuela) 126 C 1/2
Valenciennes 45 B 4
Valentin 100 C 1
Valga 41 F 4
Valjevo 62/63 D/E 2
Valkenswaard 45 D 3
Valkom 41 F 3
Valladolid 56 C 2
Valledupar 126 B 1
Vallenar 130 B 2
Valletta 60 D 5
Vallo 43 F 3
Valmy 47 F 2
Valparaiso 131 B 3
Vals 50 D 3
Van (O. u. -see) 85 D 2
Vancouver (O. u. I.) 115 G 5
Van-Diemen-Golf 108 B 3
Vänersborg 41 F 3
Vänersee 41 C 4
Vanga 77 D/E 2
Vangunu 108 C 2

Vannes 46 B 3
Vannöy 40 D 1
Vanoise 50 A 4
Vantaa 41 F 3
Vanua Levu 105 D 3
Var 49 G 4
Varanasi 88 C 2
Varangerfjord 40 G 1
Varazdin 62 C 1
Varberg 43 E/F 1
Varde 42 B 3
Vardö 40 G 1
Varel 24 D 2
Varennes 121 F 1
Vareš 62 D 2
Varese 50 C 4
Varkaus 41 F/G 3
Värmland 41 C 4
Varna 66 E/F 2
Värnamo 43 G/H 1
Varzo 50 C 3
Vaslui 65 G 2
Västerås 41 D 4
Västerbotten 40 D/E 2
Vasterdaläly 41 C 3
Vastervik 41 D 4
Vatnajökull 40, I C 1
Vatneyri 40, I B 1
Vättersee 41 C 4
Vaupes 126 B 2
Vaux 47 E 2
Växjö 41 C 4
Vechta 24 D 3
Vechte (Vecht) 24 C 3 u. 44 E/F 2
Vedea 65 F 3
Veendam 44 E/F 1
Vega 40 B 2
Veitschalpe 53 F 3
Vejen 42 C 3
Vejle 42 C 3
Velbert 26 C 2
Velebit 62 B 2
Vélez-Málaga 56 C/D 4

Vella 108 C 2
Vellahn 34 A 2
Velmerstot 27 D 2
Velp 44 D/E 2
Vellur 88 B 3
Velsen 44 C 2
Velten 34 D 3
Veltlin 51 D/E 3
Vendôme 46 D 3
Vendsyssel 42 C/D 1
Venedig (Venezia) 51 G 4
Venetien 52 C 4
Venezianer Alpen 52 C 3
Venezuela 113 u. 126 C 2
Venianimof 114 D 4
Venlo 45 D/E 3
Venray 45 D 3
Vent 51 E 3
Ventotene 59 E 4
Veracruz (Provinz u. O.) 122 C 3
Verbania 50 C 4
Vercelli 50 C 4
Verden 25 E 3
Verdon 49 F/G 4
Verdun (Frankreich) 47 F 2
– (Kanada) 121 G 1
Vereeniging 78 B 3
Vereinigte Arabische Emirate 83 u. 86 D 5
Vereinigtes Königreich von Großbritannien und Nordirland 17, III C/D 3
Vereinigte Staaten von Amerika (USA) 112 u. 118/119
Vermont 121 G 1/2
Vernon 46 D 2
Verona 51 F 4
Versailles 46 D/E 2
Verviers 45 D 4
Vervins 45 B/C 5
Vesoul 50 A 2

Vesterålinseln 40 C 1
Vestfjord 40 C/D 2
Vestmannaeyjar 40, I B 2
Vesuv 59 F 4
Vevey 50 A 3
Vézelay 47 E 3
Viana do Castelo 56 A 2
Vianden 28 B 3
Viborg 42 C 2
Vicenza 51 F 4
Vichada 126 B/C 2
Vichy 47 E 3
Vicksburg 119 D 3
Victor Harbour 109 B 5
Victoria (Bundesstaat, Australien) 109 C 5
– (Fl., Australien) 108 B 3
– (O., Kamerun) 74 A 4
– (O., Kanada) 115 G 5
– (O., Rumänien) 65 F 3
– (O., Seychellen) 79 E 1
Victoria-Fälle 78 B 2
Victoriasee 77 D 2
Victoria West 78 B 4
Videbæk 42 B 2
Vidin 66 C 2
Vidöster-See 43 G/H 1
Viechtach 31 E 2
Viedma 131 C 4
Vienne (Fl. zur Loire) 46 D 3
– (O. an der Rhône) 49 F 3
Vientiane 102 B 2
Viernheim 28/29 D 3
Viersen 26 B 2
Vierwaldstätter Alpen 50 C 3
Vierwaldstätter See 50 C 2/3

Vierzehnheiligen (Kl.)
    31 D 1
Vierzon 46 E 3
Vietnam 83 u. 102 B 2
Vigevano 50 C 4
Vigo 56 A 1
Vihren 66 C 3
Vijayawada 88 C 3
Vik 40, I C 2
Vikna 40 B 2
Vila 104 D 3
Vila de Manica 78/79 C 2
Vilaine 46 C 3
Vila Nova de Gaia 56 A 2
Vila Real 56 B 2
Vila Real de Santo Antonio
    56 B 4
Vila Roçadas 76 B 3
Vila Teixeira da Silva 76 B 3
Vila Teixeira de Sousa
    76 C 3
Vilhelmina 40 C/D 2
Villach 53 D 3
Villadossola 50 C 3
Villafranca 51 E 4
Villahermosa 122 C 3
Villa Maria 130 C 3
Villanueva y Geltru 57 F 2
Villarrica 130 D 2
Villaviciosa 56 C 1

Villena 57 E 3
Villeneuve 50 A/B 3
Villersexel 50 A 2
Villingen-Schwenningen
    32 B 2
Vilnius = Wilna
Vils (Fl. zur Donau) 31 E 3
  − (Fl. zur Naab) 31 D 2
Vilsbiburg 31 E 3
Vilvoorde 45 C 4
Viña del Mar 131 B 3
Vindeläv 40 D 2
Vindhyagebirge 88 B 2
Vinh 102 B 2
Vinh Loi 102 B 3
Vinkovci 62 D 2
Vinson-Massiv
    134/135 O 1/2
Vintschgau 51 E 3
Vipava 52 D 4
Vipiteno = Sterzing
Virginia 120 D/E 4
Virunga-Vulkane 77 C 2
Vis 62 C 3
Visakhapatnam 88/89 C 3
Visby 41 D 4
Višegrad 62 D 3
Viseu 56 B 2
Viskan 43 F 1
Visp 50 B 3

Visselhövede 25 E 2/3
Viterbo 58 D 3
Vitiaz-Straße 108 C 2
Viti Levu 105 D 3
Vitória (Brasilien)
    129 D/E 3/4
  − (Spanien) 57 D 1
Vitória da Conquista
    129 D 3
Vitoša 66 C 2
Vitré 46 C 2
Vitry 47 F 2
Vittorio Veneto 51 G 3/4
Vitu-Inseln 108 C 2
Vizianagaram 88 C 3
Vjosë 63 E 4
Vlaardingen 44 B/C 3
Vlieland 44 C 1
Vlissingen 45 B 3
Vlorë 62/63 D 4
Vltava = Moldau
Vöcklabruck 52 D 1
Vogelkopf 108 B 2
Vogelsberg 29 E 2
Vogelspitze 73 D 4
Vogesen 47 G 2/3
Vohenstrauß 31 E 2
Vöhringen 32 D 2
Voi 77 D 2
Voitsberg 53 E/F 2

Vojens 42 C 3
Volkach 30 C 2
Völkermarkt 53 E 3
Völklingen 28 B 3
Volkmarsen 29 D/E 1
Volta 72 C 4
Volterra 58 D 3
Volturno 59 E 4
Vopnafjord 40, I D 1
Vorarlberg 51 D/E 2
Vorau 53 F 2
Vorderrhein 50 D 3
Vordingborg 43 E 4
Vorupør 42 B 2
Voss 41 A 3
Vostock-Insel 107 F 3
Vraca 66 C 2
Vranje 63 E/F 3
Vransko 53 E 3
Vrbas 62 C 2
Vrchlabi = Hohenelbe
Vrhnika 53 E 4
Vršac 63 E 2
Vryburg 78 B 3
Vufflens (Schl.) 50 A 3
Vught 45 D 3
Vulcano 60 D 3
Vulkan-Inseln 104 C 1
Vulkanpaß 64 E 3
Vung Tau 102 B 2

W

Waal 44 D 3
Waalwijk 44 C/D 3
Wachau 53 F 1
Waco 118 D 3
Wadelai 77 D 1
Wadern 28 B 3
Wadi Azaouak 72/73 C 3
Wadi Draa 72 B 2
Wadi el Hasa 84 B 4
Wadi Ha Arava 84 B 4
Wadi Hauran 85 D 3
Wadi el-Melik 75 C/D 3
Wadi Halfa 75 D 2
Wadi Igharghar 73 C 2
Wadi Tafassasset 73 C/D 2
Wadi Tamanrasset 72 C 2
Wadi Yarmuk 84 B 2
Wad Medani 75 D 3
Wager Bay 116 B 3
Wagga-Wagga 109 C 5
Wagrien 22/23 D 1
Waha 74 B/C 2
Waiblingen 32 C 2
Waidhaus 31 E 2
Waidhofen an der Thaya
    53 F 1
  − an der Ybbs 53 E/F 2
Waigatsch 90 D 2
Waingapu 103 C 4
Waischenfeld 31 D 2
Wake 104 D 1/2
Wakhan 88 B 1
Walbrzych = Waldenburg
Walchensee 33 E 3
Walcourt 45 C 4
Waldaihöhe 90 B 3
Waldbröl 26 C 3
Waldeck 29 E 1
Waldenburg (Schweiz)
    50 B 2
(Walbrzych, Polen) 54 D 3
Waldheim 37 E 2
Waldia 75 D/E 3
Waldkarpaten 55 G/H 4
Waldkirch 32 A/B 2
Waldkraiburg 33 F 2
Waldmünchen 31 E 2
Waldsassen 31 E 1/2
Waldshut-Tiengen 32 B 3
Waldviertel 53 E/F 1
Walensee 50/51 D 2
Wales 39 E 4/5
Walfischbai 78 A 3

Walgau 51 D 2
Walgea 109 C 5
Walhalla (Sch.) 31 E 2
Wallaroo 109 B 5
Wallasey 39 E 4
Walla Walla 118 B 2
Walldürn 32 C 1
Wallis 50 B 3
Walliser Alpen 50 B/C 3/4
Wallis u. Futuna 107 E 3
Walsall 39 F 4
Walsh 108 C 3
Walsrode 25 E 3
Walzin (Schl.) 45 C/D 4
Wanganella 109 C 5
Wanganui 109, I B 1
Wangaratta 109 C 5
Wangen 32 C/D 3
Wangerooge 24 C 2
Wankie 78 B 2
Wan-xian 98 A 3
Wanzleben 36 C 1
Warangal 88 B 3
Warburg 29 E 1
Warburton 109 B 4
Wardenburg 24 C/D 2
Warder 75 E 4
Wardha 88 B 2
Waregem 45 B 4
Waren 34 C 2
Warendorf 26 C 2
Warnambool 109 C 5
Warnemünde 34 B/C 1
Warnow 34 B 2
Warnsdorf 37 F 3
Warschau (Warszawa)
    55 F 2
Warstein 26 D 2
Warszawa = Warschau
Warta = Warthe
Wartburg (Schl.) 36 B 3
Warthe (Warta) 54 D 2
Warthebruch 35 E/F 3
Warwick (Australien)
    109 D 4
  − (England) 39 F 4
Wasatchkette 118 B 2/3
Wash, The − 39 G 4
Washington (D. C.)
    120 E 4
  − (Pennsylvania) 120 C 3
Washington-Insel 105 F 2
Wasjuganebene 93 E/F 4

Wassen 50 C 3
Wassenaar 44 C 2
Wasseralfingen 32 C/D 2
Wasserburg 33 F 2
Wasserkuppe 29 E 2
Wasserträdingen 30 C 2
Watampone 103 C/D 4
Waterberg 78 A 3
Waterbury 121 G 3
Waterford 39 C 4
Waterford 120 C 3
Waterloo (Belgien) 45 C 4
  − (Kanada) 120 C 2
Wathi 67 E 5
Watling-Insel =
    San Salvador
Watson Lake (O.) 114 G 3
Wattensee 44 C−E 1
Wattwil 50 C/D 2
Watubela 108 B 2
Watzmann 33 F 3
Wau el-Kebir 74 B 2
Wau en-Namus 74 B 2
Wavre 45 C 4
Webi Jestro 75 E 4
Webi Shebeli 75 E 4
Wechsel (G.) 53 F/G 2
Wedel 22 C 2
Wedellmeer 134 Q/R 2/3
Weener 24 C 2
Weesen 50 D 2
Wegscheid 31 F 3
Wehr 32 A 3
Weil 28 D 2
Weilburg 28 D 2
Weichsel (Wisla) 54 E 2
Weida 36 C/D 3
Weiden 31 D/E 2
Wei-fang 99 C 2
Weigeo 108 B 2
Wei-hai 99 D 2
Wei-he 98 A 3
Wei-hei 97 D 3
Weil am Rhein 32 A 3
Weilheim 33 D/E 3
Weilmünster 28 D 2
Weimar 36 C 3
Weingarten (Kr. Karlsruhe)
    32 B 1
  − (Kr. Ravensburg) 32 C 3
Weinheim 32 B 1
Weinviertel 53 F/G 1
Weiße Elster 36 D 2/3

Weißenburg (Bayern)
    30 C 3
  − (Wissembourg,
    Frankreich) 28 C 3
Weißenfels 36 D 2
Weißenhorn 32 D 2
Weißensee 52 D 3
Weißenstein (B.) 50 B 2
Weißer Berg (bei Prag)
    37 F 3
Weißer Drin 63 E 3
Weißer Main 31 D 1
Weißer Nil = Bahr el-Abiad
Weißer Volta 72 B 3
Weißes Meer 90 B/C 2
Weißhorn 50 B 3
Weißkugel 51 E 3
Weißrußland 55 H−K 2
Weißwasser 37 F 2
Weiz 53 F 2
Welikaja 41 G 4
Welikij Ustjug 90 C 2
Welkom 78 B 3
Welland (O. u. − Kanal)
    120 D 2
Wellesley-Inseln 108 B/C 3
Wellheim 31 D 3
Wellington 109, I B 2
Wellington-Insel 131 B 4
Wells 118 B 2
Wels 53 D/E 1
Welse 35 E 2
Weltenburg (Kl.) 31 D/E 3
Welzheim 32 C 2
Wembere-Steppe 77 D 2
Wemding 30 C 3
Wendland 25 G 3
Wengen (Kl.) 51 F/G 3
Wenne 26 D 2
Wen-shan 97 D 4
Wentworth 109 C 5
Wen-zhou 97 F 4
Weonsan 100 A/B 2
Werbomont 26 A 3
Werchnekolymsk 94 F/G 3
Werchojansk 94 E 3
Werchojansker Gebirge
    94 D/E 3
Werdau 36 D 3
Werdohl 26 C 2
Weria 66 B/C 3
Werl 26 C 2
Werneuchen 35 D 3

Wernigerode 36 B/C 2
Werra 29 E/F 1/2
Werre 27 D 1
Wertach 33 D 2
Wertheim 32 C 1
Wertingen 30 C 3
Wesel 26 B 2
Wesendorf 25 F 3
Weser 24/25 D/E 2–4
Wesergebirge 24/25 D/E 3
Wesseling 26 B 3
Wessel-Insel 108 B 3
Westalpen 49 G/H 2/3
Westaustralien 104 A/B 4
Westbalkan 66 C 2
Westbengalen 89 C 2
West Bromwich 39 E 4
Westensee 22 C/D 1
Westerburg 28 C/D 2
Westerland 22 B 1
Westerly 121 H 3
Westerschelde 45 B 3
Westerstede 24 C/D 2
Westerwald 28 C/D 2
West-Friesland 44 C/D 2
Westghats 88 B 2/3
West Hartlepool 38 F 3
Westirian 108 B 2
Westkoreagolf 100 A 2
Westliche Morava 63 E 3
Westlicher Euphrat 85 C 2
Westlicher Großer Erg
  72 B/C 1/2
Westlicher Taurus 85 B 2
Westliche Sierra Madre
  122 B 1/2
West-Nicholson 78 B 3
Westoder 35 E 2
West Palm Beach 119 E/F 4
West Point 121 F 3
Westport (England) 39 B 4
– (Neuseeland) 109, I B 2
Westsajan 93 G 4
West-Virginia 120 C 4
Wetar 103 D 4
Wetter 29 D 2
Wetterau 29 D 2
Wettersteingebirge
  33 D/E 3
Wettingen 50 C 2
Wetzlar 28 D 2
Wewak 108 C 2
Wexford 39 C 4
Weyer 53 E 2
Weyhe 24 D 3
Weymouth 39 E 5
Whakatane 109, I B 1
Whangarei 109, I B 1
Wheeler Peak 118 C 3
Wheeling 120 C 3/4
Whitehorse 114 F 3
White-Insel 109, I B 1
Whitney 120 D 1
Whyalla 109 B 5
Wiarton 120 C 1
Wiborg 41 G 3

Wichita 118/119 D 3
Wichita Falls 118 C/D 3
Wick 38 E 1
Wicklow 39 C/D 4
Wicklow Mountains 39 C 4
Wido 100 A 3
Widuchowa = Fiddichow
Wied 28 C 2
Wiedau 22 B 1
Wiehengebirge 26/27 D 1
Wiek (Rügen) 34 D 1
Wieliczka 54 E/F 3
Wien 53 G 1
Wiener Neustadt 53 F/G 2
Wienerwald 53 F/G 1
Wieprz 55 G 3
Wies (Kl.) 33 D 3
Wiesbaden 28 D 2
Wiese (Fl.) 32 A 3
Wiese-Insel 92 E 1
Wiesent 31 D 2
Wiesloch 32 B 1
Wiesmoor (O.) 24 C 2
Wietze 25 E 3
Wight 39 F 5
Wilcannia 109 C 5
Wilczekland 92 D/E 1
Wildbad 32 B 2
Wildeshausen 24 D 3
Wildhorn 50 B 3
Wildon 53 F 3
Wildspitze 51 E 3
Wileika 55 I 1
Wilhelminagebirge 127 D 2
Wilhelmshaven 24 C/D 2
Wilija (Neris) 55 H 1
Wiljui 92 H 3
Wiljuisk 92 K 3
Wilkau-Haßlau 36/37 D 3
Wilkes Barre 121 F 3
Wilkesland 135 F/G 2
Wilkitzkistraße 92 G/H 2
Willaumez-Halbinsel
  108 C/D 2
Willemstad 126 C 1
William Creek 109 B 4
Williamsport 120 E 3
Willingen 28/29 D 1
Willis-Insel 108 D 3
Willow South 114 D/E 3
Wilmington (Nord-Carolina)
  119 E/F 4
  -(Pennsylvania) 121 F 4
Wilna (Vilnius) 55 H 1
Wilsede 25 E/F 2
Wilseder Berg 25 E 2
Wiltz 45 D 5
Wiluna 104 A/B 4
Winchester (England)
  39 F 5
  – (USA) 120 D 1
Windau (Neula, Fl.) 41 E 4
  – (Ventspils, O.) 41 E 4
Windhuk 78 A 3
Windischeschenbach
  31 D 2

Windischgarsten 53 E 2
Windsor (England) 39 F 5
  – (USA) 120 B 2
Windward-Passage
  123 E 2/3
Wingst, Die –
  24/25 D/E 1
Winisk 117 C 4
Winnenden 32 C 2
Winnipeg 115 K 5
Winnipegosis-See 115 I 4
Winnipeg-See 115 K 4
Winniza 55 K 4
Winschoten 44 E/F 1
Winsen/Aller 25 E 3
  – /Luhe 25 F 2
Winterberg 26/27 D 2
Winterswijk 44 E 3
Winterthur 50 C/D 2
Winton 109 C 4
Wipperfürth 26 C 2
Wippra 36 C 2
Wirssee 41 F 4
Wisconsin 119 D/E 2
Wiseman 114 D/E 3
Wisla = Weichsel ·
Wismar 34 B 2
Wissembourg =
  Weißenburg
Witim (O. u. Fl.) 93 I 4
Witim-Plateau 93 H 4
Witjas-Tief 104 B/C 2
Witten 26 C 2
Wittenberg 36/37 D 2
Wittenberge 34 B/C 2/3
Wittenburg 34 B 2
Wittensee 22 C/D 1
Wittingen 25 F 3
Wittlich 28 B 3
Wittmund 24 C 2
Wittstock 34 C 2
Witu 77 E 2
Witzenhausen 29 E 1
Wjatka 90 C 3
Wladimir-Wolynskij 55 H 3
Wladiwostok 100 C 1
Wloclawek 54 E 2
Wohra 29 D 2
Wojwodina 62/63 D/E 2
Woldegk 34 D 2
Woldenberg (Dobiegniew)
  35 F 2/3
Wolfach 32 B 2
Wolfen 36 D 2
Wolfenbüttel 25 F 3
Wolfgangsee 52 D 2
Wolfhagen 29 E 1
Wolfratshausen 33 E 3
Wolfsberg 53 E 3
Wolfsburg 25 F 3
Wolga 90 B/C 3/4
Wolgast 34/35 D 1
Wolgograd 91 C 4
Wolkersdorf 53 G 1
Wolkowysk 55 H 2
Wollaston-See 115 I 4

Wollin (I. u. O.) 35 E 2
Wollongong 109 D 5
Wolnzach 31 D 3
Wologda 90 C 3
Wolos 67 C 4
Wolotschanka 92 G 2
Wolseley 109 C 5
Wolverhampton 39 E 4
Wolynien 55 H/I 3
Wolynisch-Podolische
  Platte 55 H–K 4
Woodbury 121 F 4
Woodlark 108 C 2
Woodstock 120 C 2
Woodsville 121 H 1
Woomera 109 B 5
Worcester (England)
  39 E 4
  – (Südafrika) 78 A/B 4
  – (USA) 121 G/H 2
Wörgl 51 F/G 2
Workuta 90 E 2
Worms (O., Baden-
  Württemberg 28 D 3
  – (Vormsi, I., Estland)
  41 E 4
Woronesh 90/91 B 3
Woroschilowgrad 91 B/C 4
Worpswede 24/25 D 2
Wörth (Main) 31 E 2
  – (Rhein) 28 D 3
Wörther See 53 E 3
Wotkinsker Stausee
  90 D 3
Wotu 103 D 4
Wour 74 B 2
Wrangellberge 114 E 3
Wriezen 35 D/E 3
Wrigley 114 G 3
Wroclaw = Breslau
Wu-han 98 B 3
Wu-hu 99 C 3
Wu-jiang 97 D 4
Wu-lan-hao-te = Ulaan-
  Choto
Wümme 25 E 2
Wunsiedel 31 E 1
Wunstorf 25 E 3
Wuoksen 41 G 3
Wupper 26 C 2
Wuppertal 26 C 2
Würzburg 30 B 2
Wurzen (O., DDR)
  36/37 D 2
  – (Paß) 52/53 D 3
Wüste Juda 84 B 3
Wüste Nefud 85 D 4
Wusterhausen 34 C 3
Wutach 32 B 3
Wu-wei 96 D 3
Wu-xi 99 C/D 3
Wu-zhong 97 D 3
Wu-zhou 97 E 4
Wyandotte 120 B 2
Wyk auf Föhr 22 B 1
Wyoming 118 C 2
Wytschegda 90 D 2

X

Xai-Xai 78/79 C 3
Xanthi 66 D 3
Xanten 26 B 2
Xi-an 98 A 3
Xian-fan 98 B 3
Xia-guan 96 D 4
Xia-men = Amoy

Xiang Gang = Hong Kong
Xiang-jiang 97 E 4
Xiang-tan 97 E 4
Xian-ning 98 B 4
Xi-chang 96 D 4
Xi-jiang 97 E 4
Xi-lin-huo-te 97 E 2

Xi-min 99 D 1
Xinan-jiang 99 C 4
Xin-bin 100 A 1
Xing-tai 98 B 2
Xi-ning 96/97 D 3
Xin-jiang = Uighur

Xin-jin 99 D 2
Xin-xian 98 C 2
Xin-xiang 98 B 2
Xin-yang 98 B 3
Xi-zang = Tibet
Xuan-hua 98 B/C 1
Xü-shang 98 B 3
Xu-zhou 98 C 3

Y

Ya-an 96 D 4
Yad Mordehay 84 A 3
Yakoma 76 C 1
Yalinga 74 C 4

Yamagata 101 D/E 2
Yamaguchi 100 B/C 3
Yambio 75 C 4
Yanam 88 C 3

Yan-cheng 99 D 3
Yang-zhou 99 C 3
Yan-ji 97 F 2
Yan-tai 99 D 2

Yan-zhou 98 C 2
Yaoundé 74 B 4
Yap-Inseln 104 B 2
Yaquil 122 A/B 2

Yaraka 109 C 4
Yarkand (Suo-che) 96 A 3
Yarkand Darya 96 A/B 2/3
Yatsushiro 100 B 3
Yaxchilán 122 C 3
Ybbs (O. u. Fl.) 53 E/F 1
Yding Skovhøj 42 C 3
Yecla 57 E 3
Yellowknife 114 H 3
Yellowstone (Fl. u. – See)
  118 C 2
Yelwa 73 C 3
Yen-an 98 A 2
Yeongdeog 100 B 2
Yeongheung 100 A 2
Yeosu 100 B 3

Yerupaja 126 B 4
Yesilirmak 85 C 1
Yet 75 E 4
Yeu 46 B 3
Ye-xian 99 D 2
Yi-bin 96/97 D 4
Yi-chang 98 B 3
Yi-chun 97 F/G 2
Yi-liang 96/97 D 4
Yin-chuan 97 D 3
Ying-hong 96 D 4
Yi-ning = Kulja
Yin-shan 98 A/B 1
Yi-tu-li-he 97 F 1
Yi-xian 99 D 1
Ylikika 40 G 2
Yogan 131 B 5

Yokadouma 74 B 4
Yokkaichi 101 D 3
Yoko 74 B 4
Yokohama 101 D 3
Yokosuka 101 D/E 3
Yola 73 D 4
Yonkers 121 G 3
Yonne 47 E 2
York (O. u. Grafschaft,
  England) 39 F 3/4
– (USA) 121 E 4
Yorke-Halbinsel 109 B 5
York Faktory 117 B 4
Yosemitetal 118 B 3
Ysabel-Kanal 108 C/D 2
Ystad 43 G 3

Yuan-jiang 97 D/E 4
Yubari 101 E 1
Yucatán 123 D 2
Yu-jiang 97 D 4
Yukon (Provinz u. Fl.)
  114 C–F 3
Yu-lin 97 E 4
Yuma 118 B 3 ·
Yumari 126 C 2
Yu-men 96 C 2
Yungera 109 C 5
Yun-xian 98 B 3
Yu-shan 97 F 4
Yushu 96 C 3
Yuste (Kl.) 56 C 2
Yu-tian = Keriya
Yverdon 50 A 3 ·

Z

Zaandam 44 C/D 2
Zacapa 123 C/D 3
Zacatecas 122 B 2
Zadar 62 B 2
Zafra 56 B 3
Zagan = Sagan
Zagazig 85 B 3
Zagreb (Agram) 53 F 4
Zagrosgebirge 86 C 3
Zaheda 87 D/E 4
Zaječar 63 E/F 3
Zala 53 G 3
Zalaergerszeg 53 G 3
Zamboanga 103 D 3
Záncara 57 D 3
Zandvoort 44 C 2
Zanesville 120 C 4
Zaouia el-Kahla 72 C 2
Zao-zhung 98 C 3
Zapala 131 B/C 3
Zaire 71 u. 76/77 C 2
Zamora 56 B/C 2
Zamość 55 G 3
Zaragoza 57 E 2
Zaria 73 C 3
Zarrentin 34 A/B 2
Zary = Sorau
Żatec = Saaz
Zawiercie 54 E 3
Zaya 53 G 1
Zduńska Wola 54 E 3
Zebedam 84 C 1
Zeebrügge 45 A/B 3
Zefa 84 B 3

Zefat 84 B 2
Zehdenick 34 D 3
Zeil 30 C 1
Zeila 75 E 3
Zeist 44 D 2
Zeitz 36 D 2/3
Zell am See 52 C 2
– am Ziller 51 F 2
– an der Mosel 28 C 2
Zella (Libyen) 74 B 2
Zella-Mehlis 36 B 3
Železniki 53 E 3
Zelinograd 91 F 3
Zelten 74 B 2
Zemio 74 C 4
Zenica 62 C 2
Zentralafrika (Republik)
  71 u. 74 B/C 4
Zerbst 36 D 2
Zerka 84 C 2
Zermatt 50 B 3
Zeulenroda 36 C/D 3
Zeven 25 E 2
Zevenaar 26 A/B 2
Zeuthen 34 D 3
Zezere 56 B 2/3
Zgorzelec 37 G 2
Zhang-ye 96 D 3
Zhang-zhou 97 E 4
Zhao-tong 96/97 D 4
Zhe-jiang 99 C/D 4
Zheng-zhou 98 B 3
Zhen-jiang 99 C 3
Zhigatse (Ri-ke-ze) 96 B 4

Zhong-shan 97 E 4
Zhong-xiang 98 B 3
Zhu-cheng 99 C 2
Zhu-zhou 97 E 4
Zidani most 53 E/F 3
Zielenzig (Sulęcin) 35 F 3
Zielona Gora = Grünberg
Ziesar 34 C 3
Ziganapaß 85 C 1
Zighen 74 C 2
Ziguincher 72 A 3
Zijpenberg 44 D/E 2
Ziller 51 F 2
Zillertaler Alpen 51 F/G 2
Zimbabwe (Antiker Ort)
  78 C 3
– (Rhodesien)
  71 u. 78 B/C 2
Zimljansker Stausee 91 C 4
Zin 84 B 4
Zinder 73 C 3
Zingst 34 C 1
Zinnowitz 35 D 1
Zipikan 93 H 4
Žiri 53 E 3
Zirl 51 F 2
Zirndorf 30 C 2
Zittau 37 F 3
Znaim (Znojmo) 53 G 1
Zoetermeer 44 C 2
Zofingen 50 B/C 2
Zomba 78/79 C 2
Zonguldak 85 B 1
Zörbig 36 D 2

Zossen 34 D 3
Zouerate (Fort Gouraud)
  72 A 2
Zrenjanin 63 E 2
Zschopau 37 E 3
Zuckerhütl 51 F 3
Zug 50 C 2
Zuger See 50 C 2
Zugspitze 33 D/E 3
Zújar 56 C 3
Züllichau (Sulechów)
  37 G 1
Zülpich 26 B 3
Zululand 78 C 3
Zumbo 78 C 2
Zun-yi 97 D 4
Zürich 50 C 2
Zurzach 50 C 2
Zusam 30 C 3
Zutphen 44 E 2
Zuwara 74 B 1
Żużemberk 53 E 4
Zvornik 62 D 2
Zweibrücken 28 C 3
Zweisimmen 50 B 3
Zwettl 53 F 1
Zwickau 36/37 D 3
Zwickauer Mulde 37 D 2/3
Zwiesel 31 F 2
Zwischenahn 24 C/D 2
Zwolle 44 E 2
Zypern 83 u. 85 B 3

DIERCKE-Taschenbücher

DIERCKE-
Weltstatistik 80/81
Staaten, Wirtschaft,
Bevölkerung, Politik
dtv 3401

Die jährlich erscheinende »DIERCKE-Weltstatistik« bietet neuestes, umfang-
reiches Zahlenmaterial über alle Staaten (einschließlich der abhängigen
Gebiete) unserer Erde in einem übersichtlichen, einheitlichen Aufbau.
Zahlenreihen, insbesondere bei der Bundesrepublik Deutschland und den
großen Staaten der Erde, sowie ein Welttabellenteil mit vergleichbaren
Daten ausgewählter Jahre in Verbindung mit meist zweifarbigen Karten-
graphiken verdeutlichen Strukturveränderungen, Entwicklungstendenzen
und -prozesse. Ausführliche Beiträge über Verbände der Bundesrepublik
Deutschland, UN- und andere internationale Organisationen sowie Hinter-
grundinformationen über die Krisenherde ermöglichen eine Bewertung der
politischen Vorgänge.

dtv/westermann